D0523989

LÉO, l'autre fils
LA PAROLE AUX LECTEURS

« Un livre à lire absolument. »

« Cet ouvrage est un chef-d'œuvre. »

« Je viens de passer des heures de pur bonheur. »

« Je n'ai jamais lu un livre avec autant d'intensité. »

« C'est une histoire absolument touchante qui nous tient jusqu'à la toute dernière ligne. »

« Un pur cadeau. »
                    Christine Michaud, TVA

« Une auteure à découvrir. »
                    Serge Drouin, Journal de Québec

« Une histoire touchante écrite magnifiquement par l'auteure. »
                    Hélène Lajeunesse, Voir

« Ce livre à l'intrigue pleine de rebondissements est impossible à lâcher. »
                    Laila Maalouf, Styles de vie

« Une histoire qui vient nous chercher jusque dans l'âme. »
                    Guylaine Perron, L'Info-lien

Léo
l'ultime solution

HÉLÈNE LUCAS

éditions sylvain harvey

Catalogage avant publication de Bibliothèque et Archives nationales du
Québec et Bibliothèque et Archives Canada

Lucas, Hélène, 1960-

   Léo, l'ultime solution

   ISBN 978-2-921703-91-8

   I. Titre.

PS8623.U22L462 2009   C843'.6   C2009-940213-0
PS9623.U22L462 2009

Révision linguistique et correction des épreuves : Carole Noël
Conception de la page couverture : André Durocher (Syclone)
Mise en page : Interscript
Impression : Transcontinental

Première édition, 2009
© Éditions Sylvain Harvey
ISBN 978-2-921703-91-8

Imprimé au Canada

Dépôt légal – Bibliothèque et Archives nationales du Québec, 2009
Dépôt légal – Bibliothèque et Archives Canada, 2009

Éditions Sylvain Harvey
Téléphone : 418 692-1336 (région de Québec)
Sans frais : 1 800 476-2068 (Canada et États-Unis)
Courriel : info@editionssylvainharvey.com
Site Web : www.editionssylvainharvey.com

Distribution en librairie au Canada :
Distribution Ulysse
Téléphone : 514 843-9882, poste 2232
Sans frais : 1 800 748-9171
Courriel : info@ulysse.ca

Nous remercions la Société de développement des entreprises
culturelles du Québec (SODEC) pour son aide à l'édition
et à la promotion.

Gouvernement du Québec – Programme de crédit d'impôt pour
l'édition de livres –Gestion SODEC

Nous reconnaissons l'aide financière du gouvernement du Canada
par l'entremise du Programme d'aide au développement de
l'industrie de l'édition (PADIÉ) pour nos activités d'édition.

À Daniel,
merci pour ton soutien indéfectible
depuis vingt-cinq ans.
La vie est l'encre de ma plume.
Toi, tu m'encourages et m'offres
la liberté de la laisser
glisser sur le papier.

À Michelle,
ton affection m'est très précieuse.

1

Sur le parvis de l'église Saint-Cœur-de-Marie, Léo s'était arrêté. La présence des porteurs, transpirant sous leurs vestons noirs et leurs cols de chemise empesés, l'intimidait. Les cloches de l'église avaient solennellement annoncé à tout le quartier le décès d'un paroissien. À contrecœur, Léo se résigna à gravir les marches empruntées par la famille Dussault-Allard pour conduire un des siens à son dernier repos. L'éclat des rayons du soleil était presque indécent en cette journée où était célébré le service funèbre de son grand-père, Jean-Pierre Dussault.

Lorsqu'il pénétra à l'intérieur, l'atmosphère solennelle ajouta à sa tristesse. La pénombre enveloppait les fidèles recueillis. La flamme des cierges et les émanations d'encens accompagnaient l'émouvante mélodie de la flûte de pan qui résonnait dans toute la voûte de ce sanctuaire. Il alla s'asseoir avec sa famille en deuil.

Assise dans la première rangée, sa mère, Marielle, essuyait ses larmes. L'évocation de la musique préférée de son père l'émouvait. Elle rangea son mouchoir et serra Samuel Jr contre elle pour se réconforter. Il était étonnamment calme sur ses genoux. À trois ans et demi, il avait plutôt habitué sa famille à des débordements d'énergie. Mais aujourd'hui, il était sage car son grand frère Léo, pour qui il éprouvait un profond attachement, était assis à ses côtés.

Léo était maintenant âgé de quatorze ans. Sa relation avec Junior était particulière. À l'annonce de sa venue au monde, c'est lui qui avait suggéré de le nommer Samuel, comme son frère aîné décédé avant sa naissance. Il était déçu de ne pas avoir connu cette époque qui avait tant troublé sa mère et s'était réjoui de la venue au monde de Samuel Jr. Aujourd'hui, ils étaient inséparables et chacun supportait difficilement l'absence de l'autre.

Léo laissa errer son regard sur les gens assis autour de lui. Il était touché par la présence de tant de parents et amis. Le décès du patriarche de la famille allait-il soudainement briser les liens familiaux qui les unissaient? Cette pensée lui noua la gorge.

Il observa d'abord son père Marc, aussi affecté que lui par ce décès. Il savait que son père avait toujours été reconnaissant à Jean-Pierre Dussault d'avoir pris soin de lui durant les années où il avait traversé une longue période de dépendance à l'alcool et de désespoir. Marc l'encouragea d'un regard rempli de compassion et de fierté.

Son regard se porta ensuite sur Annie et Stéphane, sa tante et son oncle, ainsi que sur son cousin Mathieu qu'il considérait comme son meilleur ami. Mathieu lui fit un signe de tête qu'il lui rendit. Il fut tiré de ses pensées lorsque le célébrant l'invita à venir faire une lecture à la mémoire du disparu.

Léo se leva et marcha lentement en direction de l'autel. Il s'approcha du lutrin en bois où il déposa sa feuille. D'une main tremblante, il ajusta le microphone. Les battements de son cœur lui secouaient la poitrine. Il se racla la gorge et, d'une voix hésitante, commença la lecture.

« Tu es parti mais tu seras toujours présent, grand-papa... »

Il inspira profondément pour refouler ses larmes. Il s'efforça de puiser au fond de lui le courage nécessaire pour poursuivre.

« La sérénité que tu dégageais et l'affection que tu nous portais nous manqueront tous les jours. Personne ne pourra prendre ta place dans nos cœurs et nous te sommes reconnaissants de l'unité familiale que tu nous as offerte et qui était essentielle à tes yeux... »

Sa voix commença à trembler et il craignit de se laisser envahir par l'émotion. Il fit alors l'erreur de regarder en direction de sa grand-mère.

Sa mamie Pierrette, celle qui l'avait aimé comme une mère quand Marielle avait été incapable de le faire, était assise sur le banc de bois, les mains jointes sur les genoux, telle une fillette docile attendant la lecture. Immobile, elle l'enveloppait du regard, reconnaissante de son touchant témoignage. Seules des larmes silencieuses, qu'elle ne prenait pas la peine d'essuyer, révélaient sa profonde tristesse.

Léo dut fermer les yeux un instant pour éviter de repenser à leur conversation de la matinée. Il lui avait alors demandé ce qu'elle avait aimé le plus chez son grand-père. Elle lui avait confié :

« En dépit de la maladie, le visage de ton grand-père s'éclairait encore chaque fois qu'il posait le regard sur moi. Ces yeux-là, qui m'intimidaient à me faire fondre dans les premiers mois de nos fréquentations, ne me regarderont plus jamais, ne me prouveront plus que j'étais adorée et que j'avais trouvé l'amour de ma vie. »

Léo étouffa un sanglot. Il baissa la tête et s'essuya les yeux. Il inspira profondément et se concentra sur les mots imprimés sur la feuille sans parvenir à les distinguer. Il enfouit la main dans la poche de son pantalon et tâta la figurine qui s'y trouvait pour se donner du courage. Il l'avait achevée la veille et regrettait de n'avoir pu l'offrir à son grand-père.

Sa lèvre inférieure tremblait et il serra la main sur la figurine. Comme il tardait à poursuivre la lecture, Junior se tortillait sur les genoux de Marielle qui luttait pour l'empêcher de se sauver.

— Reste un peu tranquille, Junior.

— C'est Léo! C'est Léo! répétait-il de sa voix perçante qui écorchait le silence.

À bout de force, Marielle lâcha prise et Junior s'échappa pour aller rejoindre Léo, tout en haut des grandes marches. Les semelles de ses bottines claquèrent sur le marbre froid et Léo dut s'accroupir pour l'accueillir. Junior se jeta dans ses

15

bras et enfouit son visage au creux de son cou. Dans ce contact réconfortant, Léo puisa l'assurance dont il avait besoin pour terminer son témoignage.

« J'espère que là où tu es tu ne souffres plus et que ton souvenir continuera de nous habiter. Au revoir, grand-papa!»

Léo prit sa feuille et redescendit les marches, Junior toujours blotti dans ses bras. Il se dirigea vers Pierrette qui souriait à travers ses larmes. Il déposa Junior et étreignit sa mamie. L'émotion gagna tous ceux et celles qui avaient tenu bon jusque-là. Puis, Léo sortit la figurine de sa poche et la remit à Pierrette qui la saisit délicatement, comme s'il s'agissait d'un trésor. Tant de souvenirs lui revenaient en mémoire! Elle se rassit pour éviter que ses jambes ne cèdent et contempla l'œuvre de Léo. Elle représentait Jean-Pierre, assis dans un fauteuil, tenant Léo sur ses genoux, un livre d'histoires à la main. La finesse des détails était étonnante. Même l'émerveillement se lisait sur le visage du vieil homme et sur celui de l'enfant.

Lorsque la cérémonie fut terminée, le cortège suivit le cercueil qui redescendit l'allée centrale jusqu'à l'extérieur de l'église et s'engouffra ensuite dans le corbillard. Les porteurs montèrent à bord de l'habitacle climatisé, et la dépouille de Jean-Pierre Dussault disparut sous le soleil qui persistait à éclairer cette journée. Les membres de la famille se consolèrent mutuellement, s'apprêtant à reprendre le chemin de leur vie, ignorant que le destin les réunirait à nouveau, au même endroit, dans moins de deux ans.

2

Par la fenêtre de la chambre donnant sur la rue, Léo observait son père et son jeune frère. Marc peinait à tondre la pelouse. Junior l'interrompait à tout moment en lui coupant le passage avec sa petite tondeuse en plastique. Léo sourit : Samuel Jr était assurément roi et maître de la maisonnée. Son niveau d'énergie épuisait ses parents pour qui Junior réservait ses meilleures prestations. Seul Léo parvenait à le calmer et à le garder tranquille. Sa meilleure stratégie consistait à lui proposer de l'aider à confectionner des figurines.

Léo avait bricolé un plateau de travail pour lui permettre de s'amuser avec la pâte à modeler. Le canif en plastique qu'il n'utilisait plus ainsi que quelques godets de peinture à l'eau et des outils inoffensifs s'y trouvaient. Pendant que Léo façonnait ou peignait des figurines, Junior l'imitait, sans grand succès. Il préférait déchiqueter la pâte en mille miettes ou barbouiller son plateau avec une substance violacée, résultant d'un savant mélange d'eau, de peinture et de colle. Cependant, Junior s'arrêtait souvent pour observer la fascinante dextérité de son grand frère.

À la veille de la rentrée scolaire, Léo avait le cœur gros. Il entamait sa troisième année de secondaire au séminaire Saint-François. Cette année cependant, il avait dû se résigner à retourner en pension pour tenter de faire partie de l'équipe de basketball du séminaire.

17

L'enfance troublée de Léo, séjournant tantôt chez sa tante, tantôt chez sa grand-mère, puis en pension à la ferme des Martin, ne lui avait pas permis de s'épanouir sur le plan sportif. C'est Mathieu qui avait d'abord réalisé le potentiel de Léo, lors des dernières vacances de Noël. Lorsqu'il en fit part à Marc et Marielle, ils furent étonnés de cette découverte. En dépit du manque d'enthousiasme de Léo, Marc avait alors insisté pour qu'il participe aux séances d'entraînement de l'équipe du séminaire au printemps. En constatant lui aussi le potentiel de Léo, l'entraîneur de l'équipe avait suggéré de l'inscrire au camp de sélection de septembre, tout en émettant de sérieuses réserves. Léo était un enfant solitaire et avait de grandes carences affectives : avait-il le désir et la capacité d'entrer en relation et de prendre sa place dans une équipe sportive ?

Au départ, Léo avait refusé de réfléchir à cette proposition. Mais son père ne s'était pas laissé décourager par ce premier refus. Il avait insisté en faisant valoir l'importance de développer ses habiletés sociales ainsi que la possibilité de bâtir une estime de soi positive par le biais d'activités sportives. Léo avait alors cherché une autre échappatoire :

— Mais j'aurai de l'entraînement tous les soirs, papa ! Avez-vous pensé au temps que vous allez passer à me véhiculer matin et soir ?

— Ce qui compte Léo, le rassura Marc, c'est de savoir si tu aimes le basket.

— Oui, bien sûr, mais...

— Alors, ne t'en fais pas pour le transport. Ta mère et moi tenons absolument à ce que tu mettes toutes les chances de ton côté.

— Vraiment, je trouve que ça n'a pas de bon sens. Vous êtes déjà tellement occupés avec Junior que si vous perdez tout ce temps à cause de moi, ce sera impossible... et je ne serai peut-être même pas sélectionné dans l'équipe !

— Léo, cesse de t'en faire pour tout le monde ! Il serait temps que tu penses à toi pour une fois. Et je vois bien que le basket te passionne. Quand tu as le ballon dans les mains, on dirait qu'il fait partie de ton corps tellement tu es habile !

— … mais il y a aussi les parties de fin de semaine qui vont vous demander encore du temps, et tu passes souvent tes samedis au bureau…

— Léo, pour l'amour du ciel! Arrête de t'en faire avec ça! Je travaille un peu plus que d'habitude ces temps-ci parce que mon adjointe est partie et que je n'ai pas encore trouvé quelqu'un pour la remplacer. Mais la situation va bientôt se régler et, ce qui compte pour l'instant, c'est que tu t'inscrives dans cette équipe.

Léo avait encore hésité. Il n'avait pas envie de se retrouver au sein d'un groupe d'inconnus et de devoir prouver à cette meute d'adolescents qu'il méritait une place dans l'équipe. Il avait argumenté encore un certain temps, jusqu'à finir par reconnaître que son père avait peut-être raison. La pratique d'un sport sur une base quotidienne pourrait bien avoir des effets bénéfiques pour lui, même sur le plan scolaire. Cependant, il avait persisté à refuser la proposition, car son souci d'épargner les contraintes du transport à ses parents était véritable. Leur bonheur passait avant le sien.

Marc était revenu à la charge sur cet aspect de la question en jouant sa dernière carte:

— Et si tu retournais habiter chez les Martin?

La ferme des Martin était située à moins de deux kilomètres du séminaire et monsieur Martin y faisait quotidiennement la navette pour d'autres pensionnaires. Marielle avait d'abord été prise d'angoisse à l'idée que Léo quitte la maison. Mais la tendresse de ces gens qui avaient chaleureusement accueilli Léo quelques années plus tôt renforça sa conviction que c'était la bonne solution. Leur affection pour Léo était véritable et le cadre de vie qu'ils offraient à leurs pensionnaires était irréprochable.

L'angoisse initiale de Marielle était en tous points partagée par Léo qui ne pouvait imaginer vivre loin de sa famille, surtout loin de Junior. Mais devant l'insistance de ses parents et les encouragements de Mathieu, il s'était résigné à contrecœur à participer aux essais prévus en septembre. Ce n'était pas tant le sport qu'il redoutait que les efforts à consacrer pour arriver à socialiser et à se faire une place dans l'équipe, sans compter qu'il n'avait pas la moindre idée de la manière d'y parvenir.

Léo observait Junior qui piquait à présent une grosse colère sur le gazon du parterre. Marc venait de confisquer la tondeuse en plastique. Le débordement d'énergie de Junior était déconcertant. Rien dans son comportement ne laissait encore paraître qu'il souffrait de l'effroyable maladie qui avait emporté leur grand frère Samuel, quinze ans auparavant.

L'annonce du diagnostic avait atterré la famille : Samuel Jr était né avec une dysfonction rénale. Ses reins étaient malades mais, jusqu'à présent, filtraient le sang suffisamment pour qu'il puisse vivre normalement. Les médecins avaient évité d'établir un pronostic à long terme. Depuis trois ans et demi, Marielle et Marc retenaient leur souffle et redoutaient chaque petit malaise qui incommodait Junior.

La veille de son départ pour la ferme, Léo mit beaucoup de soins à sélectionner les affaires qu'il emporterait. Ce départ l'angoissait au point de lui nouer l'estomac. Depuis quatre ans, il avait retrouvé la chaleur du foyer familial et s'était nourri de la stabilité qu'il avait cherchée durant toute son enfance. Il était revenu à la maison après une longue série de déménagements et d'abandons provoqués par l'état dépressif de sa mère et l'alcoolisme de son père. Il se réjouissait tous les jours de constater que ses parents s'étaient aussi retrouvés. Marielle était transformée. Depuis la reprise de leur vie familiale, elle semblait éprouver pour lui une véritable affection. Même s'il percevait toujours chez elle un voile de mélancolie, Léo se nourrissait de l'attention qu'elle lui portait et du plaisir qu'elle semblait éprouver en sa présence. Son départ imminent réveillait cependant les sentiments éprouvés lors de son premier séjour à la ferme : à l'époque, il avait cru qu'elle se débarrassait de lui et avait craint de ne plus jamais la revoir. La situation était fort différente cette fois, mais il devait faire de gros efforts pour se convaincre qu'elle n'allait pas l'oublier, ni cesser de l'aimer.

Pendant qu'il étalait des vêtements sur son lit, Léo vit sa mère debout près de la porte, immobile, le regard fixé sur la valise ouverte. Une impression de déjà-vu leur traversa l'esprit au même moment. À l'époque où il s'apprêtait à quitter la maison à l'âge de neuf ans, Marielle s'était tenue à cet endroit, tout aussi immobile, paralysée par l'impuissance d'éviter cette séparation.

La vue de la valise ouverte sur le lit ainsi que l'attitude résignée de Léo bouleversèrent Marielle. Quatre ans n'avaient pas suffi pour panser les blessures qu'elle lui avait causées. La situation lui brouillait les idées. Bien sûr, il ne quittait pas la maison par sa faute cette fois. Mais leur relation était encore fragile, et il ignorait toujours le véritable motif de sa conception. Elle redoutait de devoir lui apprendre un jour la vérité. Elle avait besoin de temps pour lui prouver qu'elle l'aimait véritablement et pour accepter le passé.

— Maman... Ça va?

Marielle mit un certain temps à répondre, hantée par l'image qui lui revenait en mémoire : son brave petit garçon, triste et résigné, lui souriant malgré le désespoir qui l'accablait. Elle fit un effort pour se raisonner et dissimuler son trouble.

— Ça va, répondit-elle. Et toi, tu veux un coup de main?

— D'accord. J'essaie d'en apporter le moins possible. De toute façon, ma chambre est minuscule et le placard aussi.

— Ah bon... madame Martin t'a-t-elle réservé la même chambre qu'à l'époque?

— Je ne sais pas. Je suppose.

Marielle vint s'asseoir sur le bord du lit. Elle observa les traits adolescents de Léo qui sélectionnait ses effets personnels avec soin. Il n'avait pas beaucoup changé, seulement un peu grandi. La résignation s'était ajoutée à l'expression grave de son visage et son regard était toujours rempli de douceur et de compréhension, en dépit d'un subtil changement : il ressemblait de plus en plus à Marc. La grande maturité qu'il dégageait la réconforta. Peut-être s'était-il fait à l'idée de quitter la maison, pensa-t-elle. Peut-être s'efforçait-il simplement de masquer sa nervosité pour la protéger, comme il l'avait toujours fait. Elle se concentra sur la pile de vêtements qu'elle aida à plier. Tout à coup, elle s'émerveilla à la vue du vieux tricot vert sous la pile. Elle le caressa en fronçant les sourcils, interrogeant Léo du regard.

— Je sais, avoua-t-il, embarrassé. Il est bien trop petit.

— Mais...

— ... mais, rien.

Léo le lui retira délicatement des mains et le replia à son tour.

— J'en ai besoin, admit-il. Il me réconforte, comme un doudou.

— Il te fait toujours penser à la vieille couverture?

Léo sourit. Marielle replaça une mèche de cheveux sur le front de Léo et scruta son regard qui ne masquait plus ses appréhensions.

— Tu es inquiet...

Léo baissa les yeux.

— Pas trop, mentit-il. Je crois que ça va bien aller cette fois. Et je vais revenir toutes les fins de semaine.

— Le temps passera très vite, tu vas voir. J'irai te chercher vendredi, si j'arrive à asseoir Junior dans la voiture!

— Si tu lui dis que c'est pour venir me chercher, tu n'auras pas à te battre avec lui pour le convaincre.

— Tu as raison. Tu sais, parfois, ton frère m'épuise!

— Je sais...

Léo parut songeur.

— C'est dur de l'abandonner.

— Voyons, Léo... tu ne l'abandonnes pas!

— Il va être tellement triste!

Marielle prit Léo dans ses bras et l'étreignit, refoulant son chagrin.

— Cesse de t'en faire avec ça, tu veux? Ta grand-mère viendra nous voir lundi et elle va le prendre chez elle pour l'après-midi. Ça va lui changer les idées...

— ... à elle aussi, c'est sûr!

Marielle et Léo pouffèrent à cette idée. Puis, Marielle se leva.

— J'ai quelque chose pour toi, dit-elle.

— Ah oui?

Elle sortit et revint quelques instants plus tard, tenant à la main la vieille couverture pelucheuse.

— Tiens, emporte-la avec toi au lieu de ce vieux chandail qui est maintenant de la taille de Junior!

Léo caressa la couverture et la serra contre lui. Il souriait de toutes ses dents, comblé.

— Merci maman.

Au même instant, Junior entra en trombe dans la chambre et se jeta sur le lit tel une tornade, criant et pleurant à la fois, créant un désordre indescriptible.

— Eh! Tu défais tout! lui dit Marielle. Et tes souliers sont pleins d'herbe!

Junior pleurait et se tortillait à travers le fouillis, avant que Léo parvienne à l'attraper et à le soulever.

— Mais qu'est-ce qui t'arrive encore, toi?

Junior se blottit dans ses bras. Il tentait de s'expliquer à travers les larmes qui mouillaient le chandail de Léo.

— C'est papa! hoqueta-t-il. C'est ma tondeuse à MOI!

Marielle remit de l'ordre sur le lit en observant ses fils. Petit à petit, Léo parvint habilement à calmer Junior qui s'était lové dans ses bras protecteurs. Mais celui-ci réalisa tout à coup qu'il se passait quelque chose d'inhabituel.

— C'est ta valise? demanda-t-il, reniflant et s'essuyant les yeux.

— Oui, je vais partir quelques jours et je reviendrai vendredi.

— Je viens avec toi! décréta Junior d'un ton décidé.

Léo toisa sa mère qui redoutait une nouvelle crise.

— D'accord, tu viendras me reconduire à la ferme des Martin. Et tu pourras peut-être monter sur un grand cheval!

— Un cheval?

Junior avait déjà oublié sa peine et Marielle était ravie de constater la facilité avec laquelle Léo parvenait à communiquer avec lui. L'inévitable séparation n'en serait pas moins pénible et les semaines à venir s'annonçaient longues en l'absence de Léo.

***

Le lendemain après-midi, les bagages furent chargés à l'arrière de la voiture et tous montèrent à bord pour reconduire Léo à la ferme. Marielle et Marc écoutaient les babillages incessants de Junior qui était assis à l'arrière, près de Léo. Cette chaude journée de la fin août ressemblait davantage au début de l'été. Junior avait combattu sa mère pendant de longues minutes avant d'accepter d'enlever ses sandales pour enfiler des espadrilles qui lui permettraient de se promener plus aisément à la ferme. Il était tout excité à l'idée de voir des chevaux.

Lorsque la voiture tourna dans l'allée menant à la ferme, le trouble de Léo s'accentua. Il était fébrile à l'idée de revoir monsieur et madame Martin après plus de quatre ans. Bien qu'il n'ait séjourné chez eux que quelques mois, leur gentillesse lui avait manqué après son retour à la maison. Il avait hâte aussi de revoir les chevaux et de retrouver les sentiers qui encerclent la propriété. Cependant, de douloureux souvenirs lui nouaient la gorge: quelques jours à peine après son arrivée à la ferme, il avait compris que sa mère l'avait abandonné. Aujourd'hui, il devait se raisonner en se rappelant que la situation était bien différente et qu'il reviendrait à la maison pour la fin de semaine.

Le chemin de terre était bordé d'une vieille clôture en bois encore en bon état. Monsieur Martin prenait grand soin de la propriété, et Léo se rappela l'avoir déjà aidé à la réparer. Au bout de la route, il voyait déjà les toits rouges des bâtiments qui lui étaient familiers.

— Regarde Junior, dit-il. Là, c'est le bâtiment qui abrite le tracteur et les remorques.

— Il y a un tracteur?

— Oui. Et là, c'est l'écurie où se trouvent les chevaux.

— Je vais pouvoir monter dessus?

24

— Je vais demander à monsieur Martin de nous amener voir le vieux Buck...

— ... non, je veux monter sur le tracteur!

Marc et Marielle grincèrent des dents en imaginant la crise qui les attendait au moment de repartir.

Lorsque la voiture arriva sur le stationnement en gravier, le vieux chien noir et blanc se redressa sur la galerie et aboya bruyamment à leur attention.

— Tiens, Harvard nous souhaite la bienvenue, dit Marc. Ce chien est toujours aussi beau!

Junior s'agitait dans son siège et réclamait de descendre. Il était encore incapable de déboucler la ceinture lui-même, mais ce n'était plus qu'une question de temps. Son esprit vif ne manquerait pas de lui faire découvrir le moyen de se libérer quand bon lui semblerait.

Lorsque Léo le détacha, il sauta hors de l'auto et se dirigea droit vers le chien qui aboya de plus belle. Junior finit par s'immobiliser, intimidé par l'animal presque aussi grand que lui.

— Doucement Junior! dit Marc en le rattrapant.

Pendant qu'ils amadouaient le chien, Léo commença à sortir ses bagages du coffre de la voiture. Marielle le rejoignit.

— Je peux prendre celle-ci, proposa-t-elle.

— C'est lourd...

— Qu'est-ce que tu racontes?

Elle empoigna fermement la valise et la sortit du coffre. Nerveuse, elle observa Léo sortir le reste de ses affaires.

— Ça va? s'inquiéta-t-elle.

Léo lui sourit.

— Bien sûr!

— Tu es certain?

Marielle sonda son regard. Léo la dépassait maintenant de plusieurs centimètres. Ils s'étreignirent spontanément. Marielle sentit son cœur se serrer à l'idée de se séparer de lui et elle étouffa un sanglot.

— Ça va aller maman, je t'assure... Si tu n'oublies pas de revenir vendredi!

— Oh! Tu peux y compter! l'assura-t-elle en reniflant.

Léo s'efforçait de sourire. Le bien-être de sa mère était sa priorité, aujourd'hui en particulier.

La compassion et la bonté de Léo toucha Marielle. Comment cet enfant pouvait-il lui démontrer tant d'amour et d'affection après tout ce qu'il avait enduré par sa faute? L'indifférence et les multiples abandons entraînés par les douloureux événements qui avaient précédé sa naissance avaient altéré leur relation de façon désolante. Très souvent, elle s'endormait encore dans les regrets et dans la peur qu'il apprenne la vérité. Elle souhaitait avoir le pouvoir de changer le passé et d'avoir désiré cet enfant autant qu'elle avait désiré Samuel. Chaque soir, elle se reprochait d'avoir accepté de concevoir un «enfant-médicament» pour offrir à Samuel le rein qui devait lui sauver la vie. Elle s'était leurrée en croyant déjouer ainsi le destin, puisque Samuel était décédé avant la venue au monde de son sauveur, Léo.

Chaque matin à son réveil, Marielle s'efforçait à présent de réparer son «erreur», de prouver son amour en offrant à Léo toute l'affection dont elle était capable. Chaque matin, elle devait faire l'effort de refouler le sentiment de culpabilité qui refusait de la quitter. Chaque matin, elle priait pour que jamais Léo ne sache la vérité sur les circonstances de sa conception, et qu'il parvienne à trouver un sens à sa vie.

La voix chaleureuse de Marie-Paule Martin ramena Marielle à la réalité.

— Eh bien... ça fait plaisir de vous revoir! annonça-t-elle, en sortant sur la galerie. Et qui est ce beau jeune homme? ajouta-t-elle à l'attention de Junior qui la fixait droit dans les yeux. Comment t'appelles-tu?

— Junior, dit-il avec assurance.

— Mais tu m'as tout l'air d'être un grand garçon...

— J'ai trois ans, fit-il avec les doigts.

Madame Martin, toujours alerte malgré la soixantaine avancée, se tenait bien droite pour examiner Léo qui s'avançait en compagnie de Marielle.

— Bonjour! lança-t-elle joyeusement.

Les deux femmes s'embrassèrent et madame Martin se tourna vers Léo qui la dépassait maintenant d'une bonne tête.

— Mon Dieu! Comme tu as changé, Léo!

Elle s'approcha de lui les bras ouverts.

— Bonjour Madame Martin, dit-il en l'étreignant. Je vous remercie de m'accueillir chez vous à nouveau.

— C'est un plaisir de te revoir, cher Léo. Mais entrez donc! J'ai de la limonade bien fraîche au frigo.

Toute la famille la suivit à l'intérieur, y compris Harvard. Comme la première fois qu'il était entré dans cette vieille demeure, Léo fut impressionné par la taille du foyer trônant au cœur de la pièce. Rien n'avait changé : la salle à manger, avec sa grande table en bois entourée d'un long banc et de chaises disparates, le salon aux murs couverts d'étagères surchargées, et la cuisine où des marmites fumaient encore. Il se demandait si sa chambre lui paraîtrait aussi impersonnelle qu'à l'époque.

— Si tu allais déposer tes affaires, Léo? proposa madame Martin. Je vais offrir des rafraîchissements à tes parents.

— Je vais t'aider, lui dit Marc.

Léo jeta un œil à Junior, impressionné par le décor inhabituel.

— Tu viens avec nous?

Junior se hâta de lui prendre la main et de le suivre sagement. Avant qu'ils ne disparaissent dans le couloir menant aux chambres, madame Martin lança :

— Tu veux bien prendre celle de gauche, au fond?

Léo fut surpris d'apprendre qu'elle lui assignait l'ancienne chambre d'Hugo, un pensionnaire qu'il n'avait guère apprécié. Il acquiesça et descendit le couloir. Il passa devant plusieurs portes dont certaines étaient fermées et se dirigea tout au bout du couloir devant la salle de bain. Il s'arrêta. À sa droite se trouvait la chambre qu'il avait habitée durant plusieurs mois et dont la porte était fermée. À sa gauche se trouvait celle qui lui était réservée. La porte ouverte laissait entrevoir un intérieur plus spacieux, éclairé par une fenêtre de bonne dimension. Léo se réjouissait à l'idée que son ancien occupant avait quitté la ferme.

— C'est là? demanda Junior.

Il regardait Léo en relevant la tête bien haut.

— Oui, c'est celle-là. Entre!

Junior s'accrochait à la jambe de Léo. Celui-ci le poussa gentiment et il se décida à entrer. Léo fut surpris de découvrir des lits superposés et beaucoup d'espace de rangement. Il déposa ses bagages au milieu de la pièce sur la catalogne usée. La grande fenêtre dont les rideaux étaient retenus par des embrasses offrait une vue sur l'avant de la propriété. Le vieux bureau de bois comptait deux profonds tiroirs de chaque côté et était surmonté de nombreuses étagères vides. Des draps pliés étaient posés sur le lit du bas et un placard d'assez bonne dimension se trouvait près de la porte d'entrée. Jusqu'à présent, Léo avait une bonne impression.

Marc posa le reste des affaires de Léo sur le bureau et, au moment où il s'approchait du placard pour y jeter un coup d'œil, il aperçut une silhouette qui les observait du corridor. Par la porte entrouverte de la chambre d'en face, une jeune fille les épiait, le regard méfiant. Se sentant prise sur le fait, elle referma aussitôt.

— Tu as une voisine, on dirait, annonça Marc.

— Quoi?

Léo jeta un œil en direction de son ancienne chambre.

— Elle m'a l'air timide, si tu veux mon avis, dit Marc. Je suppose que vous aurez tout le temps de faire connaissance.

— Je suppose, répéta Léo, intrigué.

Léo porta alors son attention sur Junior qui grimpait l'échelle menant au lit du haut.

— Mon lit! Mon lit!

— Eh! Pas si vite Junior, dit Marc en l'apercevant.

Il l'agrippa par la taille et le jeta sur son épaule. Junior rouspéta en lui martelant le dos de ses petits poings.

— Non! Mon lit à moi!

— Nous en reparlerons plus tard. Pour l'instant, on va laisser Léo installer ses affaires.

— Non! Je veux rester!

Marc devait le maintenir fermement pour éviter qu'il ne se jette par terre.

— Que dirais-tu d'aller voir s'il y a des chevaux quelque part, hein?

— Oui... des chevaux... et un tracteur!

Marc adressa un clin d'œil à Léo et sortit de la chambre avec son fardeau sur l'épaule.

Léo tira le lourd fauteuil en bois qui grinça sur son pivot. Il s'assit et posa les mains sur les appuie-bras. Il pivota pour faire face à la fenêtre par laquelle il voyait les grands arbres ornant l'allée qu'il avait empruntée maintes fois lors de son séjour précédent. À cette époque, à son retour de l'école ainsi que les fins de semaine, il passait de longs moments assis sur les marches de la galerie, le regard perdu au bout de la route, espérant apercevoir sa mère venir le chercher. Chaque fois, à la demande de madame Martin, il finissait par rentrer pour se réchauffer près du foyer, le cœur glacé. Elle n'était jamais venue le voir. Il avait cru qu'elle l'avait abandonné et qu'elle avait choisi de vivre avec son nouvel ami de l'époque. Sans connaître toute la vérité, Léo savait que cet homme qu'il n'aimait pas avait passé un bon moment en prison après avoir mis en péril la vie de sa mère. Marielle et Marc lui avaient brièvement expliqué la situation et ils n'avaient plus jamais reparlé d'Adam McKay. Il était sorti de leur vie.

C'est à cette époque que Léo avait enfin vu le rêve de toute sa vie se réaliser. Un beau jour, sans qu'il ait jamais su pourquoi, sa mère et son père étaient venus le chercher à la ferme. Pour la première fois, sa mère l'avait pris dans ses bras, l'avait serré contre son cœur et l'avait regardé, les yeux remplis de l'amour qu'il avait espéré toute sa vie. Aujourd'hui encore, il ne savait pas avec certitude ce qui avait provoqué ce revirement dans l'attitude de sa mère, comme il ne savait pas non plus pourquoi elle avait été si froide avec lui jusqu'à ce tournant de leur vie. Il soupçonnait que le décès de son frère aîné pouvait être à l'origine de leur relation malheureuse et que la naissance de Junior avait joué un rôle dans leur rapprochement. Mais, en réalité, la vérité l'effrayait. Il avait rarement questionné sa mère de peur que son insistance ne fasse fuir l'affection qu'elle lui témoignait. Il avait besoin de son amour comme de l'air qu'il respirait. Il avait besoin de vérifier sans cesse que son affection résistait au temps. Cette nouvelle séparation l'inquiétait car depuis leurs retrouvailles, ils ne s'étaient jamais quittés plus de quelques jours. Allait-elle l'oublier? Pouvait-elle cesser de l'aimer?

Une bouffée d'angoisse lui fit serrer les mains sur les appuie-bras. Il secoua la tête pour chasser ses idées noires et commença à ranger ses affaires. Il fit glisser la fermeture éclair de la valise et ouvrit le rabat. En fouillant sous la pile de vêtements, il en retira une enveloppe brune. Il s'adossa et la contempla un moment, confiant que son contenu parviendrait à le rassurer, comme d'habitude. Il en sortit quelques photographies et prit le temps d'observer sa plus précieuse, celle qu'il chérissait depuis des années. Cette photographie où sa mère l'enlaçait et le regardait avec tendresse était en sa possession depuis des années. Il ne s'en séparait jamais. Encore aujourd'hui, il avait besoin de se rassurer continuellement sur les sentiments de sa mère. Ces yeux-là ne mentaient pas : Marielle aimait l'enfant qu'elle tenait dans ses bras.

Il fut tiré de ses pensées par un bruit venant de l'autre côté du corridor. Il fit pivoter le fauteuil juste à temps pour voir la porte d'en face se refermer. « Qui peut bien loger dans cette chambre? Du moment que ce n'est pas Hugo... », pensa-t-il. Il déposa sa précieuse photographie au centre de la première étagère et sentit un certain apaisement de la savoir là, dans son nouvel environnement. Puis, il décida de remettre le rangement à plus tard et d'aller profiter des dernières minutes avec sa famille. Il sortit de la chambre et s'arrêta un instant devant celle d'en face, intrigué par l'occupante. Il se résigna à remonter le corridor jusqu'à la cuisine.

Junior était toujours dans les bras de Marc et semblait d'humeur maussade.

— Alors, tu as pu voir les chevaux? demanda Léo.

Son père lui fit les gros yeux en secouant la tête. Junior, assis sur ses genoux, se mit aussitôt à se débattre et se libéra pour courir se jeter dans les bras de Léo.

— Qu'est-ce qui t'arrive encore? dit Léo.

— Je veux voir les chevaux! dit-il en pleurnichant.

Léo interrogea madame Martin du regard.

— Je suis vraiment désolée, mon petit, mais les chevaux sont en pension dans une ferme voisine pour encore quelques jours, le temps que mon mari revienne de la pêche. Mais je te promets que tu pourras les voir lorsque tu reviendras la prochaine fois.

— Allons Junior, dit Marielle, nous reviendrons bientôt et tu pourras les voir une autre fois.

Junior avait le visage enfoui dans le chandail de Léo et refusait de se calmer.

— Eh! Regarde-moi, frérot, lui dit Léo. Tu reviendras me chercher vendredi avec maman, d'accord?

— Veux voir le tracteur!

Léo sonda à nouveau madame Martin qui affichait un air désolé.

— Quand Lionel sera de retour, répéta-t-elle, tu pourras aussi voir les tracteurs et les camions...

— Non! Tout de suite!

Junior recommençait à s'agiter. Marielle et Marc regrettaient maintenant de ne pas l'avoir laissé à la maison avec une gardienne pour profiter de ce moment avec Léo.

— Je suis vraiment désolée, dit madame Martin, navrée de ne pouvoir combler le souhait de Junior et remarquant l'emprise démesurée qu'il avait sur toute la famille.

— Écoute Junior, reprit Léo. J'ai quelque chose pour toi dans ma chambre. Tu veux voir?

Junior essuya son visage et hocha la tête. Léo fit signe à ses parents de le suivre.

Lorsqu'ils entrèrent dans la chambre, la porte d'en face était toujours fermée. Léo déposa Junior sur le lit du bas et ouvrit le rabat de sa grosse valise. Il en sortit son vieux chandail vert. Il le déplia et le montra à Junior.

— Tu veux le mettre?

— C'est pour moi?

— Je pense qu'il peut t'aller si on roule un peu les manches. Je l'ai depuis des années et il est trop petit pour moi maintenant. Je le garde surtout parce que j'y suis très attaché.

Junior écoutait son frère attentivement.

— Mais... tu comptes plus que ce chandail pour moi...

Junior ne répondit pas, se contentant de caresser le tricot usé.

— ... et si tu le portes... eh bien, tu auras un peu l'impression d'être avec moi, même si je suis loin, tu comprends?

Marielle les écoutait sans dire un mot, trop émue pour parler. Léo aida Junior à enfiler le chandail, à peine trop grand. Ravi, Junior finit par sourire. Marc le complimenta sur son allure et Marielle en profita pour attirer Léo à l'écart.

— Tu vas lui manquer...

— Je sais, et ça ne sera pas facile pour vous deux...

— ... et tu vas me manquer aussi, mon grand.

Sa voix s'étrangla. Léo ferma les yeux pour l'étreindre. Il espérait de tout cœur retrouver sa tendresse à son retour à la maison.

— N'oublie pas d'appeler demain, après l'école! l'implora-t-elle.

— T'inquiète pas maman, je vais t'appeler tous les jours. Et on se revoit vendredi.

Marielle se ressaisit et s'essuya le visage.

— Nous viendrons vers cinq heures.

— D'accord, maman.

— As-tu tout ce qu'il te faut?

— Je crois, oui.

— Si tu as besoin de quoi que ce soit...

— Je sais, maman. Je t'aime.

Marielle ne put répondre. Ils s'étreignirent une dernière fois avant d'être interrompus par Junior qui rouspétait parce que Marc l'avait agrippé avant qu'il n'atteigne le haut de l'échelle du lit.

— C'est l'heure de partir, mon bonhomme! Dis au revoir à Léo.

— Je veux pas partir! Je reste avec Léo!

— Je te promets de revenir à la maison très vite, Junior. Je serai là vendredi et on regardera *La Guerre des étoiles* ensemble, d'accord?

— On va jouer avec les sabres laser?

— Oui, si tu cesses de les défaire en morceaux et d'enlever les piles! Et si tu es très sage, j'aurai une surprise pour toi...

— Une *souprise*?

— Oui.

— Je la veux tout de suite ma *souprise*!

— Tu l'auras vendredi, seulement si tu es très, très sage. Allez, c'est l'heure.

Léo remit Junior dans les bras de sa mère. Marielle le serra très fort, l'esprit au bord de la panique: d'amers souvenirs l'étouffaient. Elle venait de replonger violemment dans la culpabilité. Comment avait-elle pu abandonner un enfant si attachant, si sensible, pendant de longues années? Comment avait-elle pu perdre la maîtrise de sa vie à ce point?

Depuis quatre ans, elle avait pourtant repris sa vie en mains. Le retour de Léo et la naissance de Junior l'avaient remplie de bonheur, et sa réconciliation avec Marc contribuait aussi à lui donner confiance dans sa capacité à être une mère adéquate. Mais cette nouvelle fêlure remettait tout son passé en perspective. Elle avait essayé de l'éradiquer de sa mémoire, comme Marc l'avait suppliée de le faire. Elle y était presque arrivée. La plupart du temps, elle oubliait sa faute. La plupart du temps, elle envisageait l'avenir avec optimisme. Pas aujourd'hui. Cette séparation menaçait le bonheur de sa famille.

Marielle finit par sortir de la chambre, s'accrochant à Junior autant qu'il s'accrochait à elle. Marc en profita pour dire au revoir à Léo.

— Tu nous appelles demain, promis?

— Promis, papa.

— Tiens, dit-il en lui tendant quelques dollars. Si tu as besoin de quoi que ce soit...

— Ne t'en fais pas pour moi, j'ai tout ce qu'il me faut. Merci pour tout, papa.

— Et tiens-moi au courant..., fit-il en désignant la porte d'en face.

— Papa!

Léo n'eut pas le temps de rouspéter. Son père disparut dans le couloir, un sourire espiègle au coin des lèvres.

3

Le réveil indiquait presque dix-huit heures. Léo avait installé ses effets personnels dans l'armoire et ses articles scolaires sur les étagères. Il avait disposé son matériel de sculpture sur le bureau, près de la lampe de travail, et avait glissé les boîtes en carton avec le reste de ses affaires sous le lit. Il s'affairait depuis un bon moment à façonner une nouvelle figurine. Il mit à profit le talent hors du commun qu'il perfectionnait depuis plusieurs années : une simple boule de pâte à modeler devint, dans ses mains agiles, un petit garçon montant à cheval. Cette figurine remarquablement détaillée affichait même une expression distincte. Sa collection comptait maintenant plus d'une centaine de personnages appartenant à différentes catégories. Ses préférées étaient celles qui représentaient les membres de sa famille et les gens qu'il aimait. Il confectionnait celle-ci pour Junior qu'il reverrait à la fin de la semaine.

Par la porte entrouverte de sa chambre, Léo entendit des pas approcher. Il se retourna et vit madame Martin sur le seuil. Cette femme à la stature délicate imposait par l'énergie qu'elle dégageait. Une chevelure grisonnante coupée court encadrait son visage plein de bonté où des yeux pétillants transmettaient la joie de vivre.

— Je peux entrer ?

— Bien sûr, répondit Léo en se levant pour l'accueillir.

— Tu dois être mort de faim, Léo... Dis donc ! Tu as tellement grandi depuis ton dernier séjour !

Son commentaire embarrassa légèrement Léo qui lui sourit.

— Si tu veux bien venir à table, je vais servir le souper dans quelques minutes.

— Je vous remercie. Je range mes affaires et j'arrive.

— Et ça te permettra de faire la connaissance des autres pensionnaires, ajouta-t-elle.

Elle sortit et cogna à la porte d'en face. Léo l'épiait. Un grognement sourd parvint jusqu'à ses oreilles.

— Tu veux bien venir à la cuisine, Marjorie? Le souper sera prêt dans quelques minutes.

Pendant que madame Martin s'éloignait, un nouveau grognement lui confirma qu'il allait bientôt faire la connaissance de sa voisine de chambre. Il rangea ses affaires à la hâte et resta devant la porte, espérant l'apercevoir. La réaction taquine de son père avait piqué sa curiosité. Deux minutes s'écoulèrent avant que la porte s'ouvre et que l'occupante apparaisse enfin. Il ne vit d'abord que la sombre chevelure indisciplinée qui lui couvrait la moitié du visage, ainsi que les fils d'un baladeur descendant de la tignasse jusqu'à la poche d'un jean usé. Elle portait un chandail en coton ouaté à capuchon noir dont les manches ne laissaient entrevoir que le bout de ses doigts. Ses ongles portaient les traces de ce qui avait déjà dû être du vernis d'une couleur indéfinissable. La ceinture qui entourait ses hanches était sertie d'une tête de mort stylisée en guise de boucle.

La jeune fille leva la tête et toisa brièvement Léo. Il était rivé sur place, incapable de détourner le regard. Elle referma la porte de sa chambre et s'éclipsa aussitôt. Léo resta immobile un moment, encore saisi par l'hostilité du regard de cette fille. Il n'avait aperçu qu'un seul œil, pourtant pénétrant. Décidément, la personnalité des pensionnaires était à l'opposé de celle de monsieur et madame Martin, pensa-t-il. Déçu, il se leva et sortit à son tour.

En entrant dans la grande pièce, Léo remarqua d'abord madame Martin affairée à la cuisine. Puis, en traversant la salle à manger, il vit la fille à la frange disposer des ustensiles sur la table. Comme elle lui tournait le dos, il remarqua qu'elle était à peu près de la même taille que lui et qu'elle était plutôt mince. Elle portait un jean qui semblait trop petit d'au moins deux tailles. Elle ne lui prêta aucune attention. Un autre garçon était assis dans le salon et manipulait la manette de jeu devant le vieux poste de télévision.

— Tu veux bien venir m'aider, Jean-Gervais? lança madame Martin.

Léo remarqua alors qu'elle peinait à sortir une grande rôtissoire du four.

— Laissez-moi vous aider, proposa-t-il en s'empressant de la rejoindre.

— N'y touche surtout pas! C'est très chaud.

Elle déposa la lourde casserole sur la porte ouverte du four.

— Tu peux mettre ces autres mitaines, nous la soulèverons à deux.

Léo s'exécuta avec soin.

— Voilà, merci Léo. Tu es arrivé à temps. Je crois bien que j'en ai fait pour toute une armée cette fois!

— Ça sent rudement bon, dit-il, embarrassé par le gargouillis de son estomac alléché par l'odeur appétissante des poulets rôtis.

— Tu veux bien me trouver la grande cuiller dans ce tiroir?

Lorsqu'il la lui donna, elle fit un signe de tête en direction de la jeune fille assise à la table, absorbée par son baladeur.

— Elle a l'air un peu revêche comme ça, chuchota madame Martin, mais elle a un grand cœur, tu verras.

Léo doutait de cette affirmation. Cette fille, toute de noir vêtue, renfermée et le regard voilé, cachait particulièrement bien ses qualités de cœur et semblait n'avoir que de l'hostilité à offrir, pensait-il.

— Marjorie? appela alors madame Martin. J'aimerais que tu viennes aider Léo à faire le service, s'il te plaît.

Marjorie rangea lentement son baladeur et se leva sans redresser la tête. Comme la salle à manger était faiblement éclairée, elle semblait glisser sur le plancher tellement ses pas était courts, comme ceux d'une geisha, tête baissée, suivant son maître. Lorsqu'elle entra dans la cuisine, la clarté de la pièce illumina ses traits. D'un mouvement de tête, elle dégagea son visage de la longue frange sombre et Léo fut frappé par la finesse de ses traits. Madame Martin avait peut-être raison, pensa-t-il alors. Elle avait une peau de lait et un nez très fin. Sur sa bouche généreuse, Léo crut même apercevoir l'esquisse d'un sourire offert à madame Martin. Ses yeux s'étaient métamorphosés : leur douceur tranchait avec l'hostilité qu'elle avait réservée à Léo un peu plus tôt.

— Léo, tu veux bien couper le pain ?

Il avait du mal à détourner le regard de Marjorie.

— Et toi, Marjorie, pourrais-tu apporter les assiettes sur la table ?

Ni l'un ni l'autre ne répondit. Léo avait perdu l'usage de sa langue et ses gestes étaient maladroits. Marjorie semblait aussi troublée par l'insistance du regard de Léo. Dès que la première assiette fut garnie, Marjorie l'attrapa et s'empressa de l'apporter à la table. Léo terminait de déposer le pain dans la corbeille lorsque l'autre garçon entra à son tour dans la cuisine.

— Salut, moi c'est Jean-Gervais, dit-il en dévorant un morceau de pain.

— Salut, répondit Léo.

Jean-Gervais était un garçon de taille moyenne, encore plus mince que Marjorie. Il avait les épaules tombantes et la démarche d'un canard. Malgré son allure singulière, son regard franc inspirait confiance. Derrière ses lunettes rectangulaires brillaient des yeux vifs à la recherche d'information à se mettre sous la dent.

— Tu es inscrit au séminaire ? demanda-t-il à Léo.

— Oui.

— Tu es en quelle année ?

— En secondaire trois. Et toi ?

— En quatre. Et tu es en concentration sport-études ?

— Ouais.

— Ouais... quoi ? insista-t-il.

— Ben... ouais, je suis en sport-études...

Léo remarqua le visage rousselé de l'adolescent.

— Oui, ça j'avais compris. Mais tu vois, je ne suis pas devin, bien que la plupart de mes hypothèses soient fondées. Toujours est-il que, puisque je ne peux pas encore lire dans les pensées, je ne sais pas si tu fais du hockey, du basketball ou du football. À moins que ce ne soit du *cheerleading*...

Léo sentait une pointe de mépris de la part de ce gringalet qui le considérait de haut. Un garçon affublé d'un nom pareil, pensa Léo, ne pouvait être qu'un intellectuel dont les parents n'avaient su lui transmettre que leur intérêt pour les choses de l'esprit. Il lui semblait évident que ses habiletés physiques étaient limitées.

— Basketball, répondit finalement Léo en s'éloignant vers la salle à manger avec la corbeille remplie de pain mal coupé.

— Évidemment, poursuivit Jean-Gervais qui lui emboîta le pas. Ça explique les chaussures et le t-shirt...

Léo ne répondit pas. Il choisit de s'asseoir à côté de madame Martin, évitant de se retrouver trop près de Marjorie.

— Bon, je crois que tout le monde a fait connaissance maintenant, décréta madame Martin. Puisque Léo vient seulement de se joindre à nous, peut-être pourrions-nous aller un peu plus en profondeur en nous présentant à tour de rôle. Voudrais-tu commencer, Jean-Gervais?

Le jeune homme releva la tête de son assiette déjà entamée et s'essuya la bouche avec la serviette de table qu'il redéposa sur lui avec précaution.

— Jean-Gervais Martel, séminaire Saint-François, quatrième secondaire, programme régulier.

Il replongea aussitôt dans son assiette. Marjorie n'avait pas quitté la sienne des yeux et semblait redouter le moment où son tour viendrait.

— Merci Jean-Gervais. Maintenant, qui d'autre veut continuer?

Léo remarqua l'embarras de Marjorie et décida de prendre la parole.

— Léo Allard, séminaire Saint-François, secondaire trois, programme sport-études...

Jean-Gervais le toisa.

— ... basketball, précisa alors Léo.

— Très bien, merci Léo.

Madame Martin regarda alors Marjorie, totalement absorbée par ses légumes.

— Tu veux bien te présenter aussi, Marjorie?

Celle-ci déposa sa fourchette, se frotta nerveusement les mains sous la table et, sans lever la tête, marmonna à travers sa tignasse:

— Marjorie Simard, séminaire Saint-François, secondaire trois.

Son histoire ne semblait pas beaucoup intéresser Jean-Gervais qui était allé se resservir et qui ne s'offusqua pas des détails manquants. Madame Martin la remercia et le repas se poursuivit, parsemé de timides commentaires.

— Si je comprends bien, demanda madame Martin, tu es donc inscrit dans l'équipe de basketball du séminaire, Léo.

— Oui, enfin... je ne sais pas si je serai sélectionné. Les essais auront lieu cette semaine.

Marjorie releva subtilement la tête pour observer Léo à la dérobée.

— Tu veux dire quelque chose, Marjorie?

Celle-ci fit signe que non et s'empressa de terminer son assiette sans participer davantage aux échanges. Lorsqu'elle eut terminé, elle se leva et apporta sa vaisselle à la cuisine.

— Eh bien, je crois que Marjorie et moi allons nous charger de la vaisselle pour aujourd'hui. L'un de vous deux voudrait-il faire faire la promenade du soir à ce bon vieux Harvard?

— Je veux bien, s'enthousiasma Léo.

— Surtout, ne va pas trop loin, mon cher compagnon commence à se faire vieux.

Le gros border collie, jusque-là couché à ses pieds, redressa les oreilles à l'annonce de son nom. Léo s'en approcha doucement, se rappelant qu'il était de nature farouche, et parvint à lui caresser le cou. Madame Martin lui passa la laisse et le reconduisit dehors en compagnie de Léo, heureux de quitter cette atmosphère un peu lourde.

— Tu as encore une bonne demi-heure de clarté devant toi, dit-elle. Je te conseille de rester sur le sentier car il se fatiguera vite et tu devras le porter pour revenir!

— Ne vous en faites pas, je ne m'éloignerai pas.

En retournant à l'intérieur, madame Martin croisa Jean-Gervais.

— Tiens, tu as tout de même décidé de sortir aussi, dit-elle. Tant mieux! Comme ça, je pourrai m'occuper de la cuisine sans m'inquiéter de Harvard. À tout à l'heure.

Elle rentra à l'intérieur. Jean-Gervais s'approcha de Léo et fut accueilli par les grognements du chien.

— Je sais, tu ne m'aimes pas... et je ne t'aime pas non plus!

— Comment peux-tu ne pas aimer ce chien? s'étonna Léo.

— Je n'ai jamais réussi à m'approcher d'un chien ou d'un chat sans qu'il grogne ou qu'il se sauve. De toute façon, je ne les comprends pas, alors...

— Mais, y a rien à comprendre avec les chiens...

Léo secouait la tête, décontenancé. Puis, il s'engagea dans le sentier menant à l'arrière de la propriété, tenant la laisse fermement. Harvard le suivait docilement, tout comme Jean-Gervais.

— Cette fille, c'est des ennuis assurés! annonça-t-il.

— Qui ça?

— Marjorie.

— Tu crois?

— C'est évident! Tu as vu son allure? Elle a des poignards à la place des yeux! Et elle a à peine prononcé dix mots depuis son arrivée.

— Et vous êtes ici depuis quand tous les deux?

— Moi depuis deux jours et elle depuis hier.

— Et sais-tu s'il y aura d'autres pensionnaires?

— Pas pour l'instant. Mais l'année dernière, il s'en est rajouté un avant les fêtes de Noël. Et il est parti avant la fin de l'année scolaire. On ne le voyait pas souvent. Il arrivait le lundi soir et repartait le vendredi après les cours.

— C'est ce que je ferai, cette fois-ci.

— Tu es déjà venu ici auparavant?

41

Léo hésita. Il évitait le sujet, autant que possible. Il ressentait toujours une grande gêne à avouer qu'il avait été abandonné par ses parents durant des mois.

— Ouais, il y a quatre ans. Et toi, c'est ta première année?

— Deuxième.

— Et elle, elle était là l'an passé?

— Non, jamais vue avant. Et je n'ai pas l'intention de la connaître davantage, si tu veux mon avis.

— Elle n'a pas l'air très amical...

— C'est son problème, mon vieux. D'après moi, y a quelque chose de louche avec cette fille... ce n'est pas le genre d'étudiant que les Martin ont l'habitude d'héberger. Elle a presque seize ans, tu sais. Elle doit avoir doublé une année, peut-être même deux.

Léo préféra ne pas approfondir la question. Cette fille suscitait déjà en lui assez d'émotions.

— Et toi, pourquoi loges-tu ici? Tes parents habitent loin?

— Plus ou moins. Si je suis sélectionné pour le basket, j'aurai des séances d'entraînement tous les soirs et mon père travaille souvent tard. Et avec mon petit frère qui n'arrête pas une minute...

— Oui, je l'ai aperçu cet après-midi. C'est fou comme il te ressemble... On dirait un *mini-toi*!

— Ouais, je sais, dit Léo en souriant. On me le dit tout le temps.

— Les cheveux blonds jusqu'aux épaules, c'est la mode par chez vous?

— Si on veut. Et toi, ta famille?

— J'habite avec ma mère pas très loin d'ici. Elle est infirmière et elle a des horaires dingues, alors c'est plus facile comme ça. Les Martin et elle ont une sorte d'arrangement : elle passe les voir de temps en temps, histoire de vérifier si leur santé va bien, ou pour leur faire un vaccin par-ci, par-là. Comme ça, ils réduisent la pension pour qu'on puisse y arriver.

— Et ton père?

— Il a foutu le camp au Mexique il y a plusieurs années.

— Au Mexique?

— Ouais, question fiscalité, tu comprends?

Jean-Gervais avait détourné le regard et Léo n'insista pas. Il s'arrêta au même moment pour permettre à Harvard de faire ses besoins.

— Je suis désolé pour toi, dit Léo.

— Non, ça va. On est mieux sans lui de toute façon. Il trempait dans des affaires louches et on n'a jamais vu un sou noir de ses supposées mines d'or.

— Ta mère a-t-elle un nouvel ami?

— Non. Elle a vu des types quelquefois, mais très rarement, elle travaille tout le temps. L'hôpital n'arrête pas de l'appeler pour faire des heures supplémentaires et elle ne refuse jamais. Tu sais, c'est pas mon père qui paie pour l'école ni la pension.

Léo remarqua que, lorsque Jean-Gervais devenait nerveux, il ajustait constamment ses lunettes et se grattait la tête, ce qui expliquait ses cheveux ébouriffés. Léo changea de sujet.

— Je pense qu'on devrait faire demi-tour, il commence à faire sombre.

— Bonne idée.

Au moment où ils revinrent vers l'arrière de la ferme, Léo remarqua de la lumière provenant de certaines fenêtres de la maison, dont celle de son ancienne chambre maintenant occupée par Marjorie. Elle devait s'y trouver à cette heure-ci, pensa-t-il. Plus il s'approchait, mieux il pouvait distinguer sa silhouette à l'intérieur. Puis, comme si elle avait senti leur présence, elle s'approcha de la fenêtre et tira brusquement le rideau. Jean-Gervais n'avait rien manqué à la scène.

— Oublie ça, je te dis. Vaut mieux ne pas t'approcher d'elle.

— Mais je ne pensais à rien! fit Léo, contrarié.

— T'as pas intérêt: les filles comme elle, tu ne veux pas les connaître!

Léo se tut. Il n'avait pas du tout l'intention de s'approcher de cette fille et il voulait éviter que quiconque croie qu'il s'y intéressait.

Les deux garçons retournèrent à la ferme avec Harvard, heureux de retrouver sa maîtresse qui s'activait encore à la cuisine. Jean-Gervais la remercia pour le souper et salua Léo d'un signe de tête avant de disparaître vers sa chambre, la première à l'avant de la maison. Léo s'assura que madame Martin n'avait plus besoin d'aide et lui souhaita bonne nuit avant de se retirer à son tour.

Ce soir-là, il passa quelques heures à fignoler la nouvelle figurine avant d'éteindre la lampe pour la nuit. Il resta un moment éveillé à repasser les événements de la journée. Ses premières angoisses passées, il avait apprécié la présence chaleureuse de madame Martin, toujours enthousiaste envers les pensionnaires. Sa promenade avec Jean-Gervais lui avait permis de le connaître un peu, sans toutefois entretenir trop d'espoir qu'ils deviennent bons copains. Ce garçon, de près de deux ans son aîné, semblait tellement différent de lui qu'il doutait de parvenir à développer des affinités. Quant à Marjorie, il valait mieux oublier sa présence, comme le lui avait suggéré Jean-Gervais. Cependant, le mystère qui émanait d'elle l'attirait et attisait malgré lui sa curiosité. Avant de s'endormir, ses dernières pensées furent pour Junior qui avait dû donner du fil à retordre à ses parents avant d'accepter d'aller au lit. Il lui tardait de le revoir à la fin de la semaine.

Léo était parvenu à s'endormir assez rapidement, mais son sommeil était agité. Il se réveilla vers minuit trente et sentit le besoin d'aller à la salle de bains. Il frissonna en posant les pieds sur le plancher froid. Il sortit de sa chambre vêtu d'un simple caleçon, et entra directement dans la salle de bains adjacente. Il ferma la porte à moitié sans allumer la lumière pour éviter de se réveiller complètement. Cette pièce était aussi grande que sa chambre. Elle comprenait un long comptoir avec deux lavabos, deux douches séparées ainsi que deux grandes armoires antiques disposées de chaque côté. Il s'approcha de la toilette qui donnait près du mur extérieur où se trouvait une grande fenêtre dont le battant était ouvert. Un courant d'air froid le fit frissonner de plus belle. Il sortit son bras par la fenêtre pour atteindre le battant. Au moment où il allait le refermer, il entendit un cri étouffé dans le buisson, à quelques pas de la maison.

Son cœur s'arrêta net. Il cessa de respirer, tous les sens aux aguets. Un frisson lui remonta l'échine, mais cette fois il n'avait plus froid du tout. Il n'osait plus bouger. Ses yeux s'habituant lentement à l'obscurité, il commença à distinguer une silhouette embusquée derrière les arbustes. La peur le prit et il referma le battant à toute vitesse avant de faire glisser le loquet de sûreté.

Il resta figé sur place, le cœur cognant dans la poitrine. Puis, il vit une silhouette s'avancer vers la fenêtre et le fixer avec insistance. Il était toujours immobile lorsqu'il reconnut Marjorie qui le fusillait de ses yeux menaçants! Visiblement en furie, elle faisait de grands signes pour qu'il lui ouvre. Il repensa au conseil de Jean-Gervais qui lui recommandait de garder ses distances. Il avait du mal à respirer et, malgré sa peur, il finit par obtempérer.

— Espèce d'idiot! lui lança-t-elle aussitôt. Pousse-toi de là!

Il recula et vit Marjorie s'agripper au rebord de la fenêtre avant de bondir pour se hisser avec peine à l'intérieur. Léo la dévisageait sans comprendre, distinguant une odeur de marijuana. Puis, par la fenêtre toujours ouverte, il entendit le craquement des branches. Il releva la tête juste à temps pour apercevoir une silhouette se faufiler dans le sentier.

— T'as pas intérêt à raconter quoi que ce soit! l'intima Marjorie, le regard plein de haine.

— Mais qu'est-ce que tu faisais là? osa-t-il demander.

— Mêle-toi de ce qui te regarde, compris! Si j'ai des problèmes à cause de toi, je planquerai de la drogue dans tes affaires et je dirai à monsieur Martin de fouiller ta chambre!

— Quoi!

— Chut! Pas si fort... Tu vas réveiller le chien!

Léo était pétrifié. Marjorie le menaçait de son index et le dévisagea un long moment avant de sortir de la salle de bains pour s'enfermer dans sa chambre.

Au milieu de la grande pièce vide, Léo resta figé, tremblant de stupeur, se demandant s'il venait de faire un cauchemar.

Puis, une rafale d'air froid le ramena à la réalité. Il retrouva ses sens et ferma à nouveau le battant de la fenêtre. Il fit ses besoins en vitesse et tira la chasse d'eau qui laissa échapper un interminable grincement avant d'évacuer. Il avait oublié à quel point cette plomberie était bruyante. Au même moment, il entendit les aboiements de Harvard qui arriva au bout du couloir avant qu'il ait le temps de réintégrer sa chambre. Le chien ne cessa d'aboyer.

— Tais-toi Harvard! le supplia Léo.

Le chien grognait à présent et sa maîtresse les rejoignit sans même avoir pris le temps d'enfiler une robe de chambre.

— Qu'est-ce qui se passe ici? Harvard, ça suffit!

Le chien vint tourner autour des jambes de sa maîtresse qui dévisageait Léo d'un air grave.

— Qu'est-ce que tu fais debout à cette heure?

— Excusez-moi, bredouilla-t-il. J'avais besoin de...

Le chien sortit de la salle de bains pour aller flairer la porte de Marjorie.

— J'avais oublié qu'il valait mieux ne pas tirer la chasse d'eau, la nuit...

— Tout va bien alors? Tu es certain?

Le chien reniflait toujours la porte de Marjorie et Léo s'efforça d'abréger la conversation. Il passa devant sa logeuse et retourna dans sa chambre.

— Tu n'as besoin de rien, tu en es sûr?

— Oui. Je vous remercie, je vais retourner dormir. Bonne nuit.

Il referma la porte, le cœur battant. Il y resta adossé, jusqu'à ce que les pas de madame Martin se soient éloignés.

Il se coucha et s'enroula dans la vieille couverture, espérant trouver le sommeil rapidement. Il mit une éternité avant d'y parvenir. Les images de Marjorie tournaient dans sa tête : sa silhouette sortant du buisson, son index menaçant et ses yeux...

***

Dans la pénombre de la chambre à coucher, dont les stores étaient fermés, Marc terminait de s'habiller pour aller au bureau. Le réveil indiquait sept heures dix. Il passa de l'autre côté du lit où Marielle dormait profondément. Elle avait la tête enfouie sous les couvertures qu'il souleva légèrement pour déposer un baiser sur sa joue moite.

— Bonne journée, ma chérie..., chuchota-t-il.

— ...

Il sortit sans bruit pour la laisser dormir. Bientôt, Junior se réveillerait et remplirait la maison de bavardage, d'énergie et de caprices. Marc s'arrêta devant sa chambre dont la porte était entrouverte. Il passa la tête à l'intérieur en retenant son souffle pour éviter de le réveiller. Depuis déjà quelques mois, ils avaient remplacé le lit à barreaux, puisque leur petit explorateur téméraire avait appris à en descendre seul. Junior était donc étendu sur le grand lit, vêtu seulement d'une petite culotte et du chandail vert qu'il avait refusé d'enlever la veille au soir. Marielle et lui avaient tout essayé pour l'aider à s'endormir paisiblement. En dépit des nombreuses lectures, du bain prolongé, du chocolat chaud et des berceuses, Junior avait réclamé la présence de Léo jusqu'au moment de sombrer dans le sommeil, vers vingt-trois heures.

« Pourvu qu'il ne se réveille pas trop tôt », pensa Marc. Soudain, Junior remua et se frotta le visage de sa main potelée. Marc referma doucement la porte, descendit l'escalier à pas de loup et partit travailler.

Son bureau était situé au premier étage d'un édifice abritant une des pharmacies qu'il possédait au centre-ville de Québec. Une grande fenêtre donnant sur la rue achalandée lui permettait de s'évader du travail de temps en temps en observant les passants qui déambulaient du matin au soir. Il ouvrit son agenda pour vérifier l'heure des rendez-vous de la matinée. Le premier était prévu pour neuf heures trente. Cela lui laissait un peu de temps pour régler les dossiers urgents avant de rencontrer le premier candidat intéressé à occuper la fonction de directeur général. Ce poste était vacant depuis le départ de Marie-Josée, son ex-femme, qui s'était remariée au cours de l'été. Elle partait vivre en Ontario avec son nouveau conjoint. Son départ déstabilisait Marc, car Marie-Josée s'était impliquée dans les opérations de l'entreprise depuis le début de leur relation. Marc avait pris la relève de son grand-père, le fondateur du Groupe Allard, entreprise maintenant bien établie dans la région. Marie-Josée avait été témoin de son entrée dans la société, il y a plus de vingt-cinq ans, et même divorcés, ils avaient réussi à laisser leurs différends de côté pour continuer de collaborer et de la faire prospérer. La perspective de la voir partir après toutes ces années lui donnait le vertige, et il fondait peu d'espoir sur les candidats que lui avait proposés l'agence de placement. Marc rêvait parfois qu'un de ses fils prenne à son tour la relève de l'entreprise, en particulier Léo. Ils avaient beaucoup d'affinités et Léo semblait s'intéresser à ses affaires. Il lui arrivait souvent de l'emmener au bureau le samedi matin lorsqu'il devait s'y rendre. Léo était un garçon vif et attentif et Marc arrivait aisément à l'imaginer en gestionnaire.

Vers neuf heures vingt-cinq, la secrétaire lui annonça l'arrivée du premier candidat. Un homme de petite taille en complet gris fit son entrée et lui serra la main avant de s'asseoir dans le fauteuil en face du bureau. Tout dans sa personnalité dégageait l'ordre et la méthode, contrastant avec le bureau de Marc où régnait le désordre en permanence. L'entrevue, qui ne dura que quinze minutes, s'avéra décevante car Marc recherchait avant tout un collaborateur possédant de bonnes aptitudes en gestion de personnel, en relations humaines et surtout une ouverture d'esprit qu'il ne décela pas chez ce candidat.

Vint ensuite le second postulant, un homme plus jeune que lui, début trentaine, très dynamique et élégant.

— Parlez-moi un peu de vous, Monsieur... Houde, c'est bien ça?

Ce fut la seule phrase complète que Marc arriva à prononcer dans les vingt-cinq minutes que dura l'entrevue. Il dut forcer la fin de l'entretien en se levant pour aller serrer la main de son interlocuteur, lui faisant ainsi comprendre que la rencontre était terminée. Monsieur Houde continua à lui parler jusque sur le seuil, tentant toujours de le convaincre qu'il était un candidat extraordinaire pour ce poste extraordinaire, dans cette entreprise tout aussi extraordinaire.

Lorsque Marc parvint enfin à refermer la porte, il retourna s'asseoir et s'empressa de jeter la fiche à la poubelle. Il était découragé et avait grandement envie d'annuler la troisième entrevue. Il était dix heures quarante-cinq et il disposait d'une quinzaine de minutes. Il décida de passer un coup de fil à Marielle pour savoir comment se déroulait son avant-midi.

— Je viens d'installer Junior à table avec une assiette de crudités pour le faire patienter pendant que j'essaie de préparer un semblant de dîner, dit-elle. Il ne me parle que de Léo depuis qu'il s'est levé ce matin.

— Et c'était à quelle heure?

— Sept heures quinze... tu imagines! Après s'être couché à onze heures, j'aurais espéré qu'il dorme au moins jusqu'à neuf heures!

Marc déglutit. Il éprouva un soupçon de culpabilité, mais n'en souffla pas mot à Marielle.

— Tu vas toujours le reconduire chez ta mère cet après-midi?

— Heureusement qu'elle est là, sinon je crois que je ne pourrais pas avancer d'un centimètre dans le contrat pour l'agence. Et toi, les entrevues?

— Si tu savais! Je suis découragé.

— Ils sont si nuls que ça?

— J'ai eu la visite d'un comptable à l'esprit étroit et d'un vendeur d'aspirateurs!

— Marc, garde un peu l'esprit ouvert! Peut-être que le stress les rend nerveux et les empêche de se présenter sous leur meilleur jour.

— C'est plutôt de ma nervosité à moi dont tu devrais te soucier! Si je ne trouve pas un adjoint au plus vite, je risque d'être submergé par les dossiers qui s'accumulent sur mon bureau depuis le départ de Marie-Josée!

— Elle va te manquer celle-là. Il faut dire qu'elle savait y faire avec la gestion du personnel.

— Merci de me le rappeler. Ça m'encourage.

La lumière de son interphone clignota.

— Je dois te laisser ma chérie. Je crois que le troisième candidat vient d'arriver.

— Sois positif, Marc.

— D'accord, c'est promis. Je t'aime.

— Moi aussi. Bonne chance.

— C'est ça. À toi aussi.

Il raccrocha et se leva pour aller accueillir le visiteur. La secrétaire ouvrit la porte au même moment et laissa entrer une grande femme vêtue d'un tailleur bien coupé. Les effluves de son parfum se rendirent jusqu'à Marc. Elle s'immobilisa après quelques pas. Il fut d'abord surpris par sa beauté, puis remarqua ses yeux : jamais il n'en avait vu de pareils. D'un vert si intense qu'il était périlleux de s'y attarder trop longtemps. Son visage portait très peu de maquillage et les boucles de sa longue chevelure noire retombaient sagement sur ses épaules. Il la situait au début de la trentaine. Il éprouva un embarras qu'il n'avait pas ressenti depuis la fin de son adolescence.

— Bonjour Monsieur Allard, dit-elle en lui tendant une main gracieuse.

Marc tenta de reprendre ses esprits, tout en étant maintenant persuadé qu'elle avait remarqué son malaise. Il s'était attendu à rencontrer un homme, sans intérêt de surcroît, mais la visiteuse l'intimidait. Pour ne rien arranger, il avait négligé de consulter sa fiche.

— Bonjour Madame... euh... excusez-moi...

— Sinclair. Viviane Sinclair.

La voix de la jeune femme s'imprégna quelques instants dans son esprit.

— Enchanté, Madame Sinclair...

— Je vous en prie, appelez-moi Viviane.

Marc avait du mal à démêler les mots qui se bousculaient dans sa tête. Il lui désigna le coin repos où se trouvaient deux fauteuils. Elle lui sourit, retira la main que Marc tenait toujours, et alla s'asseoir. Marc ajusta nerveusement le nœud de sa cravate avant de reprendre la parole.

— Alors, Madame Sinclair...

— Viviane.

— ... Viviane, oui. J'ai parcouru votre fiche un peu à la hâte, je vous prie de m'en excuser. Pourriez-vous me parler de vous?

— Eh bien, je suis arrivée dans la région depuis quelques mois. J'ai travaillé durant plusieurs années pour un de vos concurrents, à Montréal.

— Ah oui... lequel?

— Le Groupe NaturoPharm.

— Je vois..., fit Marc en fronçant les sourcils.

Il était fasciné par les yeux de cette femme.

— J'ai travaillé au sein de cette entreprise d'abord à titre d'employée de bureau jusqu'à ce que j'accède à la direction.

— Vraiment?

— Oui... enfin peut-être pas de la manière conventionnelle.

Marc buvait chacune de ses paroles. Il connaissait bien le président de cette chaîne qu'il n'appréciait pas particulièrement. Il avait déjà tenté une approche auprès de cette organisation pour acquérir les deux seules pharmacies qu'elle possédait sur la rive sud de Québec, mais s'était heurté à la personnalité mégalomane de son dirigeant. Aucune entente n'avait découlé de ces pourparlers et Marc n'envisageait nullement de nouvelles tentatives.

— C'est-à-dire...

Viviane détacha la veste de son tailleur qui laissait entrevoir sa taille fine. Elle croisa les jambes et baissa les yeux en passant la main dans ses cheveux.

— Le président et moi étions très liés.

Ses joues rosirent en anticipant la réaction de Marc qui se rajusta sur son fauteuil.

— Je vois, dit-il sérieusement. J'imagine que vos relations sont maintenant plus... distantes puisque vous êtes ici.

— En effet, reprit-elle en retrouvant son assurance. Au début de mon mandat de direction, j'adorais mes fonctions administratives, particulièrement la gestion du personnel. L'entreprise a ensuite connu une importante restructuration, et je dois avouer que nous nous sommes heurtés à des divergences d'opinion profondes. Notre relation s'est un peu effritée.

Son récit avait l'effet d'une musique aux oreilles de Marc : elle appréciait la gestion du personnel et avait contribué à la restructuration d'entreprise chez l'un de ses principaux concurrents. Elle semblait en effet très à l'aise et s'exprimait de façon remarquable. Il hochait la tête, espérant connaître davantage de détails. Viviane ne se fit pas prier pour poursuivre.

— La situation est devenue de plus en plus tendue. Jusqu'au jour où il a promu quelqu'un d'autre au poste de vice-président que je convoitais... une autre femme, en fait. J'ai alors compris que mes chances d'avancement étaient devenues inexistantes.

— Je vois.

Marc se leva, faisant mine de vouloir aller consulter la fiche personnelle de Viviane sur le bureau. En réalité, il souhaitait installer une certaine distance entre eux pour éviter de prendre une décision trop émotive. Il s'assit à son bureau et constata qu'elle ne semblait pas déstabilisée par ce changement.

— Je présume que l'agence de placement vous a remis une description du poste qui est offert. J'aimerais que vous me décriviez vos principales forces pour satisfaire aux objectifs à court et à moyen terme, Viviane.

Plus la rencontre progressait, plus Marc était impressionné par les compétences et surtout par la personnalité de cette candidate. Elle discutait de relations de travail et de gestion de personnel avec une aisance évidente. Elle semblait également posséder une vision d'ensemble de l'entreprise et comprendre les enjeux du domaine pharmaceutique. Elle était hautement qualifiée et inspirait confiance. Et elle était disponible.

Après avoir discuté près de trois quarts d'heure avec elle, Marc mit un terme à cette entrevue qui l'enthousiasma. Il se leva et alla à la rencontre de Viviane Sinclair qui lui tendit la main.

— Je vous remercie de vous être déplacée. J'avoue que votre ouverture à partager certains détails de votre expérience passée m'inspire confiance.

— Si je peux me permettre, Monsieur Allard, je pense pouvoir affirmer que mon expérience et mes compétences seraient des atouts pour votre entreprise et que vous serez enchanté de mes services, lui dit-elle en le regardant droit dans les yeux. Et je débute quand vous voulez.

— Je vous remercie de vous être déplacée, Madame Sinclair...

— Viviane.

— ... oui, Viviane. Je ne manquerai pas de vous informer de ma décision aussitôt que j'aurai rencontré les autres candidats.

— Je comprends, Monsieur Allard. Je vous remercie pour cet entretien.

Elle prit son sac et se dirigea vers la porte. Avant de sortir, elle hésita un instant, se retourna et lui lança :

— Votre concurrent vous a toujours admiré, vous savez. Et moi aussi.

Elle sortit du bureau et referma la porte avant que Marc n'ait pu trouver les mots qui convenaient.

***

Vers dix-sept heures trente, Marielle terminait la rédaction du plan publicitaire que son collègue de l'agence attendait par courriel depuis une demi-heure. Elle l'appela pour lui confirmer l'envoi qu'il attendait impatiemment.

— Je regrette de l'envoyer si tard, mais ça m'a pris plus de temps que prévu.

— Ne t'en fais pas Marielle, lui dit Serge Tanguay. Je sais que l'attente en vaut la peine. On ne cesse de me vanter la qualité de ton travail.

— Ne crois pas un mot de ce qu'on raconte! Je suis tellement distraite par mon fils que je crains d'avoir omis des

53

détails importants... N'oublie surtout pas de le réviser d'un bout à l'autre!

— Ne t'en fais pas pour ça. Et merci encore pour ton travail. On se reparle la semaine prochaine pour la campagne publicitaire de ta sœur.

— J'y compte bien. Au revoir, Serge.

Serge Tanguay venait d'être nommé directeur adjoint de l'agence pour laquelle Marielle travaillait depuis de nombreuses années. Il avait été engagé comme consultant après le scandale dans lequel l'agence avait été plongée après l'arrestation d'Adam McKay. Serge avait été mis au courant de la tentative d'avortement criminel perpétré par Adam sur la personne de Marielle. À l'annonce de la sentence de trente mois d'emprisonnement, les dirigeants avaient alors offert à Serge de se joindre à eux. Il n'avait accepté leur offre que très récemment.

Marielle s'affairait à préparer le souper lorsque sa mère arriva, précédée par Junior qui courut se jeter dans ses bras.

— Maman!

— Allô, mon trésor!

Marielle ne pouvait résister à cette jolie frimousse qui lui souriait.

— On mange? demanda Junior après qu'elle l'eut couvert de baisers.

— Oui, mon chou. Descend un peu que je dise bonjour à mamie Pierrette.

— Je vais voir Léo! dit-il en se sauvant hors de la cuisine, oubliant que son frère était absent.

Pierrette s'était affalée dans le fauteuil du salon et semblait épuisée.

— Pauvre maman... on dirait qu'il a réussi à te rendre à bout.

— Je n'ai jamais vu un enfant avoir autant d'énergie! Et une grand-mère en avoir si peu...

— Tu as quand même soixante-quinze ans, maman, ne l'oublie pas. Et la sieste?

— Ne m'en parle pas! Il est resté couché exactement trois minutes avant de se relever et de continuer à tout sortir de mes placards! La maison est sens dessus dessous!

— Je suis désolée, maman. J'irai t'aider à tout ranger demain matin...

— Laisse, je m'en sortirai très bien toute seule. De toute façon, tu n'auras pas une minute à toi, alors...

— Il a parlé de Léo?

— Oui, mais au bout d'un moment, je l'ai emmené en promenade au parc et il a joué avec d'autres enfants du quartier.

— Et tu as réussi à lui faire enlever son chandail vert?

— Il a bien fallu, il était couvert de boue. Au fait, je l'ai apporté mais je n'ai pas eu le temps de le laver.

Pierrette sortit le chandail de son grand sac et le remit à Marielle qui secoua la tête de découragement.

— Il en a fait du chemin ce tricot... Et dire que Junior a bien failli ne jamais le porter, tu te rends compte!

Pierrette secouait la tête en repensant au drame qui aurait pu lui voler son petit-fils.

— C'est inimaginable de penser que cet enfant si énergique souffre d'insuffisance rénale, reprit Marielle.

— Tu devrais éviter de te tourmenter avec ça, Marielle. Junior ne sera pas forcément malade. Son rein peut très bien tenir le coup durant des années, alors le mieux à faire c'est d'éviter de voir trop loin, d'accord?

Pierrette caressait la main de sa fille qui avait vécu de nombreux bouleversements.

— Il me manque toujours, avoua Pierrette en pensant à Samuel.

— Il aurait dix-neuf ans, ajouta Marielle en contemplant les photos qui ornaient encore les murs du salon. La famille tout entière avait été déchirée par le tragique décès de Samuel.

Marielle fut tirée de ses pensées par la porte d'entrée qui s'ouvrit. Marc rentrait du bureau et paraissait d'humeur détendue pour la première fois depuis un bon moment.

— Il me semblait bien avoir reconnu votre voiture, Madame Dussault. Comment allez-vous ? Vous restez à souper avec nous j'espère ?

Marc avait toujours eu beaucoup d'affection pour sa belle-mère, particulièrement depuis qu'elle l'avait aidé à reprendre contact avec Léo et à reconquérir le cœur de Marielle.

— Je te remercie infiniment, Marc, répondit-elle en l'étreignant chaleureusement. Mais ce sera pour une autre fois. Je vais partir maintenant, j'ai besoin d'une longue sieste.

Elle embrassa Marielle avant de prendre ses affaires et de s'en retourner.

Plus tard dans la soirée, après avoir réussi à mettre Junior au lit avec le chandail souillé, Marielle et Marc bavardèrent au lit, heureux de pouvoir souffler un peu.

— Il était épuisé, dit Marielle. Il n'a même pas demandé une deuxième histoire.

— Et toi, ça va ? s'enquit Marc.

— Oui. J'ai enfin pu terminer le contrat pour l'agence et je suis en pause au moins pour le reste de la semaine. Je pourrai me consacrer à la campagne publicitaire des boutiques à compter de la semaine prochaine.

— Hum hum...

— Et toi, ces candidats... toujours rien ?

Marielle remarqua une légère hésitation dans la voix de Marc.

— Eh bien... commença-t-il, j'ai peut-être trouvé quelqu'un qui pourrait faire l'affaire...

— Non !

— J'ai dit peut-être...

— Raconte... comment-est-il ?

— ... est-elle, tu veux dire.

— C'est une femme ?

— Tu sais, lorsqu'elle est entrée, ça m'a surpris aussi. Puis, en y réfléchissant bien, elle remplacerait Marie-Josée qui savait s'y prendre avec les employés. Alors c'est peut-être d'une femme dont j'ai besoin après tout.

— Ton raisonnement est très juste, si tu veux mon avis, et je suis soulagée d'apprendre qu'il y a de l'espoir pour toi à court terme. D'où vient-elle?

Marc lui fit un résumé détaillé de sa rencontre. Marielle lui demanda quelques précisions sur son apparence, ce que Marc lui révéla toutefois avec réserve. Les mots qui pouvaient convenir lui manquaient toujours.

— Et quand peut-elle commencer?

— Elle est disponible dès maintenant, le temps que je vérifie ses références et que je prenne ma décision.

— Ta décision ne sera pas très longue à prendre on dirait, étant donné la description que tu m'as faite des autres candidats...

Marc sourit au souvenir des deux postulants rencontrés avant Viviane Sinclair. Il sentait que cette candidate pouvait être à la hauteur de la tâche, et peut-être même apporterait-elle un regain d'énergie à l'entreprise qui stagnait depuis quelque temps.

***

À la ferme des Martin, le réveil indiquait sept heures quarante-cinq lorsque Jean-Gervais vint cogner à la porte de la chambre de Léo.

— Grouille-toi, Léo... on part dans cinq minutes!

Léo ouvrit les yeux et réalisa que son réveille-matin n'avait pas sonné.

— Merde!

Il rejeta les couvertures et se redressa, oubliant qu'un autre lit se trouvait au-dessus. Il se cogna la tête sur le sommier en acier et ressentit une vive douleur.

— Merde!

Cette première journée d'école commençait mal. Léo avait repassé les événements de la nuit dernière durant de longues heures avant de parvenir à trouver le sommeil. Et maintenant, il n'aurait même pas le temps de déjeuner avant de partir. Il s'habilla à toute vitesse, empoigna son sac à dos et partit en trombe vers la cuisine. Tout le monde était déjà sorti. Il les rejoignit à la voiture.

— Tu ne dois pas faire attendre les autres, Léo, gronda madame Martin en lui indiquant le siège arrière. Il s'avança vers la portière, espérant s'asseoir à côté de Jean-Gervais. Mais celui-ci prenait place à l'avant et Léo dut se résigner à s'installer à côté de Marjorie qui ne lui adressa pas le moindre regard. Lorsqu'il referma la portière, madame Martin lui tendit un demi-sandwich grillé au fromage.

— Avale ça. Ça te soutiendra un peu jusqu'à l'heure du lunch.

L'auto démarra et personne ne prononça un mot durant le trajet, à part madame Martin qui donna ses directives pour le rendez-vous de la fin d'après-midi. Léo avala le sandwich en trois bouchées et se concentra sur le paysage qui séparait la ferme du séminaire. Ces quelques minutes lui parurent une éternité. La proximité de Marjorie le rendait mal à l'aise, et il fut soulagé de sortir de la voiture et de filer à l'intérieur du bâtiment pour assister aux cours de la première journée d'école.

Malgré la fatigue, la journée se déroula assez bien et les professeurs lui firent bonne impression. Après la dernière classe, il profita de quarante-cinq minutes de répit pour commencer ses devoirs avant de se rendre au gymnase pour la séance d'entraînement de basketball. Une centaine de jeunes y étaient rassemblés dans l'espoir d'être sélectionnés dans les équipes du séminaire. Une trentaine de garçons composeraient les deux équipes masculines et une trentaine de filles, les équipes féminines. Léo se dirigea vers le grand bac où se trouvaient les ballons. Au moment où il y plongea le bras, il s'arrêta net : les yeux noirs de Marjorie le dévisageaient!

« Ce n'est pas possible! pensa-t-il. Elle ne peut pas être aussi inscrite au basket!» Léo resta figé devant le bac, alors que d'autres jeunes le bousculaient en s'approchant à leur tour. Marjorie les imita sans quitter Léo des yeux. Puis, elle se retourna et s'éloigna sans lui adresser la parole. Le son strident du sifflet de l'entraîneur sortit Léo de son cauchemar.

— Salut, mon gars! lança-t-il. Content de te revoir.

— Bonjour.

Léo était toujours sous le choc.

— Ça va? s'inquiéta l'entraîneur.

Léo sortit de sa torpeur et répondit par un hochement de tête. Il empoigna un ballon et se mit à dribbler en se mêlant aux autres, oubliant momentanément sa frustration. Puis, les étudiants furent dirigés de chaque côté du grand filet qui séparait le gymnase. Les quatre-vingt-dix minutes d'entraînement laissèrent les jeunes exténués.

Lorsque Léo sortit enfin de l'école, il vit la voiture de madame Martin stationnée près de l'entrée. Il s'était empressé de prendre une douche et de rassembler ses affaires pour ne pas faire attendre les autres. Lorsqu'il arriva près de la voiture, il constata que Marjorie était déjà assise à l'avant. Il avait pourtant fait vite mais elle avait été plus rapide que lui. Il ignorait que Marjorie ne prenait jamais de douche dans les vestiaires et qu'elle était habituellement la première à sortir.

Léo prit à nouveau place sur le siège arrière.

— Bonjour, dit-il à l'attention de madame Martin qui le salua. Jean-Gervais n'est pas là?

— Non, il est déjà rentré depuis un bon moment.

«Évidemment», pensa Léo, se rappelant que Jean-Gervais n'avait pas d'entraînement après ses cours. Un lourd silence s'installa dans la voiture.

— Et alors Marjorie, dit madame Martin pour briser la glace. Ton équipe te plaît?

Marjorie, qui avait le visage tourné vers la vitre, regarda sa logeuse et esquissa un sourire.

— Je ne sais pas encore si je suis sélectionnée, dit-elle doucement. Nous avons des essais toute la semaine...

— Allons donc... tu étais la meilleure l'an dernier! C'est évident qu'ils te choisiront!

Marjorie reporta son regard vers le paysage qui défilait devant ses yeux, sans remarquer l'air ahuri de Léo. Le silence régna pour le reste du trajet.

***

59

Plus tard ce soir là, Léo révisait ses notes de cours lorsqu'on frappa à la porte.

— Léo, je peux entrer? annonça la voix de madame Martin.

Il se leva pour lui ouvrir.

— Alors, ça va comme tu veux?

— Ça va, merci.

Madame Martin pénétra dans la chambre et s'avança vers le bureau où elle remarqua la figurine non peinte sur l'étagère.

— Je vois que tu as toujours autant de talent pour la sculpture, dit-elle en l'observant de plus près. Dis donc... elle est magnifique!

— C'est pour Junior.

— Pauvre petit... il était très déçu hier.

— Ne vous en faites pas, la rassura Léo. Il est habitué à obtenir tout ce qu'il veut et, quand il est contrarié, on a droit à son numéro.

Madame Martin reposa délicatement la figurine à sa place.

— Vous avez l'air très liés tous les deux.

— Ouais. Il me manque.

— Tu dois lui manquer aussi. Tu n'oublies pas de téléphoner à tes parents?

— Merde! Oh... excusez-moi!

— Ça ne fait rien. Tu peux utiliser le téléphone de la cuisine, mais si tu préfères, tu peux utiliser celui qui se trouve dans mon atelier. Tu seras plus tranquille. J'y montais justement.

— Merci, c'est gentil.

Léo la suivit jusqu'au haut de l'escalier dont les vieilles marches se plaignirent à chacun de leurs pas. Il était monté dans ce sanctuaire à quelques reprises lors de son séjour précédent et cet endroit avait le don de l'apaiser. Il y régnait une sérénité qui l'avait incité quelques fois à faire des confidences à sa logeuse.

Léo fit un résumé de sa journée à Marielle, sans pour autant lui parler de sa voisine de chambre. Il était rassuré d'apprendre que Junior semblait pouvoir tenir le coup jusqu'à son retour. Lorsqu'il raccrocha, madame Martin entra dans la pièce exiguë dont les murs étaient garnis d'étagères croulant sous les livres. Des piles de magazines s'amoncelaient un peu partout sur le plancher et sur le bureau. Elle déposa un plateau contenant deux tasses ainsi que la théière que Léo reconnut. Madame Martin lui sourit.

— Tu veux la remonter?

Léo lui rendit son sourire et souleva la théière pour tourner la clé. Une jolie musique se fit entendre, puis s'arrêta lorsqu'il la reposa sur le plateau. Madame Martin la souleva à son tour et la musique reprit pendant qu'elle versait son contenu bouillant dans les tasses peintes à la main.

— Tu as fait connaissance avec Marjorie?

La question déstabilisa Léo.

— Euh, oui.

— C'est une fille particulière.

Madame Martin prit une gorgée de thé et reposa la tasse sur la soucoupe.

— Marjorie est la fille de ma coiffeuse que je fréquente depuis près de dix ans. Je connais l'histoire de Marjorie comme s'il s'agissait de ma petite-fille. Je dois dire qu'elle et sa mère ont toutes deux vécu des situations difficiles.

— Elle n'a pas l'air très amical, avoua Léo qui reposa sa tasse sans avoir réussi à goûter au contenu.

— En fait, elle a un très grand besoin d'affection, mais elle se referme sur elle-même. Cette fille est une survivante.

Madame Martin offrit de mettre un peu de lait dans le thé, ce que Léo accepta.

— Son père est en prison depuis quelques mois. Elle vit avec sa mère et son jeune frère.

— Qu'est-ce qu'il a fait? demanda Léo, étonné par ces révélations.

— Trafic de drogue...

— ...

— ... et violence conjugale.

Léo était décontenancé d'apprendre ces détails de la vie de Marjorie et il commençait à se demander pourquoi madame Martin lui faisait ces confidences.

— Je veux que tu saches que Marjorie est une fille brillante et que, malgré son allure rebelle, elle a besoin d'être en contact avec des jeunes qui l'apprécient et à qui elle peut faire confiance.

— Je ne crois pas faire partie de ces gens-là, mais je pense que vous avez raison sur le fait qu'elle est intelligente. L'entraîneur de basket nous a répété que si nous étions sélectionnés, nous devions maintenir une moyenne de quatre-vingt pourcent à chaque semestre pour garder notre poste dans l'équipe.

— Elle a beaucoup de facilité à apprendre. C'est son intérêt pour l'école qui baisse depuis quelque temps.

Léo prit une gorgée et grimaça en reposant sa tasse. Il en avait toujours été ainsi lorsqu'ils prenaient le thé ensemble.

— Écoute, Léo. Je ne sais pas si Marjorie restera longtemps avec nous, tu comprends. Elle est ici parce que sa mère m'a demandé de l'aider. C'est aussi une femme troublée et le frère de Marjorie a l'air de vouloir suivre les traces de son père.

— Belle famille..., songea Léo, regrettant aussitôt cette pensée.

— Je vais te demander un grand service, mon garçon. J'aimerais que tu m'aides à aider Marjorie.

— Je ne vois pas ce que je peux faire pour l'aider, elle me déteste!

— Bien sûr que non! Elle se protège en repoussant tous ceux qui essaient de l'approcher. Elle a peur, tu comprends?

— Pas exactement.

Il était hors de question que Léo révèle à madame Martin ce qu'il avait découvert la nuit précédente, comme il était hors de question qu'il tente quoi que ce soit pour se rapprocher de cette fille.

— Ne te laisse pas impressionner par son allure revêche. Je sens que vous avez des affinités tous les deux. Toi aussi tu as vécu des situations difficiles et tu es un garçon sensible. Qui sait, vous deviendrez peut-être bons amis? Et puisque vous allez covoiturer matin et soir, aussi bien apprendre à vous entendre.

Cette idée le découragea, mais il se garda de faire davantage de commentaires. Il termina sa tasse de thé et remercia madame Martin avant de se lever.

— Léo?

— Oui?

— S'il t'arrivait par hasard de voir que Marjorie fait des choses... disons risquées, tu m'en informeras aussitôt, tu veux bien?

Léo avala avec difficulté. Il redoutait encore le regard menaçant de Marjorie et ne comptait pas du tout se mêler de ses affaires. Il hocha tout de même la tête avant de disparaître dans l'escalier.

***

Deux jours après sa rencontre avec Viviane Sinclair, Marc consultait sa fiche à la recherche du numéro de téléphone de la responsable du personnel qu'elle avait désignée. Il était toujours aussi confiant qu'elle ferait une excellente adjointe et songeait sérieusement à l'engager après avoir vérifié ses références. Il hésitait cependant à informer son concurrent qu'il projetait d'engager l'ex-amie de cœur du président de l'entreprise. Il finit par décrocher le téléphone et composa le numéro.

— Service des ressources humaines..., annonça une voix masculine.

— Bonjour, répondit Marc. Pourrais-je parler à madame Fortin?

— Je regrette, madame Fortin est absente pour un certain temps. Qui la demande?

Marc hésita, sentant la nervosité le gagner. Il n'avait nullement envie de laisser ses coordonnées.

— C'est sans importance. Je la rappellerai à son retour. Quand l'attendez-vous?

— Pas avant plusieurs semaines.

— Vraiment?

— J'en ai bien peur. Elle est en congé de maladie. Peut-être pourrais-je vous aider?

— Ça ne sera pas nécessaire, je rappellerai.

Marc était déçu. À l'autre bout du fil, l'homme raccrocha. Il s'adossa et fit tourner un stylo entre ses doigts, l'air satisfait : il avait reconnu le numéro sur l'afficheur. Puis, il ouvrit le grand tiroir devant lui pour en sortir la photographie sur laquelle la jolie femme lui souriait.

***

Le vendredi matin, Léo s'éveilla tôt. Il fut le premier à passer à la salle de bains et se présenta à la cuisine avant même madame Martin. Il remarqua un grand sac de voyage en toile usée ainsi qu'un attirail de pêche posés sur le plancher, près de la porte d'entrée. «Monsieur Martin est de retour!» Cette perspective le réjouit. La semaine avait été difficile et épuisante, et l'idée de revoir monsieur Martin l'égaya. Il sourit en déposant deux tranches dans le grille-pain et s'affaira à préparer son déjeuner. L'odeur du pain rôti attira Harvard qui apparut aussitôt à la cuisine.

— Te voilà toi... Tu dois avoir faim, mon vieux.

Harvard lui répondit en remuant la queue. Léo remit un peu d'eau fraîche dans son bol et chercha la moulée dans l'armoire sous l'évier. Madame Martin entra dans la cuisine à ce moment.

— Tu es bien matinal, Léo! Aimerais-tu que je prépare du gruau?

— Je peux le faire, vous savez...

— Ça me fait plaisir. Tu peux t'occuper de Harvard en attendant?

Léo versa la moulée dans le bol du chien qui s'en régala.

— Monsieur Martin est rentré?

— Oui. Il était tard et il tombait de fatigue. Je vais le laisser dormir encore un peu.

— Vous croyez qu'il va ramener les chevaux aujourd'hui?

64

— Je l'espère bien! Sinon, nous aurons droit à une belle crise de la part de ton jeune frère!

— Vous pouvez y compter!

Lorsque madame Martin servit le gruau fumant, elle en versa dans un deuxième bol, apercevant Marjorie remontant le couloir.

— Tu arrives juste à temps!

Léo leva la tête et vit que Marjorie l'observait. Il osa un timide sourire. Elle hésita avant de le lui rendre. Puis, elle empoigna son bol et remercia madame Martin.

— Eh... attends, Léo a préparé des rôties, dit-elle en adressant un clin d'œil à Léo qui lui tendit l'assiette.

À contrecœur, Marjorie la saisit avant de murmurer un faible merci. Puis elle s'éclipsa dans la salle à manger. Léo remit deux tranches dans le grille-pain. Il sentait son cœur cogner dans sa poitrine. Madame Martin lui confia à voix basse, un sourire aux lèvres, qu'elle avait été sélectionnée dans l'équipe.

Bien qu'il n'ait aucune envie de lui faire la conversation, Léo était impressionné par ce qu'il venait d'entendre. Il termina de beurrer les rôties et apporta son déjeuner à la table. Il s'assit à l'opposé de Marjorie, concentrée sur son déjeuner. Après avoir entamé son gruau, il l'observa à la dérobée, jusqu'à ce qu'il remarque madame Martin au fond de la cuisine, lui faisant signe d'engager la conversation. Il regarda Marjorie à nouveau et prit son courage à deux mains, cherchant quelque chose d'intelligent à dire.

— Félicitations..., commença-t-il.

Marjorie leva aussitôt la tête.

— ... pour ta sélection au basket.

— Comment tu sais ça?

Marjorie regarda en direction de madame Martin qui semblait très occupée. Léo cherchait nerveusement quelque chose d'autre à ajouter.

— Je t'ai vue jouer et tu te débrouilles pas mal.

Il n'arrivait pas à croire qu'il ait réussi à lui dire deux phrases consécutives. Il s'attendait à une réplique acerbe d'une seconde à l'autre. Il aurait mieux fait de suivre les conseils de Jean-Gervais qui ne s'était pas encore montré le bout du nez.

— Tu n'es pas mal non plus, laissa-t-elle tomber sans lever les yeux de son bol.

Léo en eut le souffle coupé. Ils n'échangèrent plus une seule parole du reste du déjeuner.

Marjorie en profita pour l'observer furtivement. Il était grand et mince et, bien que son poids n'ait pas encore eu le temps d'équilibrer sa silhouette, il semblait en excellente forme physique. Ses cheveux blonds et les traits doux et naïfs de son visage lui plaisaient bien. Mais sous aucun prétexte elle ne le lui avouerait.

***

L'entrevue de Viviane Sinclair avait suffisamment inspiré confiance à Marc pour qu'il prenne rapidement la décision de l'engager. Il décrocha à nouveau le téléphone et composa le numéro. Viviane était enchantée de la nouvelle.

— Je serais ravie de commencer lundi matin à huit heures trente, l'assura-t-elle.

Son enthousiasme représentait pour Marc son principal atout. Elle avait hâte de commencer ses nouvelles fonctions et de rencontrer ses futurs collègues. Elle accepta l'offre salariale sans négocier et sembla satisfaite des conditions d'embauche.

Lorsque Marc raccrocha, il eut envie d'appeler Marielle pour lui annoncer la nouvelle, mais se ravisa. Il ressentait une certaine fébrilité et préféra accepter l'offre de quelques-uns de ses collaborateurs qui sortaient dîner à pied. Il en profiterait pour leur annoncer l'arrivée de sa nouvelle collaboratrice. Il avait encore du mal à réaliser qu'il avait trouvé quelqu'un qui puisse le seconder dans l'entreprise. Les événements s'étaient bousculés et il l'avait embauchée sans rencontrer d'autres candidats après elle. De toute façon, il doutait de trouver quelqu'un de plus qualifié et pouvait toujours se raviser si elle s'avérait incapable de relever le défi. Il aurait tout le temps de raconter cet entretien à Marielle lors du trajet jusqu'à la ferme en fin d'après-midi.

***

La séance d'entraînement de basketball dura trente minutes de plus que prévu ce vendredi-là. Léo et tous les autres garçons étaient épuisés et s'effondrèrent sur les bancs de bois au son du sifflet. Soudain, le gymnase devint silencieux et tous étaient attentifs aux moindres gestes de l'entraîneur qui devait désigner les joueurs sélectionnés dans les équipes. Léo redoutait ce moment depuis le début de la semaine. Il n'était pas encore certain de vouloir faire partie de l'équipe. Sa relation avec les autres joueurs se limitait à la plus simple politesse. D'un autre côté, sa présence chez les Martin ne serait plus justifiée s'il n'était pas retenu. Il avait remarqué plusieurs bons joueurs, en plus de quelques-uns qui avaient fait partie de l'équipe l'année précédente et qui étaient donc assurés d'une place cette saison.

L'entraîneur feuilleta son carnet et se mit à énumérer les noms de plusieurs joueurs inscrits sur sa liste. Ceux-ci devaient se lever aussitôt. Au fur et à mesure que les jeunes étaient nommés, l'anxiété montait auprès des autres. Léo était si angoissé qu'il en avait la nausée. S'il n'était pas sélectionné, sa mère devrait faire l'aller-retour à l'école, matin et soir, pour le reconduire. Il avait l'estomac noué. Sa respiration était saccadée et la déception le gagnait de plus en plus. Il chercha sa bouteille d'eau près du banc et se releva pour en prendre une gorgée. Lorsqu'il la redéposa, il remarqua que le gymnase voisin était désert. Les filles avaient terminé depuis un bon moment. Puis, il aperçut une silhouette qui les épiait par la mince ouverture de la porte du vestiaire des filles. Il crut reconnaître Marjorie, mais la porte se referma aussitôt. S'il n'était pas sélectionné, elle allait bien se moquer de lui, pensa-t-il.

L'entraîneur avait épuisé sa liste. Léo n'en faisait pas partie. Les jeunes qui étaient debout souriaient, mais l'entraîneur leur annonça qu'ils n'avaient pas été sélectionnés. Les garçons étaient déconcertés. L'entraîneur les remercia pour leurs efforts soutenus tout au long de cette longue semaine et les invita à quitter le gymnase. Les garçons aux mines déconfites regagnèrent le vestiaire dans un grand silence. L'entraîneur se tourna alors vers les dix-sept garçons toujours assis sur les bancs, abasourdis.

— Eh bien, messieurs : félicitations ! Vous allez représenter le séminaire Saint-François pendant la prochaine année !

Des cris de joie et des accolades suivirent cette annonce et les jeunes hommes purent enfin se détendre après avoir douté de leur sort. Toujours perplexe, Léo était soulagé d'apprendre qu'il avait réussi. Il se mêla très peu aux réjouissances, mais scruta l'autre côté du gymnase où la porte du vestiaire des filles se refermait à nouveau. L'entraîneur donna plusieurs directives aux garçons et leur remit l'horaire des matchs de la saison. Puis, il les félicita de nouveau et les invita à se reposer durant la fin de semaine.

Léo allait partir lorsque l'entraîneur lui fit signe de le rejoindre. Ils se placèrent à l'écart.

— Félicitations, Léo. Tu as tout le talent qu'il faut pour faire partie de cette équipe...

— Merci.

— ... cependant, ajouta-t-il, le basketball n'est pas un sport individuel. Tu devras développer tes liens avec les autres joueurs si tu veux qu'ils te fassent confiance et qu'ils te passent le ballon. Tu comprends ?

Léo doutait réellement de parvenir à établir de tels rapports avec les autres joueurs, mais acquiesça tout de même.

— Je suis certain que tu peux y arriver, mon garçon. J'ai confiance en toi, dit-il. Es-tu prêt à travailler fort ?

— Oui, Monsieur.

— Alors va te reposer. On reprend lundi matin.

Léo le remercia et se hâta vers le vestiaire.

Quelques minutes plus tard, Léo sortit du collège et aperçut la voiture de son père garée près de l'entrée. Il vit aussitôt la portière arrière s'ouvrir. Junior en surgit et courut vers lui.

— Léo! cria-t-il gaiment.

— Eh... salut, toi!

Junior sauta dans les bras de Léo et les deux frères s'étreignirent.

— Alors? l'interrogea Marc qui s'approcha avec Marielle. Tu es sélectionné oui ou non?

— Ben... c'est oui!

— C'est merveilleux! s'écria Marielle qui l'étreignit à son tour.

— Je te félicite, fiston, ajouta Marc. Je savais qu'ils ne pourraient pas se passer de toi dans cette équipe...

— Papa!

— C'est vrai... tu vas être le meilleur, j'en suis sûr!

— Ne va pas trop vite, tu veux! Laisse-moi d'abord le temps de participer à quelques matchs.

Léo s'étonna de ne voir nulle part la voiture de monsieur Martin.

— Je croyais que vous deviez venir me chercher à la ferme?

— Nous y sommes allés, mais comme tu n'étais pas encore arrivé, nous avons décidé de venir t'accueillir ici.

— Est-ce que monsieur Martin est venu aussi?

— Oui, mais avant que tu te décides enfin à sortir, il est reparti.

«Elle aussi», pensa Léo.

Son père lui entoura les épaules.

— Allez, on rentre.

Junior jacassa tout le long du trajet. Il était enchanté de la figurine que Léo avait confectionnée pour lui. Léo était heureux de ces retrouvailles familiales même s'il avait manqué le retour de monsieur Martin. Il aurait tant aimé qu'il fasse visiter l'écurie à Junior. Aussi, il osait à peine s'avouer qu'il était déçu de ne pas avoir revu Marjorie avant son départ. En dépit de la petite voix intérieure qui le mettait en garde, elle l'intriguait au point qu'il pensait souvent à elle. Il refoulait délibérément son intuition négative même s'il devinait que

69

Jean-Gervais voyait juste : que pouvait-il espérer d'une relation avec une fille telle que Marjorie Simard ? Il s'obligea à la chasser de ses pensées pour profiter de la présence de sa famille.

La fin de semaine s'annonçait détendue. Une seule activité était prévue au calendrier : le cours de natation de Junior du samedi matin. Il ne progressait pas beaucoup, mais il adorait patauger dans l'eau et cet exercice contribuait à lui faire dépenser un peu d'énergie. Seule sa mère l'y accompagnait et il rouspéta jusqu'au moment de partir. Lorsque la maison redevint calme, Marc proposa à Léo de se rendre au bureau où il avait quelques affaires à régler.

— Tu réaménages les bureaux ? lui demanda Léo lorsqu'ils arrivèrent.

— Plus ou moins. J'ai engagé quelqu'un cette semaine pour m'aider dans la gestion.

— Pour remplacer Marie-Josée ?

— Oui. Son départ m'a pas mal désorganisé. Je ne réalisais pas vraiment tout le travail qu'elle accomplissait jusqu'à ce qu'elle parte.

— Et son remplaçant va occuper son ancien bureau ?

— Sa remplaçante va débuter lundi matin et je vais plutôt lui assigner le bureau vacant près du mien.

Léo avait toujours été sensible aux changements importants qui se produisaient dans la vie de la famille et il savait que le départ de Marie-Josée dérangeait le travail de son père. Comme Marc se réfugia dans son bureau pour travailler, Léo pénétra dans le bureau vacant et s'assit dans le fauteuil pivotant. Il tâta le sous-main en cuir neuf et le porte-crayon assorti. Puis, il ouvrit quelques tiroirs contenant seulement de la papeterie. Léo s'imagina occupant un jour ce bureau pour seconder son père. Il avait déjà effectué quelques menus travaux pour lui, un peu de classement ainsi que du rangement, mais l'idée de travailler avec son père, de suivre ses traces et celles de son grand-père, germait déjà dans son esprit. Il enviait un peu la nouvelle employée. Elle passerait ses journées avec lui et apprendrait tout sur ses affaires.

Sans s'en douter, le père et le fils caressait les mêmes ambitions pour l'entreprise familiale.

Ils quittèrent le bureau en fin d'avant-midi et s'arrêtèrent manger un sous-marin avant de rentrer.

— Je pourrai travailler avec toi un jour.

— Bien sûr, quand tu veux.

— Non, je veux dire pour vrai, être ton employé...

Marc éclata d'un rire spontané.

— Moi, je rêve plutôt que tu sois le patron quand tu seras en âge de le devenir!

Cette confidence provoqua un sourire de fierté, tant chez le père que chez le fils. Léo était touché par la déclaration de confiance et d'amour de son père, lui qui, à ce jour, n'avait pas envisagé une telle éventualité.

— Quand même...

Marc lui ébouriffa les cheveux et le poussa gentiment.

— En fait, je ne suis pas convaincu que tu apprécierais travailler *pour* moi, fiston, mais ce serait chouette de t'avoir dans les parages tous les jours. Pour ça, tu dois étudier sérieusement et obtenir de bons résultats à l'école.

Ils entamèrent leur sandwich avec appétit.

— Elle est comment?

— Qui ça?

— La remplaçante de Marie-Josée.

— Ah, elle est... bien. Elle a beaucoup d'expérience dans le domaine.

— ...

— Elle travaillait pour NaturoPharm.

— Ce n'est pas un de tes concurrents?

— Oui.

— Ça ne te dérange pas?

— Non, puisqu'elle n'y travaille plus.

— Et tu crois que ça les dérange, eux?

Marc ne répondit pas. Il avait déjà réfléchi à la question et n'y voyait aucun obstacle pouvant justifier l'élimination de cette candidate, à part l'animosité que l'embauche de Viviane susciterait chez son ex-patron. Peu lui importait car, après tout, aucune relation d'affaires n'existait entre lui et son concurrent.

La fin de semaine passa rapidement et Léo négligea ses études pour passer plus de temps avec sa famille. Le dimanche soir, avant de se mettre au lit, il travaillait sur un devoir de mathématiques lorsque sa mère entra dans sa chambre. Il l'accueillit avec un sourire avant de fermer ses livres.

— Je te dérange?

— Non, j'ai presque fini.

Elle alla s'asseoir sur le bord du lit et prit le coussin en denim qu'elle serra contre elle.

— J'ai trouvé la maison bien vide la semaine dernière. Je ne sais pas si je m'habituerai à te voir repartir tous les lundis matins...

Marielle avait effectivement trouvé la semaine pénible. Marc était rentré tard tous les soirs et Junior supportait mal l'absence de Léo. Elle aussi dut lutter pour refouler les émotions suscitées par son absence.

— Je sais, répondit Léo. Je me suis senti seul aussi. Certains soirs, j'aurais vraiment aimé être à la maison.

— Est-ce que ça va comme tu veux? s'inquiéta Marielle. Y a-t-il quelque chose dont tu veuilles me parler?

— Non, non, tout va bien.

— Tu es certain?

— Oui, ne t'en fais pas. C'est juste que la séparation me pèse, comme chaque fois...

Il s'interrompit, réalisant que la sensibilité de sa mère était à fleur de peau, et décida de tenter de la rassurer, comme il l'avait toujours fait auparavant.

— ... et je n'ai pas vu monsieur Martin de la semaine, ajouta-t-il avec un sourire navré. Ça m'aurait fait du bien de voir les chevaux.

— À Junior aussi!

— Ouais.

— Tu pourras sans doute y aller cette semaine puisqu'il est revenu.

— J'y compte bien.

Marielle s'efforça également de changer de sujet pour alléger l'atmosphère.

— Et tu t'es fait des nouveaux amis parmi les pensionnaires?

Léo fronça les sourcils.

— Pas exactement.

Marielle attendait des détails.

— Jean-Gervais est en secondaire quatre et c'est plutôt un genre de... comment dire... un intello.

— Et alors?

— Ben, disons qu'on n'est pas tout à fait sur la même longueur d'ondes, mais ça peut aller.

— Vous vous êtes parlé?

— Oui, quelques fois.

— Et les autres?

Marielle était curieuse de connaître les détails sur sa voisine de chambre. Marc l'avait également questionné, mais Léo avait rapidement changé de sujet.

— Il y a aussi Marjorie Simard, une fille de secondaire trois.

— Ah bon. Elle est du même âge que toi alors?

— Ouais.

— ...

— ...

— Et alors?

— Ben, rien.

— Tu lui as parlé?

— Très peu. Elle n'est pas très sociable.

— Comment ça?

— Ben, parce que.

— Tu pourrais être plus précis.

— Maman!

— Bon, excuse-moi! Je ne voulais pas t'embarrasser...

— Je ne suis pas embarrassé!

— D'accord, d'accord!

Léo perdait rarement son calme et Marielle le remarqua.

— Cette fille est bizarre, finit-il par ajouter. Elle a des problèmes, enfin c'est ce que j'ai compris.

— Ah bon...

73

— Ouais. Madame Martin m'a dit qu'elle l'hébergeait pour rendre service à sa mère, ou quelque chose comme ça.

— ...

— ...

— Va-t-elle au séminaire aussi?

— Ouais.

— Hum hum.

— En sport-études basket.

— C'est vrai?

— Ouais. Je l'ai vue jouer pendant les sélections.

— Ah oui?

— Ouais. Elle est super bonne.

— Ça vous fait quelque chose en commun, comme ça, non?

— Si on veut.

— J'irai peut-être te voir à l'entraînement de mercredi soir, ajouta Marielle qui sentait l'embarras grandissant de Léo. Ta grand-mère m'a offert de garder Junior.

— Est-ce que papa viendra aussi?

— Je ne sais pas, il est très occupé, tu sais. Avec la réorganisation...

— Je sais, la remplaçante arrive demain.

— J'espère qu'elle sera à la hauteur! Ton pauvre père ne sait plus où donner de la tête ces temps-ci, et je ne suis pas certaine qu'il arrive à trouver le temps d'aller te voir...

— Ça ne fait rien, ce sera chouette si toi tu viens.

— Et on pourrait aller prendre une bouchée après, qu'en dis-tu?

Léo se sentait le cœur plus léger à l'idée de revoir sa mère le mercredi suivant et se disait que la semaine passerait plus vite ainsi. Il espérait également revoir Marjorie à la ferme et cette simple idée, qui lui revenait sans cesse à l'esprit, le rendait fébrile.

***

Le lundi en fin de journée, dans le grand gymnase du séminaire, les filles de l'équipe s'exerçaient avec leur entraîneur.

De l'autre côté du grand filet, les deux équipes de garçons s'étaient regroupés pour disputer une partie amicale. La séance tirait à sa fin et Léo reprenait son souffle sur le banc. Il restait moins de deux minutes à jouer. Il était assez content de lui. Il avait réussi quelques beaux jeux, sans toutefois parvenir à marquer un panier. Chaque fois qu'il en avait l'occasion, il observait les filles de l'autre côté. Elles effectuaient un concours de tirs au panier. Une jeune fille venait justement de réussir un lancer : c'était Marjorie. Sa tignasse foncée était retenue en arrière par un élastique et son regard était vif. Elle s'exécuta à nouveau et réussit un autre panier. Léo fut étonné par son habileté et comprit qu'elle continuerait à lancer jusqu'à ce qu'elle rate son coup. Elle s'exécuta encore et visa le fond du panier à nouveau. Ses coéquipières s'exclamèrent pour la féliciter. Elle reprit possession du ballon et le lança à nouveau dans le panier. Une nouvelle exclamation s'éleva du groupe. Léo la regardait, fasciné, la bouche ouverte et le regard admiratif. Cette fille était vraiment une énigme.

Marjorie rata le filet à son cinquième essai : le ballon frappa l'anneau de métal et tourna autour avant de tomber à l'extérieur. Elle venait de réussir quatre paniers consécutifs et ses coéquipières la félicitaient chaleureusement. Elle parut troublée par cette démonstration d'affection et fixa son regard au plancher, évitant celui de ses compagnes. À cet instant précis, Marjorie lui apparut telle qu'il la connaissait : renfermée, sombre et asociale, alors qu'elle avait toutes les apparences d'une fille très populaire l'instant précédent. C'était une autre Marjorie qui lançait au panier un peu plus tôt, comme si le contact du ballon réveillait son enthousiasme et ses habiletés sociales. « Peut-être a-t-elle une double personnalité », se demanda Léo.

Il fut tiré de ses pensées par les cris de joie de l'équipe adverse qui venait de remporter le match des garçons. Il imita ses coéquipiers et félicita timidement les joueurs, gardant toujours un œil de l'autre côté du filet. Dès la pratique terminée, il se hâta vers le vestiaire et se rhabilla sans se doucher. Il prit ses affaires et sortit vers le stationnement où la camionnette était garée. Monsieur Martin lui adressa un grand sourire.

— Ben dis donc... si ma femme ne m'avait pas dit que tu étais devenu un homme, je ne t'aurais jamais reconnu!

— Bonjour Monsieur Martin, dit Léo.

— Ça fait plaisir de te revoir, jeune homme, répondit-il avec une franche poignée de main.

— Moi aussi, je suis content de vous revoir.

Ils bavardèrent quelques instants, à côté de la vieille Ford. Lionel Martin était un homme chaleureux et généreux. À l'époque de son premier séjour, Léo souffrait d'avoir été abandonné par sa famille, et monsieur Martin comprenait sa réserve à s'ouvrir aux étrangers. Il avait été ému par sa tendresse et l'avait rapidement pris en affection. Il avait misé sur le contact des chevaux pour créer un lien avec ce garçon et il avait vu juste.

— La pêche a-t-elle été bonne? s'enquit Léo.

— Ça dépend pour qui! lui répondit monsieur Martin, l'œil moqueur. Pour moi, très bonne. Mais pour toi, j'espère que tu aimes le poisson car tu vas probablement en manger toute la semaine!

— Ça me va très bien, l'assura Léo qui monta à l'avant de la camionnette. Puis, il s'étonna que monsieur Martin fasse aussitôt démarrer le moteur.

— Nous n'attendons pas Marjorie?

Monsieur Martin embraya et le véhicule se mit en route.

— Non. Elle a appelé pour dire qu'elle irait souper chez une amie. Elles ont un travail à faire pour l'école, ou quelque chose comme ça.

Léo s'expliquait difficilement le paradoxe de Marjorie qui parfois l'intriguait et parfois l'intimidait. Il avait commencé par éviter sa présence pour se tenir loin des ennuis et, maintenant qu'elle n'était pas là, il était déçu.

Ce soir-là, après avoir mis plus d'une heure à faire ses devoirs et en dépit de sa séance d'entraînement qui l'avait épuisé, Léo trouva suffisamment d'énergie pour se rendre à l'écurie où monsieur Martin et lui soignèrent les chevaux, heureux eux aussi de rentrer au bercail. Il était près de vingt-trois heures lorsqu'il se coucha et s'endormit rapidement. Peu après minuit, il fut tiré de son sommeil par une succession de bruits provenant de la pièce principale. Il s'assit dans son lit un moment et tendit l'oreille pour essayer de comprendre ce qui se passait. Il n'entendit d'abord que des murmures. Il se frotta le visage, hésitant à se lever. Il avait vraiment besoin de dormir, mais la curiosité le gagnait. Il se leva et ouvrit délicatement la porte. En passant la tête dans le corridor, il distingua la voix de madame Martin :

— ... ta conduite est inacceptable, jeune fille! Te rends-tu compte de l'heure qu'il est?

— ...

— Nous nous sommes beaucoup inquiétés, Marjorie, sans parler des parents de ton amie que nous avons réveillés...

— Je suis vraiment désolée...

— Nous te pensions sincère, mais tu as trahi notre confiance.

— Je m'excuse...

Ses yeux s'habituant à l'obscurité, Léo distingua au bout du couloir le profil de Jean-Gervais qui, comme lui, sortait la tête pour écouter la conversation. Soudain, Jean-Gervais se retourna et fit signe à Léo de retourner dans sa chambre. Il eut juste le temps d'apercevoir Marjorie remontant le couloir. Il se hâta de refermer sa porte et resta debout, immobile, alors que la conversation se poursuivait dans le couloir.

— Nous en reparlerons demain, chuchota la voix sèche de madame Martin. Et je ne veux plus te voir traîner avec ce garçon!

Le claquement de la porte de Marjorie mit un terme à la discussion. Léo retourna sous les couvertures. Il était troublé par ce qu'il avait entendu et se demandait où, et surtout avec qui, Marjorie avait bien pu passer la soirée.

***

Marc regarda sa montre et vit qu'il était onze heures quarante-cinq. Il n'avait pas vu le temps passer cet avant-midi-là.

Viviane était arrivée à huit heures trente précises. En moins de vingt minutes, elle avait installé ses affaires dans son bureau et ils avaient passé trois heures à rencontrer le personnel, à consulter des rapports et à faire le tour des dossiers urgents. Viviane était très attentive aux directives de Marc qui la bombardait d'informations de toute nature. Il était conscient que le mandat était de taille, mais elle paraissait assimiler facilement les instructions et posait des questions pertinentes, soucieuse d'être en mesure d'assumer ses fonctions le plus tôt possible. Il s'efforçait de prendre un ton faussement décontracté pour éviter de lui communiquer son angoisse devant l'ampleur de la tâche.

— Je dois malheureusement me rendre à un rendez-vous ce midi, dit-il, et il m'est impossible de vous inviter à dîner comme j'aurais souhaité le faire. Peut-être pourriez-vous...

— Ne vous en faites pas pour moi, Monsieur Allard. J'ai apporté un sandwich et j'en profiterai pour repasser la liste des employés et consulter leurs dossiers pour me familiariser.

— Vous n'êtes pas obligée, vous savez. Vous avez le droit de dîner et de sortir si...

— Ne vous en faites pas. J'ai toujours évité les longs dîners qui me déconcentrent. Et si vous n'y voyez pas d'inconvénient, je préfère terminer ma journée tôt l'après-midi.

— Cela me convient très bien.

— Alors, bon dîner, ajouta-t-elle, et à tout à l'heure, Monsieur Allard.

— Vous pouvez m'appeler Marc, vous savez.

Elle lui adressa un sourire réservé et s'éclipsa dans son bureau avec une pile de dossiers.

Marc prit son veston et son cellulaire et sortit pour se rendre à son rendez-vous. En route, il appela Marielle.

— Ça va comme tu veux?

— Oui, j'ai travaillé tout l'avant-midi sur la campagne publicitaire des boutiques d'Annie. Je crois que j'ai trouvé des idées intéressantes pour souligner le cinquième anniversaire de la succursale de Saint-Sauveur.

— Ça fait déjà cinq ans?

— Oui, en janvier prochain. Le temps passe tellement vite!

— À qui le dis-tu… Et Junior?

— Je l'ai laissé avec son groupe de prématernelle ce matin. Je crains de retrouver la jeune éducatrice dans un état lamentable lorsque j'irai le rechercher tout à l'heure!

— Tu sais, il peut nous surprendre. Peut-être qu'il va adorer les activités structurées et le contact avec les autres enfants.

— J'espère que tu as raison. Et toi, tu viens dîner à la maison?

— Non, je rencontre mon banquier ce midi.

— Et avec ta nouvelle directrice, comment ça se passe?

— Assez bien, je dois dire. Je l'ai inondée d'informations tout l'avant-midi. Je ne sais pas comment elle fera pour assimiler tout ça en si peu de temps.

— C'est justement ce qui te manque à toi aussi : du temps.

— C'est ce qui nous manque à tous, ma chérie.

— Alors, bon dîner.

— Merci. On se voit plus tard.

— D'accord. Je t'aime.

— Moi aussi. À plus tard.

***

Le mardi en fin d'après-midi, Léo se rendit au gymnase pour son entraînement de basket. Lorsqu'il tourna le coin du corridor, il aperçut Marjorie près de l'entrée du vestiaire des garçons. Elle semblait renfrognée et nerveuse. Lorsqu'elle le vit, son visage s'éclaira et un faible sourire transforma ses traits.

— Salut! s'empressa-t-elle de dire lorsque Léo arriva près d'elle.

Léo était abasourdi et ne répondit pas.

— Ben… ça va?

— Ouais…

La surprise lui faisait perdre tous ses moyens. Marjorie scruta les alentours.

— Écoute... j'ai un service à te demander, dit-elle, le regard fuyant. Je ne pourrai pas aller à la séance d'entraînement parce que je suis, comment dire... indisposée. Tu comprends?

Léo ne savait plus où se mettre. Les détails intimes de la vie de Marjorie l'embarrassaient. Elle poursuivit.

— Je dois aller à la pharmacie pour acheter ce qu'il me faut et je n'ai plus de billets de bus pour me rendre chez Val faire mes devoirs...

— Pourquoi tu me racontes ça? finit-il par demander.

— Parce que j'ai besoin que tu me prêtes de l'argent. Je n'ai pas un sou et je suis vraiment coincée. Tu veux bien m'aider?

Léo comprenait maintenant ce que cachait la soudaine gentillesse de Marjorie.

— Et tu as besoin de combien?

— Vingt dollars...

— Quoi?

— Ben... oui, c'est cher ces trucs-là.

— Mais je n'ai pas vingt dollars...

— Combien tu peux me prêter alors?

— J'ai à peine dix dollars sur moi, mais j'en ai besoin.

— Écoute, Léo, je suis vraiment dans le pétrin, tu comprends?

— Et quand est-ce que tu me les rendras?

— Demain.

— Tu es sûre?

— Ouais.

— C'est l'argent pour mes lunchs, Marjorie. Jure-moi que tu me le remettras demain.

— Ouais, je le jure! Enfin, Léo... tu peux me faire confiance, tu sais.

Léo hésita encore. Son instinct lui disait qu'il ne reverrait jamais son argent s'il le prêtait à cette fille qu'il connaissait à peine. Mais sa nature bienveillante lui dicta sa conduite. Il sortit l'argent de son porte-monnaie et le lui remit.

— Super, merci. À plus!

— Eh!

— Quoi? fit-elle avant de s'éloigner.

Léo se racla la gorge. Il mourait d'envie de lui poser la question.

— Qu'est-ce qui s'est passé hier?

— Quoi, hier?

— Quand tu es rentrée à la ferme...

Marjorie revint près de lui.

— Je suis rentrée un peu tard, je sais...

— ...

— Quoi?

— Madame Martin avait l'air vraiment fâchée...

— Écoute... Je sais que je n'aurais pas dû l'inquiéter comme ça, mais...

— ...

— ... mais ce que je fais ne te regarde pas, Léo, d'accord?

— ...

— Je te remets ça dès que je peux...

— Demain?

— Oui, t'en fais pas!

Elle allait partir, mais se ravisa.

— Je voulais te dire... félicitations!

— ...

— Oui, pour ta sélection dans l'équipe...

Marjorie partit à la course et laissa Léo pantois, près du vestiaire. Comme elle disparaissait au bout du corridor, une intuition lui faisait déjà regretter de lui avoir fait confiance.

Deux heures plus tard, Léo sortit du séminaire et monta dans la camionnette. Cette fois, c'est monsieur Martin qui s'étonna de l'absence de Marjorie.

— Elle m'a dit qu'elle allait faire ses devoirs chez une amie, l'informa Léo.

— Elle aurait dû nous prévenir, grommela-t-il avant de faire démarrer le moteur. Puis, ils prirent la direction de la ferme en bavardant.

Vers dix-huit heures, Léo terminait ses travaux scolaires dans sa chambre lorsque madame Martin entra.

— Excuse-moi de t'interrompre, Léo.

— Ce n'est rien. Le souper est prêt?

— Oui, mais je voulais également te demander si tu savais où se trouve Marjorie.

— Ben...

— Lionel dit que tu lui as parlé...

— Oui, répondit-il en évitant son regard. Elle devait prendre le bus pour aller à la pharmacie avant d'aller faire ses devoirs chez une amie.

— Quelle amie?

— Ben, je crois qu'elle a parlé de Val...

— Valérie?

— Je ne suis pas certain...

— Bon, je vais appeler chez elle.

— Quelque chose ne va pas?

— Marjorie aurait dû nous avertir qu'elle ne rentrait pas après l'entraînement.

— Elle est partie avant la séance.

— Qu'est-ce que tu veux dire?

— Elle n'est pas allée à la séance d'entraînement. Elle est partie avant parce qu'elle devait aller à la pharmacie.

— Et pour quoi faire?

Léo était nerveux et sentait qu'il s'aventurait en terrain glissant. Marjorie n'apprécierait sans doute pas qu'il ait raconté leur conversation, mais il voulait également éviter à madame Martin de s'inquiéter.

— Je ne sais pas trop, dit-il.

— Cette histoire m'inquiète, Léo. Nous sommes responsables de nos pensionnaires et nous exigeons d'être informés de vos allées et venues. C'est une question de sécurité, tu comprends? Marjorie connaît très bien les règlements de la maison.

— Je suis désolé.

— Mais non, tu n'y es pour rien. Allez, viens, tu dois être affamé.

— Je vous rejoins tout de suite.

Madame Martin s'en retourna vers la cuisine. Léo s'en voulut d'être mêlé à cette histoire. La dernière chose qu'il désirait, c'était de causer du souci à ses hôtes et il lui semblait que Marjorie était justement très douée pour ça. Comme il allait sortit de sa chambre, Jean-Gervais entra à son tour.

— Ça va? lança-t-il.

— Ça va. Et toi?

— Est-ce que tu sais où elle est?

— Qui ça?

— Ben, Marjorie!

Léo se mordit la langue plutôt que de répondre.

— Je t'avais dit de ne pas t'approcher d'elle...

— Mais je n'ai rien fait!

— Alors comment se fait-il que tu saches où elle est?

— Et qui te dit que je sais où elle est... Tu écoutes aux portes maintenant?

Jean-Gervais croisa les bras sans cesser de dévisager Léo.

— Ce qui me tracasse, reprit-il, c'est de savoir pourquoi elle t'a confié ses allées et venues...

— Elle avait besoin d'argent.

— Non!

— ...

— Et tu ne lui en as pas prêté, tout de même?

— ...

— Quel con! Tu ne le reverras jamais cet argent!

Léo n'osa pas le regarder en face. Il se sentait vraiment stupide.

— Je t'ai pourtant dit que cette fille avait des fréquentations douteuses...

— Je sais...

— Si tu persistes à vouloir fraterniser, tu vas finir par avoir des problèmes toi aussi!

— Mais puisque je te répète que je n'y suis pour rien! C'est elle qui...

— Alors pourquoi c'est à toi qu'elle demande de l'argent et pas à moi, par exemple?

— Parce que toi, t'es vraiment con!

Léo se leva et le bouscula en sortant.

Le souper se déroula dans un silence un peu lourd. Vers vingt et une heures, Jean-Gervais et Léo étaient assis devant le vieux poste de télévision du salon lorsque la porte d'entrée s'ouvrit. Monsieur Martin laissa son journal de côté pour aller à la rencontre de Marjorie qui refermait la porte avec précaution.

— Nous étions vraiment inquiets, Marjorie, dit-il d'un ton autoritaire.

— Je suis désolée, murmura-t-elle en fixant le plancher. Je réalise que j'ai oublié de vous avertir ce matin.

— Ma femme a dû s'absenter pour la soirée mais elle était très inquiète pour toi. Les parents de Valérie nous ont dit que tu n'es pas allée chez elle et nous ne savions pas où te joindre.

— Je suis vraiment désolée, répéta-t-elle.

— Je te conseille de ne plus oublier de nous avertir à l'avenir, jeune fille.

Marjorie baissa la tête.

— Je suis vraiment désolée, répéta-t-elle avant de se diriger vers le couloir. Au passage, elle jeta un œil en direction du salon où Léo et Jean-Gervais la dévisageaient.

Lorsqu'elle eut disparu, Jean-Gervais adressa un regard interrogateur à Léo.

— Quoi?

— Où crois-tu qu'elle était?

— Comment veux-tu que je le sache?

— Tu crois qu'elle a un petit ami?

Léo reporta son attention sur le téléviseur sans répondre.

— Tiens-toi loin, je te dis...

Léo secoua la tête de dépit. Jean-Gervais avait raison: Marjorie ne pouvait lui apporter que des ennuis.

— Je vais me coucher, dit-il.

Il se leva et salua monsieur Martin avant de se retirer. Au bout du couloir sombre, il entra dans sa chambre et chercha l'interrupteur à tâtons. Lorsque la lumière jaillit, il fut saisi de surprise: Marjorie était assise à son bureau! Il poussa un cri étouffé avant qu'elle ne puisse intervenir.

— Chut! Ferme la porte...

Il s'exécuta, le cœur battant à tout rompre.

— Qu'est-ce que tu fais là? souffla-t-il.

Marjorie se leva et s'approcha à quelques centimètres de son visage, le regard mauvais.

— Qu'est-ce qui t'a pris d'aller raconter que j'étais chez Val?

Léo était saisi de stupeur par l'agressivité de Marjorie.

— Mais... c'est ce que tu m'as dit...

— Ça ne te donne pas la permission de le répéter à qui que ce soit, surtout pas à monsieur Martin!

Elle le fixait intensément. Sa respiration était saccadée et Léo pouvait sentir son souffle sur son visage tellement elle se tenait près de lui. Il n'arrivait pas à détourner le regard des yeux noirs.

Elle plaqua ses mains sur la poitrine de Léo et le poussa pour passer derrière lui. Elle s'adossa à la porte fermée et l'observa. Ses traits s'étaient un peu radoucis.

— J'apprécie que tu m'aies aidée aujourd'hui, commença-t-elle, mais tu as tout gâché avec tes indiscrétions.

— Mais c'est toi qui as menti en disant que tu allais chez ton amie Val!

— Je n'ai pas menti! J'ai seulement... changé d'idée.

Léo vit que Marjorie s'exprimait d'un ton plus posé et fut étonné de sa facilité à changer de personnalité.

— Val a eu un contretemps, alors je suis allée chez une autre amie, c'est tout.

— Et moi je n'ai fait que répondre aux questions de madame Martin qui était très inquiète.

Léo se ragaillardit et trouva le courage de lui dire ce qu'il pensait de ses agissements.

— Tu sais, ce sont des gens très bien. Ils m'ont beaucoup aidé lorsque j'ai séjourné ici il y a quelques années et je suis sûr qu'ils s'inquiètent pour toi.

— Je sais, je ne l'ai pas fait exprès... j'ai juste oublié, c'est tout!

— Et les autres fois?

— Quelles autres fois?

Léo déglutit avant de poursuivre.

— Dans la salle de bains, par exemple.

— Quoi, dans la salle de bains?

— Tu avais passé la soirée dehors.

— Et après?

— Tu avais fumé aussi, et tu étais avec un gars...

Marjorie l'écoutait attentivement. Elle s'étonnait de la naïveté de Léo qui lui paraissait soudain inoffensif.

— Et après? répéta-t-elle plus doucement en se rapprochant de lui.

Marjorie changeait à nouveau d'attitude pour adopter un ton doucereux qui troubla Léo autant que son agressivité de l'instant précédent. Il pesa longuement ses mots car il ne s'avait plus du tout à qui il avait affaire.

— Je ne sais pas à quoi tu joues, mais une chose est certaine: monsieur et madame Martin ne toléreront pas tes comportements bien longtemps.

— Ça t'inquiète? le nargua-t-elle, une étincelle dans les yeux.

— Tu sais très bien qu'ils désapprouvent ce que tu fais.

— Parce que ça ne t'est jamais arrivé, à toi, de t'amuser un peu? Tu ne désobéis jamais?

Le visage de Léo devint écarlate.

— Dis-le-moi si ça t'intéresse... Tu n'auras qu'à me rejoindre la prochaine fois!

Elle ouvrit la porte. Léo était estomaqué. Il regarda Marjorie traverser le couloir et entrer dans sa chambre. Elle se retourna. Léo n'avait pas bronché.

— Et à l'avenir, tu n'es au courant de rien en ce qui me concerne, c'est compris?

Elle referma la porte sans attendre de réponse.

Léo demeura longtemps allongé sur son lit. Il était complètement secoué. Autant il la craignait, autant elle l'attirait. Lorsqu'elle avait posé les mains sur sa poitrine, une vague de chaleur l'avait transpercé: elle lui chavirait le cœur. Jamais il n'avait ressenti une sensation aussi intense: un puissant mélange de douleur et d'euphorie indescriptible. Il luttait maintenant entre la crainte de se mettre dans le pétrin s'il la côtoyait de trop près et son désir irrationnel de la serrer dans ses bras pour sentir son corps contre le sien.

***

Le vendredi matin, Marc et Viviane passèrent l'avant-midi à rencontrer les employés de l'entreprise. La réunion du comité de direction avait permis à tous les membres du personnel de faire connaissance avec la nouvelle adjointe de Marc. Malgré une nervosité qu'elle dissimulait assez bien, Viviane avait pris le temps de serrer la main et d'échanger quelques mots avec la plupart des responsables des services administratifs. Son approche avec le personnel était simple, plutôt réservée, mais attentive.

La réunion se termina après quatre longues heures où une foule de sujets furent discutés. Viviane était ensevelie sous les documents et l'information à approfondir. Elle venait de déposer une pile de dossiers sur son bureau lorsque Marc entra. Il avait remarqué qu'elle avait eu peine à suivre le fil des discussions et qu'elle était un peu dépassée par les événements.

— Allez, laissez tout ça de côté. Je vous emmène dîner.

— Je ne crois pas avoir le temps. Il faut que je...

— Vous ferez ça plus tard, Viviane. Vous avez besoin de reprendre votre souffle.

— J'avoue que j'ai eu un peu de mal à suivre le fil des conversations, surtout lorsqu'elles se tenaient simultanément... En fait, la seule chose que j'en retiens pour l'instant, c'est un mal de tête!

— C'est normal, vous n'êtes ici que depuis quelques jours. Je ne m'attendais pas à ce que vous preniez le contrôle de l'entreprise cette semaine!

— Je suis soulagée de vous l'entendre dire! Je n'aurais jamais pensé que la gestion de cette entreprise puisse être aussi complexe, je veux dire... aussi différente.

— Ça va, dit-il en posant la main sur son épaule. Ça prendra un certain temps pour vous familiariser, c'est normal. Et si vous voulez mon avis, je pense que vous leur avez fait bonne impression.

— Vous croyez?

— Bien sûr! Allez, venez. Je vous propose d'aller prendre un sandwich à deux pas d'ici. Vous serez de retour bien assez tôt pour attaquer vos dossiers.

À vrai dire, Marc entretenait quelques doutes. Il avait trouvé Viviane plutôt silencieuse et avait remarqué qu'elle ne prenait aucune note. Il croyait cependant que sa simplicité et sa personnalité posée seraient des atouts pour inspirer confiance. D'un autre côté, il avait également remarqué que la plupart des directeurs de sexe masculin avaient eu beaucoup de difficulté à détourner leur regard de Viviane, et cette situation n'était pas sans l'inquiéter. Il espérait que l'apport de sa nouvelle directrice du personnel consisterait davantage en solutions qu'en problèmes additionnels.

Viviane accepta son invitation avec reconnaissance. Avant de quitter le bureau, Marc indiqua à Michelle, la secrétaire, qu'il serait au resto d'à côté et qu'elle pouvait le joindre s'il y avait une urgence.

Quelques minutes après leur départ, Marielle appela au bureau, dans l'espoir de convaincre Marc de dîner avec elle en ce chaud vendredi. Elle fut déçue d'apprendre qu'il dînait avec Viviane. Michelle la consola un peu en suggérant qu'elle pouvait très bien les y rejoindre. Marielle hésita, mais reconnut que ce serait peut-être une bonne occasion de faire connaissance avec Viviane sans retarder leur travail.

C'était la fin de septembre et les passants affluaient sur les trottoirs, avides de profiter de cette journée d'été inespérée. Le soleil était encore chaud et Viviane avait retiré sa veste. Une légère brise soulevait le décolleté de son chemisier en soie et Marc remarqua qu'elle étirait le cou pour offrir son visage au soleil, laissant les chauds rayons caresser sa peau jusqu'au fond de son décolleté, où la dentelle de son soutien-gorge semblait attendre sagement.

— Vous aviez raison, Marc, reconnut-elle, le visage toujours offert. J'avais oublié à quel point le soleil de septembre peut être agréable.

Elle tourna la tête pour lui adresser un sourire reconnaissant. Marc reporta son attention sur le trottoir et ses passants.

Au restaurant, ils s'attablèrent devant deux sandwichs géants, garnis d'une montagne de frites qu'ils dévorèrent au milieu de la terrasse bondée. Au bout d'un moment, Viviane déclara forfait. Elle repoussa son assiette et s'adossa en étirant les jambes, offrant à nouveau son visage au soleil.

— Je ne peux plus rien avaler!

— Je suis déjà surpris que vous ayez mangé autant, avoua Marc, devant sa propre assiette inachevée.

— Il faut dire que je n'avais pas déjeuné ce matin...

— Ce n'est pas une très bonne habitude.

— J'ai dû me lever très tôt afin d'être au bureau à temps pour la réunion de huit heures.

— Vous n'êtes pas du type matinal, si je comprends bien.

— Disons plutôt que j'aime profiter de mes soirées et que j'ai de la difficulté à me coucher tôt.

Marc fit signe au serveur de lui apporter un café.

— Vous croyez être en mesure de rencontrer les gérants des pharmacies la semaine prochaine?

— Ne vous inquiétez pas. Je vais apporter les dossiers chez moi en fin de semaine et je les consulterai pour me familiariser.

— Ça ne vous ennuie pas trop?

— Pas du tout.

Marc mourait d'envie de lui poser des questions sur sa vie personnelle.

— Votre fiche ne mentionnait pas si vous étiez mariée ou si vous aviez des enfants...

— Je ne suis pas mariée, répondit-elle en le regardant.

Marc hocha la tête en espérant en connaître davantage. Il avait du mal à concevoir qu'une femme si captivante puisse vivre seule.

— J'ai un fils, reprit-elle. Il ne vit pas avec moi.

Viviane avait détourné le regard et Marc comprit qu'elle préférait ne pas s'étendre sur le sujet.

— Est-ce que vous vivez avec quelqu'un?

— Pas actuellement. Ce qui me laisse tout mon temps pour étudier mes dossiers, ajouta-t-elle.

— C'est plutôt avantageux pour moi!

89

Viviane lui adressa son plus beau sourire. Elle recula un peu sa chaise pour retirer les miettes tombées sur sa jupe et croisa les jambes, sans cesser de le dévisager.

Viviane avait un pouvoir de séduction impossible à ignorer. De tout son être émanait la sensualité et elle ne faisait aucun effort pour qu'il en soit autrement. Marc en fut embarrassé. Lui, qui était pourtant toujours amoureux de sa femme, se sentait vulnérable en sa présence. Il redoutait sérieusement les ravages qu'une telle attitude pouvait causer auprès de son personnel masculin, dont la vertu laissait parfois à désirer.

Au moment où il faisait signe au serveur de lui apporter l'addition, Marc ne remarqua pas que Marielle venait d'entrer dans le restaurant. Elle s'était immobilisée, survolant du regard l'intérieur de l'établissement.

Viviane reprit la conversation.

— J'ai cru comprendre que vous étiez marié, s'informa-t-elle à son tour.

— Oui, depuis bientôt vingt ans.

— Eh bien, vous êtes un dinosaure! lança-t-elle.

— Je vous demande pardon?

— Excusez-moi... je ne voulais pas me moquer mais, de nos jours, les couples qui durent aussi longtemps ont à peu près disparu. Vingt ans avec la même femme...

— Ce n'est pas si rare, vous savez, et j'avoue que nous avons eu un parcours... particulier.

— Et vous avez des enfants, il me semble.

— Oui. J'ai deux fils.

— Ils sont très beaux, j'ai vu les photos dans votre bureau.

Les traits de Marc s'assombrirent. Viviane le remarqua aussitôt.

— En réalité, nous en avions trois, mais l'aîné est décédé il y a bientôt quinze ans.

— Oh! Je suis vraiment navrée, dit Viviane en se penchant vers Marc pour déposer sa main sur la sienne, sous le regard étonné de Marielle qui se tenait derrière la grande fenêtre séparant la terrasse du restaurant.

Marielle eut alors tout le loisir d'admirer les cuisses bronzées et le décolleté révélateur de la nouvelle adjointe de Marc.

Elle ne put réprimer un fort sentiment de jalousie provenant du fond de ses entrailles. Dans les secondes qui suivirent, elle s'étonna de ressentir de l'animosité envers Viviane qu'elle ne connaissait pas encore. Elle était incapable de détourner le regard de la main posée sur celle de son mari. Elle dut faire un effort pour se raisonner et se convaincre qu'elle se faisait des idées.

Quelques clients se levèrent et Marielle revint à la réalité. Elle s'écarta pour les laisser passer. Elle avait chaud tout à coup. Elle leur emboîta le pas, se dirigeant vers la sortie, sans avoir remarqué que Marc venait aussi de se lever. Il se dirigeait vers l'intérieur du restaurant pour aller régler la facture lorsqu'il se retrouva face à face avec Marielle.

— Marielle? Mais... qu'est-ce que tu fais ici?

Ils s'embrassèrent discrètement. Elle n'eut pas le temps de répondre avant que Viviane les ait rejoints.

— Viviane, euh... Marielle, je te présente Viviane Sinclair.

Les deux femmes se saluèrent en se serrant la main. Viviane souriait et Marielle se contenta d'un hochement de tête à peine perceptible. Elle ne comprenait toujours pas son malaise et voulait éviter de l'exposer.

— Je suis heureuse de vous connaître, dit enfin Viviane.

— Moi de même, répondit Marielle, ne sachant plus où se mettre.

— Nous allions retourner au bureau, reprit Marc. Il ne me reste qu'à régler l'addition.

— Si ça ne vous ennuie pas, je vais partir maintenant, dit Viviane. J'ai un peu de lecture à faire...

Elle s'éclipsa rapidement, laissant Marc seul avec Marielle, encore un peu retournée.

— Qu'est-ce qui t'arrive, Marielle?

— Mais rien... j'étais simplement venue vous dire bonjour. Michelle m'avait dit que...

Les clients les bousculaient à la sortie.

— Excuse-moi, je vais régler la note et je te reviens.

Marielle s'en voulait de réagir de la sorte et elle sortit prendre l'air en attendant.

Marc la rejoignit et ils remontèrent la rue en direction du bureau.

Marc remarqua le silence de Marielle et sentit le besoin de dissiper le malaise. Bien qu'il n'ait rien à se reprocher, il devinait ce qui avait pu le provoquer. Il passa un bras autour de sa taille et l'attira à lui.

— Te serais-tu imaginé des choses, par hasard? lui souffla-t-il à l'oreille.

Marielle baissa la tête, embarrassée par sa propre réaction.

— Allons, Marielle... parle-moi...

— Ça m'a surprise de voir cette jolie femme qui te tenait la main...

— Elle ne me tenait pas la main!

— Mais si. Elle avait la main sur la tienne et les seins dans ton assiette!

Cette fois, c'est Marc qui se sentit gêné. Il devait reconnaître que la situation pouvait facilement susciter des malentendus.

— Franchement, Marielle, tu me connais mieux que ça...

— Je sais...

Ils étaient arrivés devant la porte des bureaux de Marc. Sans rien ajouter, il l'incita à entrer et la guida jusqu'à l'étage. Ils passèrent devant Michelle en la saluant brièvement et s'enfermèrent dans son bureau.

Marc s'adossa à la porte, les mains sur les hanches, décidé à lever ce quiproquo. Marielle n'avait jamais manifesté de jalousie envers les autres femmes et cette situation le flattait plus qu'il ne voulait l'admettre. Un sourire insolent se dessina sur son visage.

— Quoi? s'exclama Marielle, un peu sur la défensive.

— Tu es jalouse...

Elle ne put soutenir son regard et se retourna vers la fenêtre, embarrassée.

— Pourquoi ne m'as-tu pas avoué qu'elle était si belle?

— Comment ça, « avouer » ? Est-ce un crime d'engager une femme... de belle apparence ?

Marielle le regarda.

— Tu pourrais cesser de sourire, au moins !

Marc pouffa de rire malgré lui.

— As-tu la moindre idée à quel point cette situation est ridicule, Marielle ? ajouta-t-il en se rapprochant.

Marielle s'était à nouveau tournée vers la fenêtre. Elle reconnaissait que son attitude était grotesque mais avait de la difficulté à se ressaisir. Marc la prit par la taille et l'attira à lui, souriant de plus belle.

— Tu te moques de moi, en plus !

— Bien sûr que non, voyons, dit-il, le regard plein de désir.

— Je sais que je suis ridicule !

Elle enfouit son visage au creux de son cou.

— ... et terriblement séduisante, ajouta Marc.

Il chercha ses lèvres et l'embrassa tendrement.

— Tu ne penses pas vraiment que je pourrais...

— Non, pas vraiment, mais on ne peut pas en dire autant de tous les gens qui se trouvaient dans ce resto. Elle ne pouvait pas être plus explicite !

— Bon, je l'avoue, j'ai remarqué qu'elle n'est pas la femme la plus réservée que j'ai rencontrée...

— Ni la plus moche !

— D'accord, je te l'accorde.

— Et il m'a semblé que tu la dévorais des yeux...

— Pas du tout ! Bon... peut-être un peu alors. C'était assez difficile de faire autrement, vu la proximité.

Marc releva les cheveux de Marielle pour déposer un baiser sur sa nuque tiède. Il sentait Marielle devenir fébrile.

— Je regrette, Marielle, de ne pas t'avoir dit qu'elle était si, comment dire...

— ... provocante ?

— D'accord, disons provocante.

— C'est le moins qu'on puisse dire !

Marc se remit à rire et l'allure penaude de Marielle le charma. Il lui releva le menton et embrassa ses lèvres humides.

— Je t'interdis de la revoir..., le taquina Marielle entre deux baisers.

— C'est impossible, c'est mon adjointe.

Il continuait à l'embrasser en la serrant contre lui. Les émotions des dernières minutes avaient allumé tous ses sens.

— Alors je te défends de lui prendre la main...

— Je te le promets.

— ... ou quoi que ce soit d'autre!

Marc la dévisagea, le sourire vainqueur. Il plaqua les mains sur ses fesses et la pressa contre lui.

— Tu veux dire... comme ça, par exemple...

Marielle sentit tout le désir de Marc dans cette étreinte et elle en eut le souffle coupé. Il la tassa contre le mur et glissa les mains sous son chandail.

— Marc...

— J'ai tellement envie de toi... Tu m'as mis dans un tel état...

— Arrête, Marc... pas ici...

Marc savoura un nouveau baiser avant de revenir à lui, haletant, le regard fiévreux.

— On ne peut tout de même pas faire ça ici... maintenant!

Marielle soutenait son regard, ignorant si l'un ou l'autre parviendrait à reprendre ses esprits. Marc s'efforça de se ressaisir.

— Hum... je crois que tu as malheureusement raison..., dit-il avant de l'embrasser une dernière fois.

— Il faut que je parte... Je dois passer à l'agence avant trois heures, annonça-t-elle en rajustant son chandail et sa jupe.

Marc la laissa se dégager, à contrecœur. Il rajusta sa cravate et passa la main dans ses cheveux, ne quittant pas sa femme du regard.

— Où es Junior en ce moment?

— Chez ma mère...

Il passa un bras autour de sa taille et l'escorta jusqu'à la porte de son bureau.

— Alors on se verra tout à l'heure, à la maison. Je rentrerai tôt, dit-il, l'œil pétillant.

Marielle s'étonnait d'être toujours aussi désarmée par le regard ravageur de son mari, même après vingt ans de mariage. Aussi, jamais n'avait-elle senti sa relation menacée par une autre femme. Elle n'avait aucune raison d'avoir douté de lui et, pourtant, quelques instants plus tôt, elle avait eu l'impression que Viviane pourrait l'attraper dans ses filets.

— Ne me refais jamais ça, souffla-t-elle à son oreille.

— Je ne l'ai jamais fait!

Elle sortit du bureau et adressa un sourire embarrassé à Michelle avant de partir à la hâte. Marc referma la porte et mit de longues minutes à retrouver assez de concentration pour se remettre au travail.

Viviane referma également la sienne, abrégeant une conversation téléphonique sur son cellulaire :

— ... si je ne me fais pas foutre à la porte avant la fin de la journée...

— ...

— On a négligé un petit détail : sa femme est jalouse.

Marc quitta le bureau tôt et arriva chez lui un peu avant seize heures. Marielle et lui devaient passer chercher Léo à la ferme, mais il avait une affaire à terminer avant... Il trouva la maison silencieuse, sans le désordre habituel régnant au salon et sans Junior s'empressant de lui sauter dans les bras avant même qu'il ait le temps de refermer la porte.

— Marielle? Tu es là?

Pas de réponse. Il déposa ses clés sur la table de l'entrée et retira sa veste qu'il jeta sur le canapé. Le voyant lumineux du répondeur clignotait et il appuya sur la touche pour écouter le message. Pierrette confirmait à Marielle que sa promenade avec Junior s'était bien passée et qu'elle le gardait pour le souper.

« Merci, belle-maman... »

Marc défit le nœud de sa cravate. Cette journée de septembre était assurément parmi les plus chaudes des dernières années. Il explora le rez-de-chaussée sans trouver Marielle.

Dans la cuisine, il découvrit avec étonnement un verre de vin vide sur le comptoir. Il n'avait pas consommé d'alcool depuis plus de quatre ans et Marielle buvait rarement à la maison pour le soutenir dans sa sobriété. Il ouvrit le frigo et attrapa une bouteille d'eau minérale qu'il cala à grandes gorgées pour étancher sa soif. Puis il se dirigea à l'étage où il entendit finalement le bruit de l'eau de la douche.

La salle de bains était remplie de vapeur. À travers la porte de douche couverte de buée, Marc devinait le profil de Marielle qui profitait du jet rafraîchissant de l'eau tiède. Même dans la quarantaine, son corps épanoui suscitait toujours autant de désir chez Marc. Marielle sentit une présence dans la pièce et sursauta en se retournant. Elle passa la main sur le verre humide et fut ravie d'apercevoir Marc qui retirait ses vêtements. Lorsqu'elle ouvrit la porte de la douche, un courant d'air frais s'engouffra à l'intérieur de l'habitacle humide, en même temps que Marc qui s'empressa de la réchauffer. Il se fit alors la promesse de rentrer tôt plus souvent.

Dix minutes plus tard, Marielle sortit de la douche les mains toutes ratatinées et les traits plus détendus.

— Je voudrais m'excuser pour tout à l'heure...

— Ça ne t'était jamais arrivé auparavant d'être jalouse, c'était assez surprenant et flatteur à la fois. Mais il faut reconnaître que Viviane a probablement déjà suscité ce genre de réaction.

— Tu veux rire? Cette femme est un prédateur!

— N'exagérons rien, Marielle...

— Marc... ou tu es aveugle, ou tu caches bien ton jeu, Monsieur le patron!

— Je ne joue à aucun jeu, ma chérie.

Marielle s'enroula dans un drap de bain et s'appliqua à éponger ses cheveux.

— Chose certaine, tu ferais mieux de surveiller ton personnel, à défaut de pouvoir la surveiller, elle.

— Marielle, je suis en affaires depuis assez longtemps pour savoir comment gérer mon personnel, dit-il, déçu de son manque de confiance.

Marielle remarqua aussitôt son air blessé et s'en voulut d'être allée trop loin.

— Excuse-moi, Marc. Je ne voulais pas te blesser. Mais cette femme m'a fait un tel effet...

Marc accepta ses excuses et en profita pour changer de sujet.

— Encore heureux que tu n'aies pas tes règles aujourd'hui. Il me semble que tu as toujours tes règles dernièrement.

— Ne m'en parle pas! On dirait qu'elles reviennent aux quinze jours... c'est décourageant!

— Ça ne serait pas un signe précurseur de...

— Je t'interdis de prononcer ce mot devant moi, Marc Allard!

— Quoi... ménopause?

— Je déteste ce mot! Et je déteste l'idée d'être rendue vieille à ce point!

— Allons, tu n'es pas vieille, Marielle, seulement tu as... de l'expérience...

Marielle lui assena une claque à l'abdomen qui le fit éclater de rire.

— Je te signale que TU as aussi de l'expérience, comme tu dis...

Marc l'attira à lui et essaya de défaire sa serviette.

— Et tu as aussi quelques kilos en trop, contrairement à moi!

Marielle le repoussa gentiment et ils sortirent de la salle de bains.

— Nous devrions peut-être téléphoner pour avertir Léo que nous serons un peu en retard, suggéra Marielle. Nous aurions dû partir il y a une demi-heure déjà.

— Peu importe, il sait très bien qu'on va le chercher. Et où veux-tu qu'il aille? Personnellement, je m'inquiète davantage de Junior. Crois-tu qu'il sera fâché qu'on soit allés sans lui?

— Je ne lui ai pas dit que c'était aujourd'hui. Mais si tu veux mon avis, il sera fou de joie de revoir Léo et il ne pensera même plus à la ferme. Au fait, Léo ne nous a pas donné de nouvelles depuis deux jours...

— Tu sais, avec ses travaux et son entraînement de basket, il doit être passablement occupé.

— Je sais, mais c'est plus fort que moi ; sa présence me manque. Et il est tellement secret et réservé... je crains que cette séparation crée une distance entre nous.

— Notre fils a quatorze ans, Marielle ! C'est tout à fait normal qu'il se tourne vers des jeunes de son âge. D'ailleurs, il s'est peut-être fait de nouveaux amis.

— Je crains au contraire qu'il ne soit pas très doué pour créer des liens. Il a toujours été plus à l'aise avec les adultes qu'avec les jeunes de son âge.

— Tu t'inquiètes pour rien Marielle, je t'assure. Tu oublies que nous sommes ses parents. Et toi et moi sommes plutôt doués pour les relations publiques, non ?

— Parlant de relations publiques, comment s'est passée ta réunion avec les directeurs ?

Marc hésita avant de répondre. Il n'était pas encore parvenu à s'en faire une idée précise.

— Disons que la glace est brisée entre Viviane et les responsables des départements. Elle n'a pas beaucoup participé à la conversation mais elle semblait tout de même attentive... et très à sa place, s'empressa-t-il d'ajouter.

— Ce devait être tout de même un peu intimidant pour elle, reconnut Marielle, soucieuse de faire amende honorable.

— Quoi qu'il en soit, elle a proposé d'apporter les dossiers des pharmacies chez elle pour les étudier en fin de semaine.

— Elle fait déjà des heures supplémentaires... ça au moins, c'est bon signe.

Cette remarque fit sourire Marc qui comprenait très bien la réflexion de Marielle. Marie-Josée avait aussi l'habitude d'apporter du travail à la maison, ce qui lui permettait d'être d'une remarquable efficacité.

— J'espère que sa famille sera aussi compréhensive que tu l'étais à l'époque..., ajouta Marielle.

Marc préféra ne pas relever le commentaire.

***

À la ferme des Martin, Léo finissait de rédiger un courriel à son cousin Mathieu qui étudiait dans la région de Montréal depuis quelques années.

— Tu en as encore pour longtemps? demanda Jean-Gervais.

— Non, j'ai presque terminé.

Jean-Gervais approcha la vieille chaise en bois près du bureau où l'ordinateur avait été installé, tout au fond de la salle de séjour. Au même moment, Marjorie arriva derrière eux, à pas de souris. Jean-Gervais sursauta. Il disait que Marjorie avait une démarche «furtive» parce qu'on ne l'entendait pas arriver. Elle glissait sur le sol comme un fantôme.

— Tu m'as fait peur, dit-il. Désolé, mais j'étais là avant toi.

Marjorie ignora son commentaire et attendit que Léo se retourne.

— Je peux te parler une minute? demanda-t-elle à travers sa frange noire.

— D'accord, répondit-il, gêné.

Elle toisa Jean-Gervais et ajouta :

— En privé.

Puis elle retourna vers le couloir menant aux chambres. Léo se sentit fondre sur sa chaise sous le regard suspicieux de Jean-Gervais.

— Mais qu'est-ce que tu fous avec elle?

— Rien!

Léo se hâta de terminer son message et ferma le programme. Il se leva pour laisser la place à Jean-Gervais qui le dévisageait.

— Tu vas te mettre dans le pétrin, Léo! chuchota-t-il.

— Mais je ne fais rien du tout!

— Ah non? Et pourquoi mes amis me disent-ils t'avoir vu lui parler à deux reprises à l'école cette semaine, hein?

— C'est elle qui...

— Qu'est-ce qu'elle te veut?

— Elle était mal prise... elle avait besoin d'argent.

— Es-tu tombé sur la tête!!

— Chut!

— Alors c'est pour ça que tu m'as emprunté dix dollars!

— Non! C'était pour mon dîner...

— Léo, cette fille traîne avec des voyous qui se sont fait jeter dehors de l'école pour possession de drogue! Qu'est-ce qu'il te faut de plus?

Léo était troublé par les révélations de Jean-Gervais. Il savait que Marjorie avait des problèmes de comportement, mais préférait croire en sa bonne foi. Il prit ses affaires et se dirigea vers le couloir.

— Laisse tomber, Léo!

— Je suis assez vieux pour savoir ce que je fais! lança-t-il, irrité, avant de sortir de la pièce.

Il remonta le couloir, nerveux et appréhendant la rencontre. Au fond, il savait que Jean-Gervais avait raison, mais une force incontrôlable l'attirait vers Marjorie.

Elle l'attendait près de sa chambre et lui fit signe d'entrer. Il s'exécuta et elle referma derrière lui. Léo fut d'abord surpris de retrouver son ancienne chambre, toujours aussi exiguë, mais maintenant dans un désordre indescriptible. Des vêtements retournés jonchaient le plancher, le lit défait et le minuscule bureau de travail. Aucun livre ou cahier scolaire ne se trouvait dans cette pièce.

Marjorie débarrassa le lit des vêtements épars et les lança sur la pile déjà imposante sur le bureau.

— Viens, fit-elle en l'invitant à s'asseoir près d'elle.

Intimidé, il la rejoignit sur le lit étroit. Leurs épaules se frôlaient et Marjorie ne tenta pas de s'éloigner. Léo sentait son cœur cogner dans sa poitrine et s'en voulait de ressentir un tel malaise.

— Merci de m'avoir prêté de l'argent. Tu m'as rendu service, tu sais...

Marjorie s'exprimait d'une voix mielleuse. Léo fixait ses mains qu'il frottait nerveusement. La proximité de Marjorie le troublait et il avait du mal à se concentrer.

— ... malheureusement, ma mère n'est pas venue cette semaine comme elle l'avait prévu et je ne peux pas te rembourser aujourd'hui. J'espère que ça ne t'embête pas trop?

— En fait, oui, répondit Léo en fixant toujours ses mains.

Comme Marjorie ne répondait pas, il leva la tête. Elle le regardait intensément. Il détourna aussitôt le regard pour éviter de perdre son courage.

— J'ai dû emprunter de l'argent à un ami ce midi et j'ai promis de le lui rendre aujourd'hui.

L'attitude de Marjorie changea brusquement.

— Pas à Jean-Gervais au moins!

— Non! mentit Léo. Mais je n'avais plus un sou pour dîner.

— Ce crétin n'arrête pas de me surveiller! Je n'ai aucune confiance en lui et, si tu veux un bon conseil, tu devrais éviter de lui parler.

— Bon, coupa Léo, je présume que tu ne m'as pas fait venir ici pour me parler de Jean-Gervais...

— Bien sûr que non, répondit-elle en se radoucissant.

— ... et ça m'ennuie que tu ne me rembourses pas. Je t'avais fait confiance.

— Je sais bien, se lamenta-t-elle en posant une main sur celle de Léo. C'est pour ça que je voulais te parler. Je voulais que tu saches que ma mère va venir me chercher dimanche et que je pourrai te rembourser lundi matin. D'accord?

Léo avait le cerveau en compote. Il ne pensait qu'à une chose: la main de Marjorie posée sur la sienne. Son cœur battait à toute vitesse.

— Léo, ça va?

Marjorie comprit son trouble et retira doucement sa main.

— Tu reviens bien dimanche? reprit-elle.

Léo faisait de gros efforts pour reprendre ses esprits. Il se sentait idiot de perdre autant ses moyens à cause d'elle. Il se leva pour s'éloigner et s'adossa à la porte.

— Non, seulement lundi, après les cours.

— Alors, à lundi soir?

Marjorie lui offrit son plus beau sourire. Léo se contenta de sortir sans répondre. Il entra dans sa chambre, ferma et verrouilla la porte. Il alla s'asseoir sur le fauteuil et ferma les yeux, le temps de reprendre son souffle. Il regrettait d'être aussi idiot en présence de Marjorie. Pourquoi perdait-il tous ses moyens quand elle était près de lui? Il aurait aimé pouvoir lui parler aisément mais sa proximité le paralysait.

Quelques minutes plus tard, on frappa à sa porte. La nervosité le gagna à nouveau.

— Oui? demanda-t-il.

— C'est moi, annonça Jean-Gervais. Tu m'ouvres?

Léo s'exécuta et Jean-Gervais referma derrière lui.

— Alors?

— Alors quoi?

— Ben, alors! Qu'est-ce qu'elle voulait?

— Tu devrais te mêler de tes affaires, lança Léo, irrité.

Jean-Gervais s'adossa à la porte et croisa les bras.

— Bon, si tu le prends comme ça... Mais je t'aurai prévenu, ajouta-t-il en secouant la tête.

— Écoute, je dois faire mes bagages. Mes parents vont arriver d'une minute à l'autre. D'ailleurs, ils devraient déjà être là...

— Tu n'oublies pas de me rembourser avant de partir. Je passe la fin de semaine ici et j'en ai besoin.

Léo devait maintenant se résigner à demander de l'argent à ses parents pour pouvoir rembourser sa dette auprès de Jean-Gervais et éviter de lui raconter son histoire avec Marjorie.

— Je te le donne dans quelques minutes.

Les deux garçons s'observèrent brièvement avant que Jean-Gervais ne retourne à ses occupations.

Durant le trajet de retour, Léo était songeur. À l'arrivée de ses parents à la ferme, il avait discrètement demandé à son père de lui prêter de l'argent, expliquant qu'un ami avait payé pour lui lors d'une sortie. Léo était un garçon honnête et il avait du mal à assumer ce mensonge. Mais, pour le moment, il sentait qu'il devait éviter de parler de sa relation avec Marjorie.

***

Les semaines passèrent, et Léo s'efforça de concentrer son attention sur ses études et d'éviter Marjorie autant que possible. Ils se parlaient très peu à l'heure des repas. Lorsqu'il l'apercevait de l'autre côté du gymnase, durant les séances d'entraînement, il l'épiait et ressentait une pointe de déception quand elle était absente. Un soir, il surprit une discussion entre elle et madame Martin. Apparemment, l'entraîneur de l'équipe avait téléphoné pour l'informer que les résultats scolaires de Marjorie étaient insuffisants et qu'elle s'absentait trop souvent des séances d'entraînement. Elle avait déjà reçu plusieurs avertissements mais, à moins d'une amélioration notable de ses notes et de son attitude, elle serait retirée de l'équipe de basketball. Marjorie promit alors d'être plus assidue, et il sembla à Léo que son comportement s'améliorait quelque peu. Marjorie ne l'avait toujours pas remboursé et ils n'avaient plus eu de contact depuis longtemps, jusqu'à ce soir de novembre.

Léo révisait ses notes de cours en prévision des examens de fin de session lorsque Marjorie entra brusquement dans sa chambre sans frapper.

— Mais qu'est-ce qui t'arrive? demanda-t-il en se levant.

— Salut Léo. Euh... j'ai besoin de sortir une heure ou deux...

— Oui, et alors?

— Eh bien... tu vois, je ne suis pas supposée sortir les soirs de semaine parce que c'est la période d'examens et...

— ... et tu serais mieux de te concentrer sur tes études. Sinon, tu vas te faire exclure de l'équipe de basket...

Léo se surprit de son audace et en ressentit une certaine fierté.

— Comment tu sais ça toi? s'étonna-t-elle.

Il se contenta de la dévisager. Elle ne portait pas son habituel chandail noir à capuchon ni ses jeans usés. Elle était vêtue d'une jupe et d'une mince camisole bleu clair. À travers sa frange, Léo remarqua le trait de crayon noir qui soulignait son regard. Et son rouge à lèvres enflammait sa bouche.

Elle s'avança vers la fenêtre donnant sur l'avant de la propriété et entreprit de l'ouvrir.

— Tu ne vas pas sortir par là?

Elle se retourna et considéra Léo un moment. Puis, elle s'approcha de lui et lui demanda:

— Tu veux venir avec moi?

Léo était encore tout retourné par la présence de Marjorie dans sa chambre à cette heure. Il se contenta de faire signe que non.

— La prochaine fois, peut-être..., suggéra Marjorie.

Elle s'éloigna de lui et sortit son chandail noir d'un grand sac à bandoulière. Léo la regarda l'enfiler sans dire un mot. Elle poussa le battant au maximum et adressa un clin d'œil aguicheur à Léo avant de grimper sur le rebord et de sauter sur l'herbe gelée. Abasourdi, Léo la regarda disparaître dans l'obscurité. Il était près de vingt et une heure trente.

En dépit d'efforts intenses, Léo fut incapable de retrouver sa concentration. Il ferma ses livres avant de s'allonger sur le lit, tout habillé. Il avait éteint la lampe sans fermer le rideau, comme s'il s'attendait à la voir revenir sous peu. «Où est-elle allée?» Léo gardait les yeux ouverts, sans pourtant remarquer les ombres dessinées sur les murs par la lumière du lampadaire du stationnement. Son esprit était ailleurs, avec elle, avec sa présence troublante et intense. Une minute avait suffi pour qu'elle lui chavire le cœur à nouveau.

Des changements se produisaient dans tous son corps depuis un certain temps. Léo refoulait ses propres signaux d'alerte concernant Marjorie et recherchait consciemment sa présence. Il l'épiait de plus en plus souvent, s'attardant dans le salon dans l'espoir de la croiser. Chaque fois qu'ils se retrouvaient seuls, à la cuisine ou dans le couloir, il était incapable de la moindre conversation intelligente. La personnalité changeante de Marjorie le déstabilisait. La plupart du temps, il avait affaire à la revêche adolescente, secrète et amère. Parfois, sans savoir pourquoi, il se trouvait en présence d'une amie attentionnée, ouverte et troublante. Toutes deux cependant le désarçonnaient et il ne parvenait qu'à balbutier des imbécillités. Peu importe laquelle des deux le côtoyait, il éprouvait maintenant une attirance physique irrépressible. Dans ses fréquents fantasmes, il rêvait de la tenir dans ses bras, de sentir la chaleur de son corps contre le sien et de goûter ses lèvres. Une vive brûlure lui tenaillait le ventre et intensifiait son malaise. Il était loin de croire qu'elle puisse éprouver la même chose et ne lui avouerait jamais ses sentiments. Il ne trouva le sommeil que très tard cette nuit-là.

Le lendemain matin, lorsqu'il se présenta à la cuisine, Jean-Gervais ainsi que madame Martin étaient déjà attablés.

— Bonjour, fit-il à l'attention de sa logeuse.

— Bonjour Léo.

Marjorie n'était nulle part en vue. Il adressa un signe de tête à Jean-Gervais qui replongea aussitôt dans son manuel de sciences.

— As-tu parlé à Marjorie, hier soir? demanda madame Martin.

La question le désarçonna. Quelque chose avait dû se produire. Jean-Gervais gardait le visage enfoui dans son livre.

— Euh... non. Enfin, peut-être.

— Léo?

— Pourquoi... qu'est-ce qui se passe?

Madame Martin le dévisageait. Il devint nerveux.

— Marjorie a été arrêtée hier soir, annonça-t-elle.

Léo cessa de respirer.

— Vers une heure du matin, les policiers ont fait une descente dans un bar et ils ont embarqué une dizaine de mineurs.

Léo fixait le plancher, estomaqué.

— Est-ce que tu l'as vue sortir d'ici hier soir, Léo?

Il secoua la tête et s'empressa de se rendre à la cuisine pour cacher son malaise. Déçue, madame Martin se leva et se prépara à sortir. Léo jeta un œil en direction de Jean-Gervais qui le fusillait du regard. Il n'avait pas envie d'entendre ses remontrances. Il se versa un verre de lait qu'il cala d'un trait et retourna dans sa chambre chercher ses affaires. Il sortit le premier et s'assit à l'avant de la voiture. Cette nouvelle l'avait secoué. Bien qu'il sache qu'il ne pouvait exercer d'influence sur Marjorie, il se sentait coupable de ne pas l'avoir empêchée de sortir. Maintenant, le mal était fait. Il mourait d'envie de demander des détails à madame Martin, mais voulait à tout prix éviter de donner des munitions à Jean-Gervais, qui en profiterait pour lui faire la morale à coup sûr.

Celui-ci vint bientôt le rejoindre dans la voiture. Il se racla la gorge avant de déclarer :

— On est bien débarrassés!

Léo était furieux de cette remarque.

— Qu'est-ce que tu veux dire?

— Elle a été mise à la porte.

— De l'école?

— Non, de la ferme. Madame Martin a contacté sa mère cette nuit et lui a dit qu'elle ne pouvait plus l'héberger ici, dans les circonstances. Ils ne veulent pas assumer une telle responsabilité. Cette fille est totalement hors de contrôle.

Étouffé par la déception, Léo concentra son regard sur les cailloux givrés du stationnement. Madame Martin vint bientôt les rejoindre et ils se mirent en route.

Léo apprit au cours des jours suivants que Marjorie avait été suspendue de l'école. Il ne la revit pas du reste de l'année scolaire.

4

Le parterre de la propriété des Dussault-Allard avait subi un grand nettoyage en prévision de l'arrivée de toute la famille pour souligner le quinzième anniversaire de naissance de Léo. Le mois d'août tirait à sa fin et on pouvait se croire en plein cœur de l'été tellement le temps était doux. Les innombrables jouets qui jonchaient habituellement le terrain avaient été entassés dans le cabanon que Marc avait dû verrouiller pour éviter que Junior n'ait l'occasion de le vider à nouveau avant l'arrivée des invités. Léo était ravi de revoir son oncle et sa tante, et particulièrement son cousin Mathieu, âgé de dix-neuf ans. Il se réjouissait de pouvoir passer quelques jours avec lui.

— Tu viens essayer ma voiture, Léo? lui proposa Mathieu.

— Tu parles!

Avant de se lever, Mathieu déposa un furtif baiser sur la joue de sa copine qui l'accompagnait cette fois-ci. Angéla était presque aussi grande que lui. Elle avait un physique athlétique et avait hérité davantage des traits de son père québécois que de sa mère haïtienne qui lui enviait sa chevelure toute en boucles souples. Mathieu avait fait sa connaissance en septembre dernier quand ils avaient fait tous deux leur entrée à l'université.

— Wow! s'écria Léo en apercevant la petite voiture allemande. Elle est neuve?

— Jamais de la vie! Ce n'est pas mon salaire d'assistant-entraîneur qui me permettrait d'acheter une voiture neuve... Mais celle-ci est en très bon état.

— La peinture est super!

— Ouais, et elle n'a pas trop de kilométrage. Elle roule comme une neuve!

Léo comptait bien obtenir son permis de conduire dès qu'il serait assez vieux et savait que son père le laisserait prendre sa voiture en attendant qu'il possède la sienne. Mathieu le laissa s'installer derrière le volant et prit place à côté de lui. Léo voulut baisser les vitres mais Mathieu lui proposa plutôt de tourner la clé dans le contact, ce qui laissa échapper une musique assourdissante des haut-parleurs.

— Wow! C'est Bob Marley?

— Tu aimes?

— Ouais.

— Tu sais, l'an prochain tu pourras peut-être la conduire si tu passes ton permis. Et peut-être que je te laisserai emmener ta petite copine en promenade...

Léo rougit en secouant la tête.

— Allons... ne me dis pas qu'il n'y a pas une fille qui te plaît au séminaire?

— Pas vraiment...

— Qu'est-ce que ça veut dire « pas vraiment? » Y en a une, oui ou non?

— Ben, il y en *avait* une, avoua Léo, embarrassé.

— Pourquoi *avait*... c'est déjà terminé?

— Non, elle est partie.

— Où ça?

— J'en sais rien.

— Allons, raconte! T'es comme un frère pour moi, tu peux tout me dire. Ça fait vraiment longtemps qu'on n'a pas eu l'occasion de bavarder tous les deux.

Mathieu baissa le volume de la radio et regarda son cousin. Léo appuya la tête sur le haut dossier en velours et inspira profondément.

— Elle était pensionnaire à la ferme.

— C'est vrai?

— Ouais. Mais au début, elle me détestait et j'essayais de l'éviter.

— Pourquoi?

— Je ne sais pas, elle est... comment dire... spéciale.

— Ouais, je vois, fit Mathieu, moqueur. Comme Angéla.

— Non, c'est pas ça du tout, Mat.

— Ah non?

— Non, c'est juste qu'elle... je veux dire... elle...

— ... elle t'intimide, c'est ça? Tu la trouves trop bien pour toi?

— Mais non! Mat, écoute... Cette fille prend des risques. On dirait qu'elle court après les ennuis.

— Raconte...

— Elle s'est fait mettre à la porte de la ferme et de l'école aussi.

— Merde!

— Ouais, je sais.

— Qu'est-ce qu'elle a fait?

— Elle s'absentait souvent de ses cours et des séances d'entraînement. Et elle sortait le soir en cachette. Monsieur et madame Martin ne voulaient pas risquer de se retrouver avec des problèmes plus graves en la gardant à la ferme, alors le soir où elle s'est fait arrêtée, ils l'ont renvoyée chez elle.

— Wow! À mon avis, tu ferais mieux de te tenir loin de cette fille, Léo.

— Je sais, c'est ce que Jean-G disait tout le temps lui aussi.

— Jean-G, c'est un des pensionnaires, non?

— Oui.

— Je crois que tu devrais suivre son conseil.

— Je sais.

Le malaise de Léo était évident et Mathieu comprenait que le sujet était délicat. Il proposa alors de faire un tour dans le quartier. Les deux garçons changèrent de place et partirent se balader.

Lorsqu'ils revinrent, ils furent accueillis par leur grand-mère qui arrivait au même moment :

— Venez par ici les garçons!

Elle serra d'abord Mathieu dans ses bras et s'étonna de constater à quel point tous les deux avaient grandi.

— Doux Jésus! Vous êtes presque de la même taille... Vous voilà des hommes maintenant... où sont donc passés mes petits-fils que j'avais tant de plaisir à bercer!

Léo lui fit une chaleureuse étreinte. Pierrette se dégagea pour le regarder.

— Elle est bien loin l'époque où tu séjournais chez moi et que tu montais sur mon tabouret pour jouer avec l'éplucheur!

— Oui, je me rappelle, confirma Léo. J'aimais tellement m'asseoir au comptoir avec toi, mamie. Tu avais vraiment beaucoup de patience pour me laisser éplucher tous ces légumes.

— Ce n'était rien en comparaison de ton jeune frère, chuchota-t-elle. Il est comme une tornade. Il n'arrête jamais une minute, alors que toi, tu étais sage comme une image!

— Parlant de Junior, le voici justement, annonça Mathieu.

— Mamie!

Un petit bonhomme au visage et aux doigts barbouillés de glaçage à gâteau arriva en courant et se jeta dans les bras de Pierrette qui le serra de toutes ses forces.

— Mamie! On t'attendait pour déballer les cadeaux et manger le gâteau que maman a caché dans le frigo du sous-sol!

— Et tu l'as trouvé, on dirait..., fit remarquer Mathieu, ce qui déclencha un fou rire général. Junior sourit aussi, soulagé de ne pas se faire gronder. Ils rejoignirent les autres membres de la famille à l'arrière de la propriété.

Ce souper d'anniversaire fit très plaisir à Léo. Ses parents lui avaient proposé d'organiser une fête entre amis pour ses quinze ans, mais Léo préférait passer du temps avec la famille. D'ailleurs, il avait très peu d'amis. À part un garçon du quartier qui venait jouer avec lui de temps en temps, Léo n'avait créé aucun lien véritable avec d'autres jeunes de son âge. Il considérait toujours Mathieu comme son meilleur ami. C'était la première fois que celui-ci fréquentait une fille sérieusement et elle lui fit bonne impression. Il avait remarqué la façon particulière dont les amoureux se regardaient, les gestes qu'ils avaient l'un pour l'autre et le contact ininterrompu de leurs mains.

Plus tard dans la soirée, Mathieu repartit avec Angéla. La nuit était tombée et Marielle se trouvait à l'intérieur avec Annie et Pierrette, tentant de mettre Junior au lit. Léo bavardait avec son père et son oncle Stéphane sur la terrasse.

— Je ne sais pas comment tu fais pour gérer une entreprise aussi grosse, Marc, lui avoua son beau-frère. Avec toutes ces pharmacies, tous ces employés et tous ces conflits, y a de quoi devenir fou! J'en serais vraiment incapable, ça dépasse mes compétences...

— Oh, tu sais, ça m'arrive aussi de ne pas être à la hauteur certains jours. L'idée de vendre m'a traversé l'esprit quelques fois, sans compter que j'ai failli tout perdre il y a plusieurs années. Mais le temps passe et même les conflits les plus graves finissent par se régler d'une manière ou d'une autre.

— Il faut dire que tu as le bon tempérament pour gérer une affaire de cette envergure. Tu as des nerfs d'acier : y a pas grand-chose qui te fait paniquer. Moi, j'aurais abandonné depuis longtemps.

Silencieux, Léo observait son père avec admiration. Non seulement il n'avait jamais abandonné le contrôle de l'entreprise, fondée par son grand-père Allard, il ne l'avait pas abandonné *lui*. Le courage et l'amour inconditionnel de Marc leur avaient permis de se retrouver et de rebâtir leur foyer après des années d'épreuves et de désespoir.

— Avec le temps, reprit Marc, j'ai compris que je ne pouvais pas y arriver seul et que je devais m'entourer des bonnes personnes, tu comprends? En particulier durant mon combat contre la dépendance à l'alcool.

— Tu as toute mon admiration, je t'assure.

Marc leva son verre d'eau minérale, et Léo et Stéphane trinquèrent à sa santé.

— Tu retournes au boulot lundi? s'enquit Stéphane.

— Eh oui, les vacances sont finies.

111

— Et ton adjointe, rentre-t-elle aussi de vacances lundi?

— Non, elle revient seulement à la mi-septembre. Elle visite sa famille à l'extérieur.

— Comment s'en sort-elle? Je sais que les souliers de Marie-Josée n'étaient pas faciles à chausser...

— Disons qu'elle a encore besoin de prendre de l'expérience. Elle est dévouée et très disponible. Je peux toujours compter sur elle.

— Je croyais qu'elle avait été administratrice d'une chaîne concurrente?

— C'est vrai. Je pensais aussi qu'elle était plus expérimentée qu'elle ne l'est en réalité. Il faut croire que les méthodes de mon concurrent sont bien différentes des miennes, conclut Marc avant que les femmes ne les rejoignent sur la terrasse.

Marielle et Annie se laissèrent tomber sur leur chaise, au bord de l'épuisement.

— Alors, est-il couché? demanda Marc.

— Tu rêves! se désola Marielle. Maman est encore avec lui. Tu sais bien qu'il refuse d'aller au lit tant et aussi longtemps que tout le monde n'est pas couché!

— Je monte le voir, proposa Léo.

— Ce serait merveilleux, mon chéri! Il n'y a vraiment que toi qui puisses le convaincre de dormir.

Lorsque Léo entra dans la chambre de Junior, sa grand-mère promettait de lui relire encore une fois son histoire préférée s'il acceptait de rester sous les couvertures. Ce fut peine perdue lorsqu'il aperçut Léo derrière la porte.

— Léo!

Junior sauta hors du lit et se jeta dans les bras de Léo, sous le regard désespéré de leur grand-mère.

— Va te reposer mamie, je prends la relève.

— Tu tombes à point, mon chéri, j'ai épuisé toutes mes ressources!

Elle embrassa Junior et sortit en refermant la porte derrière elle.

Léo ne prêta pas attention au désordre qui régnait dans la chambre. Il éteignit la lumière et prit place sur le lit où

Junior s'allongea. Les deux frères se glissèrent sous les couvertures et, d'un grand geste, Léo passa le couvre-lit par-dessus leurs têtes.

— Tu l'as toujours? chuchota Léo.

— Oui.

Junior se hissa jusqu'à la tête du lit et empoigna son vieux sabre laser avant de revenir se blottir contre son frère.

— Les piles sont mortes?

— Ouais.

— Ça ne va pas t'aider à chasser les méchants gardes de l'empereur...

— Qu'est-ce qu'on va faire? s'inquiéta Junior.

— On va devoir utiliser nos pouvoirs secrets...

— On a des pouvoirs secrets?

— Bien sûr, tous les chevaliers *jedi* en ont!

Junior était suspendu aux lèvres de son grand frère. Les deux enfants replongèrent dans leur monde imaginaire qu'ils avaient visité à maintes reprises déjà. Léo était d'une patience angélique et Junior savourait chacune des nouvelles aventures que Léo lui racontait. À la fin de cet épisode palpitant, et surtout après avoir supplié Léo de ne pas repartir chez les Martin, Junior finit par s'endormir.

***

Le mardi matin, Marielle devait accompagner Junior à la rencontre préparatoire en vue de son entrée en maternelle la semaine suivante. Cette sortie, qui enthousiasmait Junior autant qu'elle, lui laissait entrevoir enfin un peu de répit. Elle pourrait profiter de ses journées pour se consacrer davantage à ses contrats publicitaires. Le même jour, ils avaient également rendez-vous à la clinique. Junior devait subir de nouveaux examens. Les tests effectués au début de l'été n'avaient pas permis de déterminer avec précision l'évolution de ses fonctions rénales.

Marc proposa d'emmener Léo au bureau pour passer la journée avec lui, ses cours ne reprenant que la semaine suivante.

— Tu te sens prêt à travailler ? demanda Marc lorsqu'ils arrivèrent.

— Bien sûr. Que veux-tu que je fasse ?

Marc lui indiqua une pile de documents sur le classeur de Viviane.

— Personne n'a le temps de s'en occuper. Ce sont des relevés des succursales. Ce que tu as à faire est assez simple : chaque document correspond à une succursale et doit être classé dans les dossiers correspondants du premier tiroir de ce classeur. C'est très important de ne pas les mélanger. Tu crois que tu peux y arriver ?

— Papa, c'est un jeu d'enfant. Je peux le faire sans problème.

— D'accord, je te laisse alors. Je vais faire quelques appels dans mon bureau.

Quelques minutes plus tard, Léo entra dans le bureau de son père.

— Déjà fini ? Tu as fait vite, dis donc !

— Je n'ai pas trouvé les dossiers, papa.

— Comment ça ? Tu es sûr d'avoir regardé dans le tiroir du haut ?

— Absolument, il y a bien des dossiers qui portent les noms des employés mais il n'y a pas de dossiers avec des noms de pharmacies.

Marc se leva pour aller vérifier et il constata que les seize dossiers étaient manquants.

— Qu'est-ce qui se passe, papa ?

Marc fixait le support vide en se frottant le menton.

— Eh bien, je présume que Viviane les a emportés chez elle pour les étudier et qu'elle a oublié de les rapporter.

— Ça t'inquiète ?

— Un peu. Enfin, pas tant que ça. Elle travaille souvent chez elle, le soir et la fin de semaine, alors elle a besoin de certains documents.

— Bon, eh bien, si tu as autre chose à me confier...

Léo passa une bonne partie de la matinée à jouer sur l'ordinateur de son père, celui-ci étant trop occupé pour lui trouver du travail. De son côté, Marc tenta de joindre Viviane,

114

mais se heurta au répondeur. Il laissa un message dans l'espoir qu'elle le rappelle pour éclaircir la situation.

Plus tard ce soir-là, Léo passa un peu de temps dans sa chambre. Il travaillait à l'ordinateur lorsque sa mère ouvrit la porte.

— Je peux entrer?

— Bien sûr. Tu veux t'asseoir?

Léo se leva pour lui offrir sa chaise et approcha le pouf pour s'y asseoir.

— Ce n'est pas nécessaire..., dit Marielle avant d'accepter.

Léo lui souriait. Il démontrait beaucoup d'égards envers elle, particulièrement à l'approche de son retour au séminaire.

— Tu étais en ligne avec quelqu'un?

— Avec Jean-G.

— Est-il déjà de retour à la ferme?

— Non, il est chez un copain pour quelques jours. Sa mère travaille beaucoup et il en profite pour aller voir son ami.

— Il fera son secondaire cinq cette année, c'est ça?

— Oui, c'est sa dernière.

— Et toi qui monte en secondaire quatre... j'ai peine à le croire!

Marielle observa son fils. Avec beaucoup de gentillesse, elle dégagea une mèche qui lui couvrait le visage. Elle avait posé ce geste à maintes reprises et, chaque fois, Léo lui en était infiniment reconnaissant. Il ne se lassait pas de ces marques d'affection qui lui avaient cruellement manqué dans son enfance. Maintenant, les yeux de Marielle avaient davantage l'expression de ceux d'une mère aimante et soucieuse. La ride de son front s'était creusée au fil des années et Léo redoutait qu'elle puisse cesser de l'aimer et de s'inquiéter pour lui.

— As-tu passé une bonne journée avec ton père?

— Oui, mais je n'ai pas fait grand-chose parce qu'il a passé tout son temps au téléphone.

— Il n'a pas eu beaucoup de temps à te consacrer alors?

— Ça ne fait rien. J'aime bien m'asseoir dans le fauteuil de son bureau et l'écouter discuter. Tu sais, il a parlé de transactions de milliers de dollars aujourd'hui. Et aussi de demande de syndicalisation, et...

— Tu plaisantes?

— Non.

— Qu'est-ce que c'est que cette histoire? Il ne m'en a rien dit.

Marielle parut tout à coup très préoccupée. Plusieurs années auparavant, Marc avait échappé de justesse à une accréditation en règle de tous les employés de la chaîne et le spectre d'une nouvelle demande ne lui disait rien qui vaille.

— Tu sais, j'ai peut-être mal compris, s'empressa de préciser Léo pour la rassurer. C'est un peu obscur pour moi tout ça...

Marielle remarqua à son tour l'inquiétude qui changeait les traits de Léo. C'était à croire que l'objectif le plus important pour lui était, encore à ce jour, de tout faire pour lui plaire et pour lui éviter de s'inquiéter.

— Tu sais Léo, commença-t-elle, je pense qu'on devrait faire confiance à ton père. C'est un excellent gestionnaire et je suis certaine qu'il saura régler ces difficultés. Il est très bien entouré.

Léo ne la relança pas, préférant changer de sujet. Il connaissait un moyen infaillible pour faire dévier la conversation.

— Tu disais que Junior avait fait un malheur à l'école aujourd'hui?

— Tu n'as pas idée! répondit Marielle, tout à coup ragaillardie.

— Raconte-moi encore...

Marielle relata leur visite dans les moindres détails: Junior avait séduit l'éducateur et vice versa.

— Je ne sais pas si ça va durer, mais le courant passe très bien entre ces deux-là. Aussitôt que les enfants sont entrés dans la classe, monsieur Bilodeau a obtenu leur attention et les a gardés attentifs durant toute la rencontre. Junior posait des tas de questions et le professeur mettait un tel enthousiasme à lui répondre que ça faisait plaisir à voir!

— Vraiment!

— Je te le jure, il a adoré! Malheureusement, je ne peux pas en dire autant de notre visite à la clinique cet après-midi.

— J'imagine. Et qu'a dit le médecin?

Marielle préférait réserver les détails de cette rencontre pour éviter d'inquiéter Léo inutilement.

— Pas grand-chose. Il a refait des tests et il faudra attendre plusieurs semaines avant d'avoir de nouveaux résultats, tu sais ce que c'est. Et il y a beaucoup de personnel en vacances.

Léo eut l'impression que la ride se creusait encore un peu plus sur le front de Marielle.

***

— Je suis vraiment désolée, Marc. J'ai complètement oublié de les rapporter. Je le ferai demain sans faute.

Viviane rentrait de vacances ce matin-là et se confondait en excuses.

— Ces chemises contiennent des informations cruciales sur l'entreprise et, comme je ne pouvais vous joindre, j'ai pris beaucoup de retard dans mon travail. J'étais très irrité, Viviane.

— J'en suis navrée, Marc, et je vous promets de les rapporter sans faute demain, répéta-t-elle. Vous savez, certaines informations contenues dans ces dossiers m'ont permis de comprendre diverses situations dans les opérations des pharmacies. Je crois même pouvoir vous proposer une solution pour régler un grief en suspens.

Marc dut reconnaître le dévouement et la disponibilité de sa collaboratrice. Il était conscient qu'elle prenait déjà en charge une part importante de sa tâche et sa volonté de s'améliorer était évidente. Il se radoucit.

— Parlant de griefs, où en êtes-vous avec le dossier des heures supplémentaires?

— Justement, j'aimerais que nous en discutions. Il semble y avoir des irrégularités dans plusieurs succursales.

— Vraiment?

— Oui. Comme je dois les remettre au comptable demain matin, nous pourrions peut-être réviser les bordereaux cet après-midi...

— Viviane, vous oubliez que je serai absent pour le reste de la journée. Je dois rencontrer les gérants des succursales pour faire le point sur la demande d'accréditation.

— Dans ce cas, je vais demander un délai. Peut-être pourrons-nous régler cette question d'ici la fin de la semaine.

— Très bien. Je vous appellerai lorsque la réunion sera terminée.

Marc prit sa veste et se dirigea vers la sortie. Il se retourna vers Viviane avant de franchir la porte.

— Je compte sur vous pour les dossiers. C'est très important.

— Je n'y manquerai pas.

Marc passa l'avant-midi en réunion avec les gérants des pharmacies. Quant à Viviane, elle s'enferma dans son bureau pour travailler. Vers dix heures, elle fut interrompue par Michelle qui l'appelait sur l'intercom.

— Vous avez un appel.

— Qui est-ce?

— Il n'a pas voulu se nommer. Il dit que c'est personnel.

— Très bien, passez-le-moi.

Une voix familière la salua.

— Bonjour Viviane...

— Qu'est-ce que tu veux?

— Tu en as mis du temps à rentrer de vacances... cinq semaines, quand même...

— Pourquoi ne m'as-tu pas appelée sur mon cellulaire comme nous en avions convenu?

— Parce qu'il est probablement éteint...

Viviane fouilla dans son sac et constata que sa pile était morte.

— Oui, bon. Qu'est-ce que tu veux?

— Simplement m'assurer que tu continueras d'exécuter ton mandat.

— Je crois que j'ai déjà fait beaucoup en ce qui concerne le mandat. J'avais espoir qu'il prendrait bientôt fin...

— Ça va dépendre de toi.

— Qu'est-ce que tu veux dire?

118

— J'ai besoin que tu y prennes une part plus active à partir de maintenant.

— Et si ça ne m'intéressait plus ? Tu sais, j'ai beaucoup réfléchi durant mes vacances et...

— Tu oublies que c'est grâce à moi si tu as déniché cette position.

— Je ne l'oublie pas. Je pense simplement que je t'aide depuis que je suis ici et que...

— Tu penses trop, Viviane. Rappelle-toi que tu as un fils et que la garde est toujours en faveur du père.

— Ne te mêle pas de mes affaires...

— Il suffirait d'un petit coup de fil à ton agent d'évaluation...

— Espèce de salaud...

— Qui s'assemble, se ressemble.

Viviane avait peine à contenir sa rage. Elle noircissait nerveusement la feuille placée devant elle.

— Cette fois, reprit-il, garde ton cellulaire allumé. En tout temps. Je te rappellerai sous peu.

Viviane raccrocha, tremblant imperceptiblement. Elle avait appris, au fil des années de misère, à garder son sang-froid et à montrer un visage impassible, quoi qu'il arrive. Une seule chose parvenait maintenant à l'ébranler : son jeune fils. Elle en avait perdu la garde depuis de nombreuses années et s'était fixé comme objectif de le récupérer. Cet homme l'avait aidée à refaire sa vie à Québec, moyennant certaines conditions. En échange d'informations confidentielles sur les opérations de Marc Allard, il l'avait aidée à « effacer » les dernières traces de son passé peu reluisant et l'avait même aidée à obtenir le poste d'adjointe au Groupe Allard en étouffant sa dernière infraction : elle s'était fait prendre par un employé de Naturo-Pharm à dérober des narcotiques pendant qu'elle était toujours à l'emploi de cette firme. Viviane craignait maintenant qu'il aille trop loin. Il la faisait chanter en la menaçant de lui faire perdre ses chances de retrouver la garde de son fils. Elle allait l'aider une dernière fois, pour enfin se libérer de lui et regagner sa liberté.

***

Léo avait commencé ses cours depuis une quinzaine de jours. La première semaine avait été épuisante. Il participait à nouveau aux épreuves de sélection pour faire partie de l'équipe de basket et il avait dû se lever très tôt pour être au séminaire à sept heures tous les matins. Après ses cours, il revenait à la ferme et s'enfermait dans sa chambre dès le souper terminé pour étudier. Ses professeurs s'étaient apparemment donné le mot pour le submerger de travaux, et l'appréhension des examens du ministère prévus en mai se faisait déjà sentir à la rentrée.

Comme à son habitude, Léo se leva de table sitôt son assiette terminée et alla porter sa vaisselle dans l'évier. C'était au tour de Jean-G d'aider madame Martin à la cuisine. Il allait s'éclipser dans sa chambre quand sa logeuse l'interpella.

— Dis-moi, Léo...

— Oui?

— Mon vieux Harvard a bien besoin de prendre l'air. Il n'est pas sorti de la journée. Tu veux bien aller le promener avant de retourner à tes travaux scolaires?

Léo toisa le vieux mâle roulé en boule sur le tapis. Il était évident qu'un peu d'exercice lui ferait le plus grand bien, mais il avait prévu réviser une dizaine de chapitres pour son examen d'histoire. Madame Martin s'approcha de lui et renchérit.

— Tu serais vraiment gentil, Léo. Je dois absolument aller en ville et Lionel et moi rentrerons tard.

Léo hésita, mais il savait que Jean-Gervais avait autant de travaux que lui. Il finit par accepter de rendre service à madame Martin.

— D'accord.

— Je l'apprécie, l'assura-t-elle avant d'enfiler son veston et de prendre son sac.

— Jean-Gervais, je te mets en charge de barrer la porte après que Léo soit rentré. Ne vous occupez pas du téléphone. Le répondeur s'en chargera. À plus tard, les garçons.

Comme Léo s'apprêtait à sortir avec le chien, Jean-Gervais l'apostropha :

— Eh... tu veux de la compagnie ?

— Je croyais que tu devais étudier...

— Oui, mais toi aussi. Et y a pas qu'au chien que ça fera du bien de prendre l'air.

— D'accord. Laisse tomber la vaisselle, je t'aiderai en revenant.

— Cool.

Les deux garçons sortirent et empruntèrent l'allée menant à la rue. La soirée était très douce. Aucune brise ne troublait le feuillage des grands arbres qui bordaient le chemin. Harvard semblait heureux de mener la bande et, tout en bavardant, ils s'éloignèrent de la ferme et descendirent la grande artère menant au village. Après une vingtaine de minutes de marche, ils se retrouvèrent tout près du dépanneur et du bar laitier.

— Je ne pensais pas me rendre jusqu'ici, constata Léo. Je n'ai pas vu le temps passer.

— Moi non plus. Je crains que ce soit plus difficile de remonter cette route que de la descendre. Que dirais-tu d'une crème glacée pour se donner un peu d'énergie avant de rentrer ?

— Ce serait super, mais je n'a pas d'argent sur moi.

— Laisse tomber, je te l'offre. Ce sera ton tour la prochaine fois.

— Merci. On dirait que ce vieux Harvard apprécierait un peu d'eau.

— Tu crois qu'il va tenir le coup pour retourner à la ferme ?

— On le saura bientôt.

Les garçons bifurquèrent sur le stationnement du bar laitier achalandé. Ils reconnurent plusieurs jeunes qui fréquentaient le séminaire.

— Il y a beaucoup de monde au comptoir, je vais t'attendre ici, dit Léo en s'asseyant à une table à pique-nique. Tu me rapportes un cornet au chocolat et un peu d'eau ?

— D'ac.

Alors que Léo nouait la laisse à la table en bois, il sentit qu'une silhouette s'approchait. Il leva lentement la tête et ne vit d'abord qu'un jean très ajusté, couvert de dessins au crayon feutre, dont la taille ultra basse découvrait un abdomen orné d'un anneau dans le nombril. Cette présence le troublait déjà, avant même qu'il croise le regard intimidant caché sous la frange sombre et l'épais mascara noir.

— Salut, dit-elle.

Léo déglutit. Il espérait, pour une fois, parvenir à s'exprimer de façon cohérente. Il valait mieux s'en tenir au strict minimum : sujet, verbe, complément.

— Salut.

Marjorie ne broncha pas. Elle regardait Harvard qui haletait. Puis elle reporta son regard sur Léo qui faisait de gros efforts pour ne pas haleter lui aussi.

— Tu es de retour à la ferme ? demanda-t-elle nonchalamment.

— Exact.

Léo s'efforçait de feindre un air dégagé et caressait le chien pour se donner de la contenance. Il se désenroua et poursuivit :

— Et toi, qu'est-ce que tu fais ici ?

— Je peux m'asseoir ?

— Ouais.

Elle contourna la table et vint s'asseoir tout près de lui. Léo sentit fondre son courage. Marjorie le dévisageait sans gêne.

— Tu as changé, affirma-t-elle en dégageant sa frange d'un coup de tête.

— Je suppose...

— Mais tu es toujours aussi mignon.

Léo caressait un peu trop énergiquement le pelage du vieux chien qui grogna de protestation. Marjorie possédait une arme redoutable : elle s'infiltrait dans sa zone de confort comme bon lui semblait et parvenait chaque fois à le déstabiliser.

— Et le *nerd* est de retour aussi ? fit-elle en désignant Jean-Gervais qui commandait les crèmes glacées.

— Tu ne devrais pas l'appeler comme ça, c'est mon ami. Tu sais, il n'a pas eu la vie facile lui non plus...

— Tu fais référence à qui là, à toi ou à moi?

— Peu importe. Et toi, qu'est-ce que tu fais ici?

— Mon père habite dans le coin. Et Elliot aussi.

— Elliot... c'est qui Elliot? demanda-t-il sans lever les yeux.

À son tour, il déstabilisa Marjorie qui hésita à répondre. Jean-Gervais arriva au même moment.

— Salut, dit-il en tendant un énorme cornet à Léo.

— Salut, répondit sèchement Marjorie sans quitter Léo des yeux.

Léo lui offrit sa crème glacée qu'elle déclina. Au même moment, une voix rauque s'éleva du groupe de jeunes qui s'agitaient bruyamment de l'autre côté de la pelouse.

— Joe... arrive!

— Qui c'est « Joe »? demanda Jean-Gervais.

— C'est ma grand-mère!

Contrariée par la présence de Jean-Gervais, Marjorie s'approcha à quelques centimètres de l'oreille de Léo.

— On se reverra à l'école, chuchota-t-elle.

— Comment... tu vas au séminaire?

— Ouais.

— Est-ce que tu fais du basket?

— Non, mes notes ne sont pas assez bonnes.

— Je ne savais pas que tu étais de retour?

— C'est parce que tu as changé d'édifice, gros bêta!

— Je ne comprends pas?

— Tu es dans la section des quatrièmes et cinquièmes et moi je dois refaire ma troisième.

Sur quoi, elle déposa un furtif baiser sur sa joue avant de partir rejoindre ses amis. Elle monta à bord d'une vieille voiture conduite par un type qui toisa Léo d'un air mauvais, juste avant de quitter le stationnement en faisant crisser les pneus. Léo n'avait pas encore goûté à sa crème glacée qui dégoulinait sur sa main puis sur l'asphalte poussiéreux et dont Harvard se délectait.

Jean-Gervais était aussi ébahi que Léo. Lorsqu'il ouvrit la bouche pour commenter ce qui venait de se passer, Léo le fusilla du regard.

— Tu gardes tes remarques pour toi...

— Je n'avais pas l'intention...

— Compris?

— Oui, ça va!

Jean-Gervais voyait bien que Léo était tout retourné. Il s'abstint de faire des commentaires, mais se promit tout de même de garder un œil sur son ami pour lui éviter de tomber dans le piège de cette manipulatrice qui profitait de sa naïveté. Lui n'était pas dupe.

Lorsqu'ils arrivèrent enfin sur le sentier menant à la ferme, Harvard décida de s'arrêter net et s'étendit par terre, haletant, refusant de faire un pas de plus.

— Eh bien, on dirait que c'est la fin de la route pour ce vieux cabot, constata Jean-Gervais.

— Allez mon vieux... un petit effort! On y est presque... je t'en prie Harvard!

— Oublie ça, Léo, il est crevé. Je savais bien qu'on n'aurait pas dû quitter la ferme. En plus, si t'avais mangé ta crème glacée au lieu de te laisser hypnotiser par..., il ne serait pas en crise d'hypoglycémie!

— Arrête, tu veux!

Léo souleva le chien et le porta dans ses bras. Au terme de pénibles efforts, il finit par atteindre les marches de la galerie où il le déposa, à bout de forces. Il était tout aussi épuisé par le silence de Jean-Gervais — habituellement bavard comme une pie — qui en disait long sur ce qu'il pensait de Marjorie. Et il avait sans doute raison : rien dans son comportement ne laissait présager qu'elle se soit assagie, encore moins les jeunes qu'elle fréquentait.

Ce soir-là, Léo consacra près de deux heures à ses travaux scolaires. Il avait toujours le nez dans ses livres lorsque Jean-Gervais se pointa.

— Je peux entrer?

— Ouais, tu as besoin de quelque chose?

— J'ai fermé mes livres, j'en ai assez pour aujourd'hui.

— Je finis bientôt, moi aussi.

Jean-Gervais s'avança dans la pièce et examina les figurines disposées sur les étagères. Il laissa échapper un sifflement d'admiration devant les plus récentes qu'il découvrait.

— Wow... elles sont belles, dis donc!

— Merci.

Il s'y attarda encore un peu avant de remarquer la vieille photographie conservée dans un cadre de plastique.

— C'est ta mère?

— Oui.

— Et toi, tu avais quel âge sur ce portrait?

— Environ cinq ans, confirma Léo. Je crois que c'était lors de mon anniversaire.

— T'as changé, man.

— Ouais, je sais.

Jean-Gervais alla s'asseoir sur le lit et s'adossa au mur. Il croisa les bras derrière la tête et scruta son ami.

— Je me demande ce que tu peux bien lui trouver à celle-là, déclara-t-il.

— Je ne lui trouve rien du tout! protesta Léo, irrité par sa perspicacité.

— Raconte ça à d'autres... Elle te ferait tourner autour de son petit doigt si elle le voulait.

Léo leva la main dans un mouvement de dépit et se replongea dans la lecture de son livre.

— C'est curieux qu'elle t'intimide autant, reprit Jean-Gervais. J'ai parfois l'impression que tu te laisses bousculer par cette fille qui peut faire ce qu'elle veut avec toi.

— Tu dis n'importe quoi!

Léo sentait monter sa pression.

— Pas du tout. Tu la couvrais lorsqu'elle faisait des gaffes au lieu de la dénoncer, tu lui as prêté de l'argent alors que tu savais très bien que tu n'en reverrais jamais la couleur et tu perds tous tes moyens lorsqu'elle t'adresse la parole... Si ça, ce n'est pas de l'intimidation!

Léo se retourna pour lui faire face.

— Écoute, si c'est pour me faire la morale que tu es venu, laisse tomber. Je suis assez grand pour savoir ce que j'ai à faire.

— D'accord, d'accord.

Jean-Gervais se leva et retourna vers la porte.

— Tu sais, ajouta-t-il, tu fais ce que tu veux. Mais je pense que tu vaux bien mieux que cette fille.

— J'en ai assez entendu pour aujourd'hui! Bonne nuit.

Jean-Gervais sortit, mais se retourna une dernière fois.

— Je t'aurai prévenu, Léo. Elle a de bien mauvaises fréquentations. Et sa réputation la précède, même dans le bâtiment des quatrièmes et cinquièmes.

Cette discussion laissa Léo profondément irrité. Il était maintenant incapable de se concentrer sur ses travaux et décida de fermer ses livres. Il resta assis à son bureau à repasser dans sa tête les commentaires de son ami. Son seul ami, en fait. Puis, il regarda la photo de sa mère qui lui souriait. Du coup, il s'étonna d'associer les propos de Jean-Gervais à sa mère. À l'époque où il avait séjourné à la ferme, il lui avait semblé que les événements la bousculaient et qu'elle se laissait manipuler par cet ami dont il se méfiait déjà à l'âge de neuf ans.

***

Ce soir-là, Marc sortait d'une réunion lorsqu'il appela Marielle de son cellulaire pour l'informer qu'il devait retourner travailler au bureau.

— Je dois absolument revoir les bordereaux des succursales avant que Viviane les remette au comptable demain matin.

— Ça va comme tu veux, Marc?

Le ton inquiet de Marielle le surprit.

— Qu'est-ce que tu veux dire?

— Tu sembles préoccupé... Tu es certain de ne pas me cacher certaines choses, comme une nouvelle tentative de syndicalisation, par exemple?

— Eh bien... en effet. Tu m'excuseras de ne pas t'en avoir parlé, mais je voulais éviter de t'inquiéter avec ça parce que rien n'a encore été déposé officiellement. J'ai justement passé la journée avec les principaux gérants pour tenter d'endiguer le mouvement. C'est pour ça que je dois travailler ce soir.

— Es-tu inquiet?

— Un peu, mais j'ai encore le temps de réagir. Je pense sincèrement qu'il est trop tôt pour s'inquiéter. Je suis également navré de te laisser seule avec Junior.

— Ne t'en fais pas pour moi. D'ailleurs, je suis contente de passer du temps seule avec lui. Tu te rappelles que je serai absente plusieurs jours la semaine prochaine?

— Tout à fait. Tu vas à Montréal pour les affaires de ta sœur, c'est ça?

— Oui, l'arrivée des nouvelles collections doit être soulignée de façon marquante, et elle ne s'en sortira pas sans moi. J'espère que maman pourra te donner un coup de main.

— Ne t'en fais pas pour nous. On peut très bien se débrouiller seuls quelques jours. Je suis désolé, Marielle, je dois te laisser, j'ai un autre appel.

— On se voit plus tard alors?

— Bonne soirée, ma chérie.

Marc coupa la communication et prit l'appel en attente. Viviane s'inquiétait de son retard.

— Je vous rejoins au bureau dans une dizaine de minutes, lui confirma-t-il.

— J'ai pensé qu'on pourrait se détendre un peu avant de plonger dans ce dossier... la semaine a été longue. Je suis descendue au bar Le Boudoir à deux pas du bureau.

— Ah bon...

— Ça vous embête?

— Non, pas vraiment. Alors je vous retrouve là-bas tout à l'heure.

Viviane éteignit son cellulaire et le laissa tomber au fond de son sac. Elle s'étira les jambes sous la table et prit une longue gorgée de vin blanc. Elle espérait se détendre un peu avant l'arrivée de Marc pour calmer sa nervosité.

Lorsque Marc arriva, il l'aperçut assise à une table du fond. Il ne vit d'abord que sa fine silhouette et ses jambes qu'elle croisait élégamment. Ses cheveux, qu'elle portait habituellement noués en queue de cheval, tombaient sur ses épaules et encadraient son visage. Plus il s'approchait de la table, plus elle lui semblait différente. Contrairement à son habitude, elle portait du maquillage qui rehaussait sa beauté naturelle. Ce n'était pas sa collaboratrice habituelle qui se leva pour l'accueillir.

— Bonsoir Marc.

— Restez assise, je vous en prie.

Il remarqua que la deuxième chaise avait été placée tout à côté de celle de Viviane et il l'éloigna subtilement avant de s'asseoir. Un certain malaise gardait tous ses sens en éveil.

— Est-ce que ça vous embête si je prends un verre de vin? J'ai bien besoin de me détendre en ce moment.

— Pas du tout.

Marc fit signe au serveur de lui apporter une eau minérale.

— Comment s'est passée votre rencontre? s'enquit Viviane.

— Je ne sais pas trop, je crois que les gérants des succursales sont aussi surpris que moi par ce mouvement soudain et incompréhensible.

— C'est peut-être dû à la quantité plus importante de griefs à régler?

— Vous voulez rire? Ces quelques cas ne justifient pas une rupture du lien de confiance entre les employés et la direction, trancha Marc au moment où le serveur lui apportait son breuvage.

Il prit une longue gorgée pour se désaltérer et se cala sur son siège. Cette journée était déjà bien remplie.

— Il paraît que le nouveau gérant de la succursale de Beauport est favorable à la demande d'accréditation, continua-t-il. Il brillait justement par son absence, celui-là.

Viviane ne commenta pas, mais fit signe au serveur de lui apporter un autre verre. Il sembla à Marc qu'elle était déjà très détendue et il se demanda depuis combien de temps elle était arrivée. Il remarqua sa mallette posée par terre et prit l'initiative d'entamer la discussion relativement aux affaires qui les préoccupaient.

Après plus d'une heure d'analyse, Marc décréta que le comptable se chargerait de concilier le reste des irrégularités. Il sentait la fatigue le gagner.

— Je vous invite à souper, cher patron! annonça Viviane.

— Mais non, voyons... ce serait plutôt à moi de le faire. Je vous ai encore fait travailler tard, et...

— J'insiste! Dans quelques jours, ça fera un an que je suis à votre service et j'aimerais vous exprimer toute ma reconnaissance.

Marc nota un brin de désinvolture qu'il ne lui connaissait pas. Peut-être était-ce l'effet de l'alcool.

— Vraiment Viviane, ce n'est pas nécessaire. Je crois que je devrais plutôt rentrer et...

Viviane posa la main sur le bras de Marc. Elle fixa son regard dans le sien et déclara :

— C'est un plaisir de travailler avec vous, Marc. Sincèrement, je ne pense pas avoir déjà rencontré un patron qui ait autant de patience avec mes lacunes.

La proximité de Viviane le troublait. Plus d'un homme aurait profité de la situation. Il retira son bras doucement et recula sa chaise pour se lever. Il était hors de question qu'il compromette sa relation professionnelle, pas plus que sa relation avec Marielle. Cependant, il était confus d'avoir négligé de souligner l'anniversaire d'embauche de Viviane. Il ouvrit son cellulaire et nota qu'il n'était pas encore vingt heures.

— J'accepte votre invitation à deux conditions...

— Lesquelles?

— C'est moi qui paie l'addition ainsi que le taxi qui vous raccompagnera chez vous.

— Refusées! C'est moi qui invite, alors j'insiste pour prendre l'addition!

Marc et Viviane sortirent du bar et traversèrent la rue pour entrer dans le restaurant d'en face. La revitalisation du quartier Saint-Roch avait permis à de nombreux jeunes restaurateurs créatifs d'ouvrir des établissements dans ce secteur, jadis fréquenté par les plus démunis de la ville.

Marc et Viviane profitèrent d'un excellent repas et passèrent un bon moment ensemble, à découvrir différentes facettes de leur personnalité. Lorsque Marc proposa d'appeler un taxi, Viviane protesta. Elle se pencha pour ramasser son sac et, comme elle se relevait, elle renversa son verre qui se fracassa sur le plancher de tuile. Elle poussa un petit cri de surprise avant d'éclater d'un fou rire incontrôlable. Viviane avait trop bu et Marc insista pour la raccompagner chez elle. Elle ne s'y opposa guère et accepta de le suivre docilement.

Viviane habitait un appartement dans un quartier plutôt défavorisé de la ville. L'édifice à logements négligé datait des années soixante. Marc s'étonna que Viviane ne puisse s'offrir mieux avec le salaire qu'il lui versait.

— Je n'ai pas encore trouvé l'appartement ni le quartier qui me conviennent, s'excusa-t-elle, embarrassée.

— Il faudra laisser le boulot un peu de côté pour vous occuper de vous, Viviane. Je peux vous suggérer des adresses si vous en avez besoin.

Viviane inspira profondément et adressa à Marc un regard empreint de reconnaissance.

— Vous en faites déjà assez, je vous assure.

— Attendez, je vous raccompagne.

Marc éteignit le moteur et sortit pour aller lui ouvrir la portière. Viviane accepta la main qu'il lui tendait et sortit péniblement de la voiture. Ses jambes la portaient à peine. Ils montèrent les marches de béton et Marc ouvrit la porte vitrée. À l'intérieur, l'humidité mordante avait fait son œuvre sur l'escalier métallique rouillé, montant vers l'étage d'un côté et conduisant à l'appartement du sous-sol de l'autre. Bien qu'en état d'ébriété, Viviane parvint à se ressaisir avant de faire face à Marc et de l'inviter à entrer.

— Je vous remercie, mais il se fait tard.

Marc se sentait de plus en plus mal à l'aise.

— ... ma femme m'attend, précisa-t-il pour éviter tout malentendu.

Viviane le regarda, l'air attendri.

— Vous êtes un homme charmant, Marc, dit-elle en le prenant par le cou pour déposer un baiser sur sa joue.

— D'accord, bonne nuit.

Viviane se retourna et dut agripper la rampe pour éviter de trébucher.

— Vous voulez que je vous aide?

— Non, ce n'est rien. Ça va aller...

— Vous êtes certaine?

— Que voulez-vous qu'il m'arrive entre ce palier et la porte de mon appartement?

Elle s'appuya à la rampe et attendit qu'il s'en retourne, ce qu'il fit au bout d'un moment.

— Bonne nuit, finit-il par dire. Et profitez de la fin de semaine pour prendre soin de vous.

Elle inclina la tête et Marc ressortit de l'immeuble. Avant d'entrer dans sa voiture, il regarda une dernière fois par la porte vitrée. Dans la pénombre, il vit la silhouette de Viviane disparaître dans l'escalier menant au sous-sol.

Il était près de vingt-trois heures et Marc roulait doucement en direction de chez lui. La fatigue de cette longue journée le gagnait et il conduisait en se massant la nuque pour détendre ses muscles endoloris. Il repassait dans sa tête la soirée avec Viviane. Son comportement trop familier l'avait ébranlé. Il appréciait son dévouement et son attitude positive en général et devait admettre qu'elle était maintenant un atout pour lui. Il attribua sa conduite à l'excès d'alcool dont il connaissait fort bien les effets, même s'il ne consommait plus depuis plusieurs années. Il n'avait pas ressenti une telle envie d'un verre de vin depuis longtemps.

L'image de l'immeuble où habitait Viviane le hantait. Elle vivait à Québec depuis près d'un an et elle n'avait pas encore trouvé le temps d'emménager dans un endroit plus convenable. Marc réalisait qu'il connaissait bien peu Viviane sur le plan personnel et s'en voulait de l'avoir accaparée autant. Il était tellement absorbé par son travail et ses dossiers pressants à régler qu'il n'avait pas réalisé à quel point elle l'avait secondé assidûment. Bien sûr, elle manquait toujours d'expérience et il devait s'assurer de vérifier son travail pour éviter les erreurs. Mais sa disponibilité était totale et avait visiblement des répercussions négatives sur sa vie personnelle. Il devait trouver une façon de l'aider à remédier à cette situation.

***

Léo avait l'habitude de manger un sandwich en vitesse avant de se rendre au gymnase où il passait l'heure du lunch à lancer quelques ballons au panier. Cet exercice lui permettait de s'isoler un peu avant de reprendre ses cours. Depuis quelques jours, le gymnase n'était pas accessible car une équipe d'ouvriers procédait à la réfection de cette section du bâtiment. La note sur la porte précisait qu'il en serait de même pour les trois prochaines semaines, ce qui découragea Léo. Il retourna à la cafétéria et resta debout quelques instants, devant la mer d'étudiants qui s'agitaient dans un chaos étourdissant. Il perdit courage et décida de tenter sa chance à la bibliothèque du deuxième étage. Il pourrait peut-être en profiter pour avancer ses travaux scolaires. Dans le couloir menant à cette section, il croisa Jean-Gervais qui poussait un grand chariot rempli de matériaux.

— Eh... qu'est-ce que tu fous ici, lui dit ce dernier ?
Léo le regarda, étonné. Ils se croisaient rarement durant la journée, encore moins le midi.
— Tu n'es pas au gymnase ?
— Non, il est fermé à cause des travaux.
— Ah bon. Et tu fais quoi là ?
— Ben, j'allais à la bibli pour passer le temps.
— Tu pourrais me donner un coup de main avec ce chariot ?
— D'accord.
Les deux garçons poussèrent leur fardeau à travers les corridors achalandés, jusqu'aux coulisses de l'auditorium qu'ils traversèrent pour se rendre dans le local adjacent. Quelques étudiants en théâtre y avaient établi leur quartier général.

— C'est quoi tout ça? demanda Léo, étonné par l'encombrement.

— C'est ici qu'on prépare les décors pour les pièces de théâtre et les spectacles organisés par les étudiants. Enfin, quand je dis *on*, je veux dire *eux* parce que moi je suis nul en brico. Mais si je veux que notre spectacle ait un peu d'allure, je donne un coup de main et je m'occupe de la logistique. Je suis en quelque sorte leur gérant...

— Dis plutôt leur homme à tout faire! chuchota Léo.

Jean-Gervais lui donna un léger coup à l'épaule avant de rejoindre les autres. L'endroit était encombré d'un amoncellement d'objets de toute nature et de matériaux de diverses dimensions. Léo s'avança à l'intérieur et vit deux jeunes affairés à mélanger ce qui ressemblait à de la farine et de l'eau dans un grand bac. Les deux adolescents étaient couverts de poussière blanche.

— Ils essaient une recette de papier mâché, l'informa Jean-Gervais.

— Pour quoi faire?

— Ben... tu vois les hauts grillages, là-bas? Ce sont les squelettes de pièces d'échec géantes qu'ils ont fabriquées et qu'ils vont recouvrir de papier mâché...

— Ces grands machins-là?

— Ouais.

Léo s'avança pour examiner les structures de plus près. Il y avait trois assemblages difformes de très grande taille, presque aussi hauts que lui, composés essentiellement de baguettes de bois entrecroisées, recouvertes de grillage métallique. Aucune ne ressemblait de près ou de loin à une pièce d'échec. Il porta son regard vers la fille et le garçon qui brassaient toujours le mélange, une sorte de colle visqueuse. La fille, bâtie comme une armoire à glace, leva les yeux. Lorsque leurs regards se croisèrent, elle lui sourit timidement. Puis, elle commença à tremper des bandes de papier journal déchiré dans le mélange, pour ensuite les appliquer sur une des structures. Léo les observa un moment, appréhendant le résultat et le dégât qui en résulterait. Pendant ce temps-là, Jean-Gervais déchargeait seul le chariot.

— Tu sais, dit-il, je pense qu'ils ne refuseraient pas un peu d'aide. Ils devaient être cinq ou six à travailler sur ce projet, mais les autres ne viennent jamais. Le spectacle aura lieu dans trois semaines et il reste la moitié des pièces à construire avant de pouvoir les recouvrir et les peindre.

Léo se désola de la piètre qualité du travail et était navré pour eux.

— Tu crois que ça les fâcherait si je retravaillais un peu celle-là? suggéra-t-il en désignant celle qui ressemblait vaguement à un cavalier.

— T'as qu'à leur demander, tu verras bien.

Jean-Gervais remarqua que Léo ne bougeait pas. Évidemment, sa timidité l'empêchait de prendre ce genre d'initiative, de peur de déplaire.

— Eh... Chris?

— Hum..., fit celui-ci en continuant de recouvrir le grillage.

— C'est Léo.

Les garçons se saluèrent. Puis, la jeune fille leva la tête et lui sourit à nouveau.

— Moi, c'est Lisa, dit-elle.

— Léo est un artiste, annonça Jean-Gervais, et il peut faire des merveilles en sculpture!

Léo ne savait plus où se mettre.

— C'est vrai? demanda Lisa. Tu peux nous donner un coup de main?

— Ben, c'est-à-dire...

— Parce que nous, en principe, on a davantage de talent pour jouer au théâtre que pour construire les décors!

— Ils sont acteurs, précisa Jean-Gervais.

— Je vois, dit Léo. Je pourrais peut-être retoucher un peu celle-là...

Léo s'approcha de la structure et commença à la tâter et à ajuster le grillage. Sans dire un mot et sous le regard étonné des autres, il le détacha et découvrit presque entièrement la structure. Ensuite, il recommença à le fixer avec précision, lentement, en dessinant distinctement la forme du cavalier avec le grillage qui lui piquait les mains et les bras. Après une dizaine de minutes, tous les autres avaient interrompu leur tâche pour admirer le travail de Léo qui utilisait le manche d'un tournevis pour creuser les cavités représentant les narines, les yeux ainsi que les oreilles de la pièce.

— Wow! C'est pas croyable! s'exclama Lisa.

Elle fit le tour du cavalier, sous le regard embarrassé de Léo.

— T'as vu ça, Chris?

— J'en reviens pas! dit ce dernier, le regard admiratif.

— Je vous l'avais dit que c'était un artiste! annonça Jean-Gervais, fier comme un gérant présentant son protégé.

— Est-ce qu'on peut commencer à la recouvrir? demanda Lisa.

— Euh... ouais, je pense.

— Et tu peux refaire celle-là aussi? demanda Chris en retirant toutes les bandes visqueuses qui n'avaient pas eu le temps de sécher.

Léo fronça les sourcils.

— Et elle est supposée représenter quoi, au juste?

Chris et Lisa éclatèrent de rire et Léo les imita, soulagé.

— C'est supposé être un roi, mais tu peux en faire ce que tu veux!

Chris s'éloigna en donna une grande tape dans le dos de Léo, y laissant des traces de farine et de colle.

— Tu vas nous aider à faire les autres, hein? le supplia Lisa.

— Il en faut combien?

— Six, mais tu fais celles que tu veux.

Elle avait le regard brillant d'admiration pour Léo, qui fondait d'embarras. Elle s'éloigna pour aider Chris avec le papier mâché.

Léo était tellement absorbé par son travail qu'il ne vit pas le temps passer. Bientôt, la cloche sonna et il dut se hâter de sortir du local pour ne pas être en retard à son cours.

Ce soir-là, Léo et Jean-Gervais passèrent une partie de la soirée à chercher des modèles de pièces d'échec sur Internet.

— C'est super que tu nous donnes un coup de main, tu sais.

— Pour être honnête, j'adore ça. Et puis le gymnase est fermé le midi, alors ça me fera passer le temps.

— J'avoue que Lisa et Chris sont presque aussi nuls que moi, mais comme les autres volontaires ne viennent jamais, on a besoin de toute l'aide que tu pourras nous apporter.

— Est-ce qu'ils jouent tous les deux dans la pièce?

— Oui, et Chris a un faible pour elle, alors il vient aider pour les décors.

— Ah bon. Est-ce qu'ils sortent ensemble?

— Non. C'est ce que Chris voudrait, mais Lisa n'est pas intéressée. En fait, ce midi, elle m'a semblée bien plus intéressée à toi!

— Qu'est-ce que tu racontes encore!

— Je t'assure! Elle n'a pas cessé de te regarder en se jouant dans les cheveux.

— Quoi?

— Ouais! Il paraît que quand une fille parle avec un gars et qu'elle se joue dans les cheveux, c'est qu'elle est intéressée. J'ai lu ça quelque part. Et, crois-moi, elle avait de la colle plein la tête!

Léo et Jean-Gervais éclatèrent de rire, ce qui réveilla le vieux Harvard étendu tout près. Il grogna de protestation.

— Je vais me coucher avant que tu dises d'autres âneries. Bonne nuit.

— Moi, je vais faire une dernière recherche avant d'éteindre. Et merci encore pour ton aide.

— Y a pas de quoi.

— On compte sur toi demain midi?

— D'ac! lança Léo en quittant le salon.

Léo ferma la porte de sa chambre. Il s'assit à son bureau et s'adossa en croisant les mains derrière la nuque. En observant les figurines disposées sur les étagères, il remarqua qu'il avait souvent façonné des chevaux depuis qu'il habitait à la ferme. Pas étonnant qu'il ait eut tant de facilité à réaliser le cavalier avec le grillage, songea-t-il. Aussi, il adorait la présence rassurante des chevaux de monsieur Martin. Il se mit alors à penser à Lisa qu'il avait à peine remarquée tellement il était absorbé par son travail. Cette fille couverte de farine ne lui avait pas semblé particulièrement attrayante avec ses cheveux pleins de colle. Il grimaça à l'idée qu'elle puisse s'intéresser à lui.

Pendant qu'il était perdu dans ses pensées, quelque chose cogna à la fenêtre dont les rideaux étaient ouverts. Il sursauta. Comme la nuit était tombée, il éteignit la lumière de sa chambre pour tenter de distinguer ce qui se passait à l'extérieur. Il s'approcha doucement de la fenêtre et scruta le stationnement éclairé par le lampadaire. Il remarqua une ombre derrière le buisson. Lorsque celle-ci s'approcha de la fenêtre, il reconnut Marjorie.

Il déverrouilla la fenêtre et ouvrit le battant.

— Marjorie?

— Qu'est-ce que tu foutais, merde? Ça fait plus d'une heure que je poireaute ici en t'attendant!

— Mais pourquoi tu n'es pas...

— Aide-moi à entrer! ordonna-t-elle.

Marjorie se donna un élan et se projeta sur le rebord de la fenêtre qui lui arrivait aux épaules. Déconcerté, Léo l'agrippa par la ceinture et l'aida à se hisser à l'intérieur où elle alla choir sur le plancher en s'éraflant la hanche sur le coin du bureau.

— Aïe... merde!

— Désolé...

Léo referma aussitôt le battant.

— Pourquoi tu n'es pas entrée par la porte? Les Martin auraient été contents de te revoir tu sais...

— Un peu trop, ouais... Et puis ils m'auraient sûrement reconduite chez moi avant que j'aie eu le temps de te parler.

Léo n'osait pas allumer la lumière, sentant qu'il enfreignait les règles de la maison. Par la lueur venant de la fenêtre, il pouvait voir Marjorie qui s'était assise sur le lit et frottait sa hanche endolorie. Elle portait son vieux jean et son chandail en coton ouaté noir. Elle tirait sur les manches qui lui couvraient les jointures. Un silence gênant indisposait Léo.

— Tu fais du théâtre maintenant?

— Euh, non.

— Je t'ai vu ce midi dans le local des arts avec le *nerd* et les autres nuls...

— Ils ne sont pas nuls, et je les aide avec les décors.

— Est-ce que tu vas jouer dans leur pièce débile?

— Non.

Léo fit pivoter le fauteuil et se retrouva face à Marjorie. Leurs genoux se frôlaient.

— Qu'est-ce que tu es venue faire ici? demanda-t-il sans la quitter des yeux.

— J'avais besoin de prendre l'air, ok?

Léo l'observa un moment avant de poursuivre. Son regard était dur et elle semblait de mauvaise humeur.

— Comment es-tu venue?

— À pied.

— De chez toi?

— Ouais.

— Ça doit bien prendre des heures?

— Mais non, idiot! J'habite chez mon père maintenant. J'te l'ai dit l'autre jour.

— Il est sorti de...

— Quoi?

Devant l'air courroucé de Marjorie, Léo s'empressa de changer de sujet.

— Il habite où?

— À une vingtaine de minutes, dit-elle en fixant le plancher.

— C'est pas trop loin du séminaire...

— Pas trop, mais je dois quand même prendre le bus quand Elliot ne vient pas me chercher.

Léo sentit monter une pointe d'animosité pendant que Marjorie baissait subtilement les yeux: il n'aimait pas cet Elliot.

À la vue des traits de Léo qui se renfrognait, Marjorie éclata de rire.

— T'es jaloux!

— Jamais de la vie! s'exclama-t-il, piqué au vif.

Mais Marjorie, qui pouvait lire à travers lui, ne laissa pas passer l'occasion. Elle lui agrippa les genoux et le tira jusqu'à elle avant de le prendre par le cou et de plaquer son visage tout près du sien.

Léo était stupéfié. La proximité de Marjorie le laissait hors d'haleine.

Marjorie sentait le cœur de Léo battre frénétiquement. Elle eut une envie irrésistible d'embrasser ce bel adolescent naïf qui gardait les bras appuyés sur les accoudoirs. Elle avança ses lèvres et frôla celles de Léo qui goûtait une fille pour la première fois. Puis elle l'embrassa, le forçant avec sa langue à ouvrir la bouche.

Une vague brûlante déferla dans tout le corps de Léo, paralysé de désir. Il aurait voulu que ce moment ne s'arrête jamais.

Quelques secondes plus tard, elle retira ses lèvres, le tenant toujours par le cou.

— C'était la première fois, n'est-pas?

Léo aurait voulu la convaincre qu'il n'était pas aussi chaste qu'elle le croyait, mais c'était peine perdue. Son regard se perdait dans celui de Marjorie. Elle l'embrassa à nouveau et cette fois elle l'attira sur le lit où il roula sur elle. Leurs lèvres se soudèrent et Léo pouvait sentir les jambes de Marjorie s'enrouler autour des siennes. Il roula sur le côté et la serra de toutes ses forces, avide et hors d'haleine. Marjorie frottait son corps contre le sien et l'entraîna dans un mouvement auquel il ne pouvait résister. Il ressentait une merveilleuse douleur. Il était déchiré entre le désir qui le rongeait et la gêne de ne pas savoir quoi faire. Ses lèvres cherchaient maladroitement celles de Marjorie. Ses mains exploraient timidement son corps ferme et son intimité. Lorsque Marjorie entreprit de détacher sa ceinture, la panique coupa son excitation. Pendant qu'il était ivre de sa présence, de sa bouche et de sa peau, quelque chose le tira de son extase: on venait de frapper à la porte.

— Léo... est-ce que tu dors ?

Ils se redressèrent aussitôt. Léo tendit l'oreille, haletant, tous les sens aux aguets. Il laissa madame Martin répéter sa question sans répondre. Les yeux noirs de Marjorie l'intimidaient et la panique s'empara de lui. Il se leva d'un bond et se tint debout au milieu de la pièce sombre, à bout de souffle.

***

En cette fraîche matinée d'octobre, la maison des Dussault-Allard était silencieuse. Bien que le réveil indiquât neuf heures, Marielle se sentait fourbue. «Dieu merci... c'est samedi!» Elle s'étira longuement avant de sortir du lit. Marc avait dû se lever tôt pour aller au bureau. La situation de son entreprise le préoccupait au plus haut point et il travaillait de plus en plus souvent les fins de semaine. Marielle enfila son épaisse robe de chambre en ratine et alla d'abord s'assurer que Léo dormait toujours. Il se levait tôt tous les matins de semaine pour son entraînement et se couchait rarement avant vingt-trois heures. Il pouvait bien dormir tard aujourd'hui, pensa-t-elle. Elle le réveillerait un peu avant l'heure du dîner. Puis, elle se dirigea vers la chambre de Junior et poussa la porte. Son jeune enfant ouvrit les yeux et les referma aussitôt.

— Bonjour, mon trésor...

Elle alla s'asseoir sur le lit et lui caressa la tête. Junior grogna et se frotta les yeux.

— C'est l'heure de se lever, mon bébé.

Junior semblait prêt à se rendormir quand tout à coup il ouvrit les yeux et s'assit dans son lit.

— On va chercher les citrouilles ce matin? demanda-t-il, tout sourire.

— Oui, mon chou. Mais on va d'abord prendre le temps...

— Je vais le dire à Léo! s'écria-t-il en sautant en bas du lit.

— Eh... pas si vite! Il dort encore...

Marielle n'eut pas le temps de le rattraper avant qu'il entre dans la chambre. Il s'approcha du lit et fut déçu de constater que Léo dormait.

— Ne le réveille pas! Il a besoin de se reposer, chuchota Marielle.

C'était peine perdue. Junior monta doucement sur le lit et souleva la couverture avant de se blottir contre son grand frère qui grogna. Léo ouvrit un œil et sourit en apercevant la frimousse de Junior. Il le serra contre lui et remonta la couverture par-dessus leurs têtes.

— Bon, eh bien tant pis pour la grasse matinée! laissa tomber Marielle en sortant de la chambre. Je vous prépare des chocolats chauds?

— Oui! entendit-elle crier en descendant l'escalier.

Lorsque Léo était rentré à la maison la veille, Junior ne l'avait pas quitté d'une semelle jusqu'à l'heure d'aller dormir. Quant à sa mère, elle était toujours aussi attentionnée envers lui, bien qu'il ait noté chez elle une plus grande nervosité qu'à l'habitude. Ce soir-là, Marielle avait semblé faire des efforts pour participer à la conversation.

Dix minutes plus tard, ils étaient attablés devant leur déjeuner.

— Tu ne t'es pas couché trop tard hier soir, j'espère, demanda Marielle.

— Minuit, peut-être.

— Si tard que ça! J'aurais bien aimé que tu récupères un peu de sommeil. Je suis presque soulagée que l'ordinateur des Martin ne soit pas très efficace. Sinon, tu passerais tes nuits entières devant l'écran.

— Justement, je me reprends la fin de semaine! Et puis je clavardais avec Mathieu.

— Tu sais que je vais le voir cette semaine.

— J'aimerais tellement y aller avec toi, se plaignit Léo.

— Je sais. Si tu n'avais pas tes travaux à préparer et tes entraînements...

— Je sais, je disais ça comme ça.

141

— Pourquoi t'as pas appelé cette semaine? lui reprocha Junior en sirotant bruyamment son chocolat chaud.

— Excuse-moi, Junior, j'ai été très occupé.

— C'est vrai, tu sais, ajouta Marielle. Ça nous manque de ne pas avoir de tes nouvelles.

— C'est que je donne un coup de main à Jean-G pour les décors de théâtre.

— C'est pour quand cette pièce au fait?

— Dans deux semaines, je crois.

— Je parie que ces décors seront magnifiques.

— Je veux les voir! dit Junior.

— D'accord, on essaiera de t'emmener.

— Mais d'abord on va chercher les citrouilles, hein?

En réalité, Léo n'avait pas clavardé qu'avec son cousin. Il avait surveillé l'indicateur de Marjorie en espérant qu'elle se connecte sur Internet durant la soirée, ce qu'elle fit vers vingt-trois heures. Ils avaient échangé leurs adresses électroniques quelques jours auparavant.

Marjorie était confinée à la maison parce que son père l'avait surprise plus d'une fois à s'éclipser le soir. Une nuit, lorsqu'elle était revenue chez elle après une fugue de plusieurs heures, elle avait eu la surprise de le trouver debout, en état d'ébriété. Une violente dispute avait éclaté entre eux et il avait menacé de la retourner chez sa mère si elle refusait de suivre les règles.

Léo n'avait pas cessé de penser à elle depuis cette soirée où elle s'était introduite dans sa chambre, et dans son intimité. Rien que l'idée de son corps allongé près du sien l'empêchait de s'endormir le soir. Il en avait voulu un peu à madame Martin d'avoir gâché ce moment merveilleux qui s'était soldé par le départ précipité de Marjorie. Sa chambre lui avait alors parue bien vide, tout comme son porte-monnaie, puisqu'il lui avait à nouveau prêté de l'argent. Ils ne s'étaient pas revus depuis, mais Léo avait eu envie de l'appeler mille fois. Il rêvait jour et nuit de la revoir, de la tenir à nouveau contre lui et de fondre sous ses caresses. Il s'était contenté de vérifier discrètement si elle était en ligne sur Internet à partir de l'ordinateur de la ferme, en vain. Il était hors de question qu'il raconte son aventure à qui que ce soit, surtout pas à Jean-Gervais qui n'aurait pas cessé de lui rebattre les oreilles avec sa désapprobation. Lorsqu'elle se connecta enfin, la veille au soir, il devint fébrile d'excitation. Mais son plaisir fut de courte durée car la Marjorie passionnée qui s'était introduite dans sa chambre avait encore une fois fait place à l'adolescente amère, dépourvue de gentillesse. Elle semblait en vouloir au monde entier qui ne comprenait rien à sa vie, particulièrement à son père, un ivrogne qui aurait dû rester en prison. Ses sentiments pour sa mère et son nouveau copain n'étaient guère plus respectueux, et Léo ne trouva pas le courage de lui parler des sentiments qu'il éprouvait pour elle.

Le dimanche avant-midi, Léo et Junior s'installèrent à la cuisine pour décorer les grosses citrouilles qu'ils avaient achetées la veille. Plus tard, dans l'après-midi, Marielle et Marc s'absentèrent et Léo en profita pour décorer l'extérieur de la maison avec l'aide de Junior qui adorait la fête de l'Halloween. Ils en profitèrent pour rassembler les accessoires du costume de *jedi* que porterait Junior pour l'occasion. Celui-ci insista pour que Léo se déguise également et lui fit promettre de venir passer l'Halloween avec lui, même si c'était un soir de semaine.

— Je vais être là, Junior, je te le promets. En attendant, ne bouge pas. Je vais chercher l'appareil photo.

Les garçons s'amusèrent à prendre des photos et Léo programma l'appareil pour avoir le temps de se placer devant l'objectif, aux côtés de son frère. Plus tard, ils s'installèrent à l'ordinateur de Marielle pour visionner les photographies. Quelques-unes d'entre elles étaient assez réussies et Léo les imprima en double.

Junior sembla tout à coup fatigué de sa journée. La fin de semaine avait été bien remplie. Il s'allongea sur le divan où Léo l'enveloppa dans une couverture. Il s'endormit aussitôt. Léo observa ses traits détendus et remarqua à nouveau qu'il avait maigri. La rondeur de son visage enfantin avait disparu et son corps allongeait presque à vue d'œil. Cette poussée de croissance lui demandait beaucoup d'énergie.

Léo profita de cette accalmie pour regarder d'autres photographies qui se trouvaient dans les fichiers que Marielle classait méthodiquement, par mois et par année, sur son disque dur. Les plus vieilles dataient d'une douzaine d'années, à l'époque où Marc lui avait offert son premier appareil photo numérique. Il ouvrit quelques fichiers et constata qu'il y avait très peu de photos de lui avant l'âge de neuf ou dix ans. Elles se faisaient plus nombreuses à partir des années suivantes, particulièrement à l'époque de la naissance de Junior. Il eut envie de fouiller dans les vieilles boîtes à chaussures où étaient conservées les plus vieilles, mais se contenta de transférer celles de la journée dans le fichier du mois courant.

***

Le lundi matin, Léo remonta la fermeture éclair de son coupe-vent pour se protéger des rafales qui le frigorifièrent avant de monter dans la voiture. Marielle le reconduisit au séminaire ce matin-là, car elle allait prendre la route pour Saint-Sauveur tout de suite après.

— Je suis un peu inquiète pour ton père, lui confia-t-elle. Il est très anxieux depuis quelque temps. Il y a longtemps que je l'ai vu si préoccupé.

— Ouais, je trouve aussi qu'il a l'air inquiet.

— C'est cette histoire d'accréditation qui revient encore le tourmenter. La dernière fois, il avait réussi à cerner le problème et était parvenu à s'entendre avec les employés. Mais cette fois...

— C'est plus sérieux ?

— Je ne sais pas trop. Il est plus réticent à en parler. Il croit qu'il s'est un peu trop éloigné de la gestion et il n'arrive pas à bien saisir les enjeux.

144

Léo remarqua que sa mère serrait les mains sur le volant. Elle aussi avait l'air préoccupée. Dernièrement, elle était plus souvent fatiguée et avait l'air vieillie, pensait-il.

— Je me sens un peu coupable de le laisser seul toute la semaine...

— Si tu veux, je peux revenir à la maison le soir après mon entraînement.

— Tu ne peux pas demander ça à monsieur Martin!

— Je pourrais prendre le bus.

— Jamais de la vie! À l'heure de pointe, ça te prendrait près de deux heures avec les transferts. Et puis je ne crois pas que ton père puisse te reconduire le matin. Non, Léo, c'est gentil à toi de l'offrir, mais ce ne sera pas nécessaire.

— C'est mamie qui va passer prendre Junior à l'école?

— Oui, et je ne serais pas surprise qu'elle le garde à coucher quelques soirs. Je n'ai pas osé le lui demander mais, franchement, ça libérerait ton père.

— Elle ne rajeunit pas, mamie, s'inquiéta Léo. Elle avait tellement de patience avec moi, à l'époque.

— C'est vrai. C'est beaucoup lui demander de garder Junior.

— Ce n'est pas ce que je voulais dire, maman...

Marielle posa sa main sur celle de Léo pour le rassurer.

— Je sais, Léo. Elle a pris soin de toi aussi lorsque tu étais plus jeune.

Léo se rappelait en effet le sourire et la patience inépuisable de sa grand-mère, à l'époque. Elle fut d'ailleurs une des rares personnes à bien vouloir lui parler de Samuel, son frère aîné. Malgré une sensibilité à fleur de peau, elle ouvrait ses albums photos et lui présentait son grand frère qu'il découvrait avec ravissement, mais aussi avec une certaine appréhension. Les photographies dataient de différentes époques où Samuel posait parfois en compagnie de ses parents ou de sa grand-mère. Léo buvait chaque parole, chaque information de cette époque qui ne le concernait pas et qui, pourtant, avait changé le cours de sa vie. Toutefois, depuis quelques années, Marielle acceptait de s'ouvrir de temps en temps sur ces années-là. Mais Léo lisait tant de tristesse et de regrets sur son visage que la pudeur le poussait à changer de sujet, la plupart du temps. Ce matin-là, il tenta d'aller un peu plus loin.

— Je crois qu'elle aimait beaucoup Samuel aussi, dit-il en fixant la route devant lui. Elle m'en parlait souvent quand j'habitais avec elle.

— Vraiment? Elle ne me l'a jamais dit.

Léo estima qu'il pouvait poursuivre son propos.

— J'adorais lorsqu'elle ouvrait ses albums photos et qu'elle partageait ses souvenirs avec moi, surtout ceux de Samuel. J'aurais tellement aimé le connaître, avoua-t-il avec émotion.

L'inquiétude gagna Marielle qui gardait les yeux sur la route.

— Des photos?

— Oui, de l'époque avant ma naissance. Il paraît qu'il savait que j'étais dans ton ventre, avant de...

— Je regrette, Léo...

— Il n'y a rien à regretter, maman.

— Si tu savais comme je regrette. Je regrette tellement de choses...

Léo offrit à sa mère son éternel sourire de compassion.

— C'est vrai, reprit-elle, il avait hâte de te connaître. Il m'avait même dit qu'il voulait te prêter ses jouets pendant qu'il était à l'hôpital.

— Vraiment?

Marielle se tourna vers lui.

— Il savait que tu arrivais, Léo, et il s'en réjouissait.

Léo avait la gorge nouée. Depuis aussi loin qu'il puisse se rappeler, cet aveu était la plus importante confidence de sa mère, et aussi sa première permission d'entrer, enfin, dans l'univers de Samuel.

— C'était un enfant très sage, comme toi, lui confia-t-elle, le regard plein de tendresse.

Léo tremblait. Il lui était infiniment reconnaissant de lui offrir un si beau cadeau et il eut envie de lui rendre sa gentillesse.

— Je pense que Junior s'assagit un peu lui aussi. Il a même fait une sieste hier après-midi.

— Vraiment? Mon Dieu! Ça ne lui est pas arrivé depuis longtemps. Il devait être épuisé! Vous n'avez pas dû arrêter une seconde... Espérons qu'il n'épuisera pas trop ta grand-mère et qu'elle pourra le mettre au lit avant vingt-deux heures!

**

Dès que Marielle l'eut déposé à l'école, Léo partit à la recherche de Marjorie et fit des détours entre ses cours toute la journée dans l'espoir de la croiser. Les minutes semblaient s'égrener interminablement. Même à l'heure du dîner, il avait espéré la voir se pointer au local des décors, à tout hasard. Mais elle ne donna pas signe de vie. Il s'était alors résigné à travailler un peu et avait aidé Chris et Lisa à faire progresser leur travail. L'application du papier mâché sur les pièces d'échec géantes était maintenant presque terminée. Jean-Gervais, Chris et particulièrement Lisa étaient stupéfiés par le talent et la créativité de Léo. Il avait même conçu une méthode plus efficace pour recouvrir le grillage en l'enveloppant de papier cellophane. Il avait mandaté Jean-Gervais de leur dégoter une déchiqueteuse pour ajouter le papier journal directement au mélange de colle et étendre le tout en une seule opération. Le résultat était remarquable.

— Tu es vraiment doué, le complimenta Lisa alors qu'ils s'affairaient à lisser la surface de la pièce avant que le mélange ne durcisse.

— Merci, c'est gentil.

— Je ne sais pas ce que tu fais en sport-études, ajouta-t-elle, parce que tu es de loin la personne la plus douée pour les arts que je connaisse, dit-elle en tortillant une mèche de cheveux autour de son index.

Léo sentait son regard insistant rivé sur lui, tout comme celui de Jean-Gervais qui ne manquait rien à la scène. Son irritation s'intensifia lorsque celui-ci l'encouragea d'un clin

147

d'œil. Léo n'avait aucune envie de faire plus ample connaissance avec Lisa et s'appliqua à sa tâche jusqu'au moment de quitter le local pour se rendre à ses cours de l'après-midi. Il espérait toujours apercevoir Marjorie avant la fin de la journée. Lorsqu'il referma son casier, à la fin des cours, Léo eut la surprise qu'il espérait depuis la semaine précédente. Marjorie s'avançait prestement vers lui, surveillant les alentours. Son regard était dissimulé derrière sa frange en désordre et Léo n'arriva pas à déceler à qui il avait affaire.

— Salut, dit-elle, agitée.

— Salut.

Léo sentait déjà la fébrilité le gagner et il s'en voulut d'être à nouveau si embarrassé. Il inspira profondément.

— Ça va? demanda-t-elle en dégagea son visage d'un mouvement de tête.

Léo fit signe que oui en verrouillant son cadenas. Sans la regarder directement, il ajouta :

— T'étais pas à l'école aujourd'hui?

Lorsqu'il se retourna, il vit le visage déconfit de Marjorie. Elle tordait nerveusement les manches de son chandail. Lorsqu'elle leva la tête, Léo réalisa qu'elle pleurait.

— Eh... qu'est-ce qui t'arrive?

Marjorie secoua la tête en essuyant son visage. Sa peine toucha tant Léo qu'il posa une main sur son épaule.

— Ça ne va pas?

Elle s'essuya à nouveau avec son chandail avant de répondre.

— Mon père m'a jetée à la porte!

***

Marc était en réunion avec Viviane ainsi que le contrôleur de l'entreprise depuis le début de l'après-midi. Ils avaient passé en revue chacun des griefs de la dernière année et analysé les conditions salariales de tous les employés et des directeurs concernés par ces plaintes. Marc avait l'impression de ne pas avancer d'un centimètre vers une solution pour éviter la catastrophe.

Vers dix-sept heures trente, le contrôleur fit remarquer qu'il se faisait tard, et Marc décréta que la réunion était terminée. Viviane sortit pour passer quelques coups de fil. La journée avait été épuisante. Marc appuya la tête sur sa haute chaise en cuir et ferma les yeux un moment. Il ressentait un léger étourdissement et prit conscience qu'il n'avait rien avalé depuis le matin. Il eut une pensée pour ses enfants, d'abord pour Léo qui devait être à l'entraînement à cette heure-ci. Puis, pour Junior, sa « petite tornade ». Il décida d'appeler Pierrette pour prendre des nouvelles.

— Il est en train de se régaler, lui dit-elle joyeusement.

— Vous avez plus de succès que moi pour lui faire manger autre chose que des céréales et du lait au chocolat, on dirait.

— Vous savez, on ne devrait pas sous-estimer les recettes de grand-mère... D'ailleurs, ça fonctionnait toujours avec Marielle lorsqu'elle était enfant. Elle ne pouvait jamais résister à une bonne crêpe au sirop d'érable!

— Vous en faites trop, belle-maman.

— N'exagérons rien. Junior m'a aidée à les préparer, ça l'a occupé un moment. Il a dévoré la première crêpe et en a redemandé!

— Je dois dire, avoua Marc, que je me laisserais bien tenter par une crêpe, moi aussi.

— Je vous en mets quelques-unes de côté?

— Justement, je vais essayer de ne pas trop tarder, mais...

— Rien ne presse, Marc. Je peux très bien vous les garder jusqu'à demain si vous avez besoin de votre soirée. De toute façon, j'ai dit à Junior qu'il pouvait rester à coucher ici ce soir. Je le ramènerai à l'école demain matin.

— Vous n'êtes pas obligée, vous savez.

— Mais j'insiste! affirma Pierrette. De toute façon, je lui ai promis qu'il pourrait jouer dans le bain tourbillon après souper et je ne veux pas qu'il croit que sa grand-mère ne tient pas ses promesses!

— Vous êtes certaine?

— Mais puisque je vous le dis... Allez, profitez-en pour vous reposer un peu, vous aussi.

— Je ne sais pas comment vous remercier.

— Ce n'est rien, je vous assure. Bonne soirée, Marc.

— Merci encore.

Au moment où Marc raccrocha, Viviane entra dans son bureau.

— Stéphane est parti? demanda-t-elle.

— Oui, il était aussi épuisé que moi. Et vous ne devez guère mieux vous sentir après cette longue journée.

— J'ai surtout besoin de manger quelque chose pour retrouver un peu d'énergie pour la soirée.

— Vous ne comptez tout de même pas travailler ce soir, s'opposa Marc.

— Justement, non. J'avais l'intention d'aller explorer le quartier du Vieux-Port, histoire de visiter quelques appartements intéressants.

— Ah, j'aime mieux ça!

— Le hic, c'est que ma voiture est au garage. Je me demandais si vous pouviez me déposer dans le coin avant de rentrer. J'ai noté quelques adresses que je pourrais visiter à pied.

— Ce sera avec plaisir, à condition que vous acceptiez d'abord de manger quelque chose. Je vous dois bien ça.

— C'est très gentil de votre part, Marc. J'accepte volontiers.

Marc se leva et emboîta le pas à Viviane vers la sortie.

— Où voulez-vous aller? lui demanda-t-elle.

— J'ai bien envie d'une crêpe.

***

— As-tu l'intention de retourner chez ta mère? demanda Léo à Marjorie.

— Jamais de la vie! J'aime mieux coucher dehors plutôt que de retourner vivre avec elle et son macaque!

Léo ressentit un grand soulagement de savoir qu'elle ne retournait pas habiter si loin. Ça l'aurait forcée à quitter le séminaire et à s'éloigner de lui de façon significative. D'autre part, la détresse de Marjorie le troublait et il sentait l'urgence de l'aider à trouver une solution. Il tenta d'en savoir davantage, en route vers le gymnase.

— Qu'est-ce qui s'est passé avec ton père, au juste ?

— C'est une longue histoire... As-tu du basket aujourd'hui ?

— Ouais, et je dois me dépêcher sinon toute l'équipe devra faire des exercices supplémentaires à cause de mon retard.

— Merde.

Marjorie parut contrariée. Elle recommença à frotter ses mains nerveusement.

— Écoute, Léo... j'ai besoin d'argent pour me débrouiller pendant quelques jours, juste le temps de retomber sur mes pieds, tu comprends ?

— Qu'est-ce que tu vas faire ?

— Je vais aller chez Elliot, en attendant que les choses se calment avec mon père. J'espère qu'il acceptera de me reprendre d'ici quelques jours.

Ce nom irritait profondément Léo et éveillait sa méfiance. Il ne put cacher son inquiétude.

— Tu devrais te méfier de ce gars-là. Il passe plus de temps en prison qu'à l'école, à ce qu'il paraît...

— Bon, c'est le *nerd* qui te raconte ces histoires !

Jean-Gervais se faisait en effet un plaisir de rapporter à Léo tout ce qu'il apprenait sur Marjorie et ses fréquentations, mais Léo ne répondit pas. Il y avait déjà assez d'animosité entre elle et son seul ami.

— Tout le monde connaît sa réputation... et tu devrais te tenir loin de lui.

— Je sais ce que j'ai à faire, affirma-t-elle plus durement qu'elle ne l'aurait souhaité.

Marjorie regrettait la tournure de la conversation. Elle changea de ton et poursuivit d'une voix mielleuse.

— Écoute, Léo, j'ai vraiment besoin que tu m'aides, tu comprends ? Et je te promets de te le rendre très vite.

— Marjorie, j'ai à peine une trentaine de dollars. Tu ne pourras pas t'en sortir avec ça... Qu'est-ce que tu vas faire ?

— Je vais travailler à la boutique du copain d'Elliot, mais il ne me paiera pas avant la semaine prochaine.

— Est-ce que ta mère est au courant?

— Non! Si elle l'apprenait, elle mettrait ses menaces à exécution!

— Quelles menaces?

— Le centre d'accueil!

Léo ferma les yeux : la situation devenait urgente. Marjorie reprit.

— Je te promets que je vais te le rendre cette fois, Léo. Tu veux bien m'aider, dis?

— C'est dangereux, Marjorie. Je ne sais pas...

Bien qu'il ait désespérément besoin de son argent pour ses dîners, Léo se souciait davantage de la sécurité de Marjorie. Il regarda l'horloge au fond du corridor et constata qu'il était déjà en retard. Mais il craignait davantage de la laisser partir.

— Quand est-ce que je te reverrai?

Cette remarque parut la surprendre. Léo mourait d'envie de lui avouer les sentiments qu'il éprouvait pour elle, mais il n'en eut pas le courage.

— Je vais t'appeler ce soir, lui promit-elle en le fixant droit dans les yeux. Vers huit heures, d'accord?

L'idée de ce rendez-vous téléphonique le fit frémir et le décida à lui remettre les trente dollars. Il était conscient qu'il avait très peu de chance de revoir son argent, mais le bonheur de Marjorie lui importait bien davantage. Il n'aurait qu'à se faire des sandwichs pour le reste de la semaine.

Marjorie s'empressa de glisser les billets dans sa poche. Puis, elle s'approcha de Léo et déposa un baiser sur sa joue.

— Tu es super cool! dit-elle avant de s'éclipser.

— N'oublie pas de m'appeler!

Marjorie lui fit un signe de la main et disparut derrière la longue rangée de casiers en métal. Léo fixa le couloir vide quelques instants, avant de revenir à la réalité : la séance avait débuté depuis déjà dix minutes.

Son retard valut à toute l'équipe quinze minutes supplémentaires d'exercices épuisants, ainsi que les réprimandes de l'entraîneur qui lui imposa de rester sur le banc pendant la première demie du match prévu le vendredi soir.

Il lui reprocha également de ne pas s'intégrer au groupe. Son comportement devait changer sans délai pour éviter de se faire retrancher de l'équipe.

Un peu avant vingt heures, après avoir soupé en compagnie de monsieur Martin et de Jean-Gervais, Léo finit de nettoyer la cuisine et se prépara discrètement un sandwich pour le lendemain. Il n'avait pas cessé de penser à Marjorie et attendait fébrilement son appel. Une demi-heure plus tard, il s'impatienta envers Jean-Gervais qui monopolisait la ligne du téléphone en effectuant des recherches sur Internet. Jean-Gervais remarqua l'humeur désagréable de Léo mais s'abstint de faire des commentaires.

Léo était installé dans la pièce commune pour faire ses travaux scolaires qui n'avançaient guère. Il regardait l'horloge toutes les dix minutes et maudissait le téléphone qui demeura muet.

**

La voiture de Marc remontait la rue Sault-au-Matelot, en direction d'un ancien édifice en pierre grise qui semblait en excellente condition et qui avait été converti en complexe d'habitation depuis une dizaine d'années.

— Vous pouvez me déposer ici, le remercia Viviane.

— Vous savez, je suis curieux de découvrir ce qui peut se cacher derrière ces vieux murs, moi aussi. Si ça ne vous ennuie pas, je pourrais vous accompagner?

— Je ne voudrais pas vous retenir. Vous avez déjà...

— Mais pas du tout, l'interrompit Marc qui éteignit le moteur et ouvrit sa portière. Ces vieux édifices m'ont toujours attiré. À défaut d'y habiter, ça me donne un prétexte pour y jeter un coup d'œil.

Viviane accepta son offre avec plaisir.

Le premier appartement qu'ils visitèrent offrait une vue partielle sur le fleuve et sur le pont de l'île d'Orléans, mais s'avéra hors de prix. Lorsque le concierge leur ouvrit la porte de l'appartement du troisième étage, Marc fut charmé par le cachet ancestral des lieux, les murs en vieilles pierres et les hauts plafonds aux poutres exposées. L'endroit ne comptait que trois pièces exiguës, mais la hauteur des voûtes lui donnait un aspect plus vaste. Comme l'appartement était situé au dernier étage de l'immeuble, les fenêtres donnaient sur les édifices avoisinants, mais offraient par contre une vue sur une des rues piétonnières les plus achalandées du quartier. Marc tentait de contenir son enthousiasme car il ne voulait pas influencer indûment son adjointe. Celle-ci nota tout de même qu'il partageait son plaisir à se trouver dans ce lieu accueillant.

— Quand sera-t-il libre? s'informa Viviane auprès du concierge.

— Dès maintenant, en sous-location. Le locataire a dû partir avant la fin du bail et il espère bien le sous-louer avant le mois de juillet.

— Je croyais qu'il s'agissait d'un condominium, s'étonna Marc.

— Les trois appartements du côté nord sont en location. Ceux du côté sud seulement sont en copropriété, mais il n'y en a aucun de disponible.

— Ça ne fait rien, annonça Viviane. Je ne tiens pas à acheter si vite de toute façon. Et puis la location me permettra de me familiariser avec le quartier jusqu'en juillet. Je pourrai ensuite décider si j'ai envie de m'établir ici à plus long terme.

Marc constata que Viviane paraissait tout à fait à l'aise dans cet endroit. Il se surprit à s'imaginer vivre, lui aussi, dans un appartement situé au cœur d'un quartier en effervescence. Pendant quelques années, il avait habité un logement se trouvant au-dessus d'une de ses pharmacies, située non loin de là. Bien que cette période fût une des plus pénibles de sa vie, il avait apprécié la vie de citadin. Ce n'était certes pas l'endroit idéal pour élever des enfants et, de toute façon, sa vie de banlieusard lui plaisait et lui apportait de nombreuses satisfactions.

— L'appartement est entièrement meublé et tout ce que vous voyez ici est fourni avec la location, précisa le concierge.

Viviane parut ravie. Elle arpenta encore un peu la pièce où deux causeuses en cuir et deux tables d'appoint meublaient sobrement le salon. Un guéridon se trouvait près de l'entrée et une table ronde et quatre chaises en bois garnissaient la salle à manger. Le mur de pierre se poursuivait jusque dans la chambre à coucher meublée d'un lit et d'une commode. L'étroite cuisine équipée du minimum nécessaire était ouverte sur le salon et bénéficiait de la luminosité qu'offrait la fenestration de la pièce principale.

— Sans vouloir vous bousculer, reprit le concierge, je vous suggère de ne pas trop tarder si vous êtes intéressés. Cet appartement s'est libéré vendredi et je doute qu'il soit disponible encore longtemps, ajouta-t-il à l'attention de Marc.

Celui-ci s'apprêtait à répondre lorsque Viviane intervint :

— Nous le prenons, annonça-t-elle en regardant Marc intensément. Puis, sans lui laisser le temps de réagir, elle proposa au propriétaire de préparer le bail qu'elle passerait signer le lendemain en apportant un chèque pour payer le premier mois de loyer.

Quelques minutes plus tard, Viviane et Marc se retrouvèrent sur le trottoir devant l'immeuble. L'air s'était rafraîchit et Marc remonta le col de son veston.

— Excusez-moi pour tout à l'heure, commença Viviane.

— Mais pourquoi donc ?

— Je ne voulais pas qu'il sache que j'y habiterais seule. J'évite toujours de me rendre vulnérable devant d'éventuels propriétaires et, puisque vous étiez là, l'occasion était trop belle pour ne pas la saisir.

Viviane scrutait le visage de Marc dans l'espoir d'y trouver de la compréhension.

— J'avais deviné, et je suis tout à fait d'accord avec vous. Vous avez bien fait.

Ils marchèrent en direction de la voiture. Marc songea aux difficultés auxquelles Viviane devait faire face en vivant seule et s'étonna à nouveau qu'elle ne partage sa vie avec personne.

— Si vous voulez, ajouta-t-il, je peux très bien signer le bail avec vous, histoire de confirmer votre statut, en quelque sorte.

— Vous feriez ça ?

— Bien sûr.

— Vraiment, je n'en demandais pas tant. Mais si vous êtes sérieux, alors j'accepte volontiers.

— Mais ne vous avisez pas de prendre du retard dans le paiement de votre loyer, sans quoi je le saurai et je le retiendrai directement sur votre paye!

— Soyez sans crainte, répondit Viviane, ravie.

Elle s'arrêta à la hauteur de la voiture.

— Je vous remercie infiniment pour tout ce que vous faites pour moi, Marc.

— Je vous raccompagne si vous voulez.

— Ce ne sera pas la peine. Je vais marcher un peu dans le quartier. Et merci encore pour tout.

Marc la salua d'un signe de tête et s'éloigna en lançant :

— Évitez de rentrer trop tard... Nous avons une grosse journée demain.

— Au revoir, Marc.

Il démarra. Lorsqu'elle vit la voiture disparaître au bout de la rue, Viviane se dirigea vers la rue Dalhousie et héla un taxi.

— Où allez-vous, Madame? demanda le chauffeur.

Viviane lui donna l'adresse de son appartement et le taxi se mit en route. Puis elle composa un numéro sur son cellulaire.

— C'est moi. C'est fait.

— ...

— J'exige six mois d'avance. Et la moitié de la somme que tu m'as promise maintenant...

— ...

— C'est ça ou j'arrête.

— ...

— Non, c'est toi qui utilise la menace depuis le début! Cet emploi devait m'aider à recommencer à neuf et je devais seulement te fournir quelques renseignements. Là, tu vas beaucoup plus loin et c'est moi qui prends tous les risques...

— ...

— Je sais! Tu me le rappelles constamment!

Le chauffeur de taxi sursauta et la dévisagea dans le rétroviseur. Viviane baissa le ton.

— Je veux cet argent avant la fin de la semaine où j'arrête tout et je démissionne. C'est à prendre ou à laisser.

Elle referma son cellulaire sans attendre de réponse.

Viviane avait d'abord été accablée de remords de devoir profiter de la naïveté de Marc. En d'autres circonstances, elle aurait éprouvé de l'affection pour lui. Mais elle était prise au piège. Elle avait d'abord cru pouvoir refaire sa vie et se remettre sur pied honnêtement. Mais son passé l'avait rejointe par l'entremise de cette crapule. Elle ne pouvait se dérober à son chantage, par crainte de perdre définitivement la garde de son fils. Elle était habituée de vivre en état d'alerte, et elle ferait ce qu'elle avait à faire avant de disparaître et de repartir à zéro. De toute façon, elle n'avait plus le choix.

***

À quelques trois cents kilomètres de là, à la résidence d'Annie, Marielle raccrocha le téléphone après avoir laissé un message sur son propre répondeur.

— Ils ne sont pas là, constata-t-elle.

— Ils sont peut-être chez maman, suggéra Annie.

Marielle regarda sa montre qui indiquait vingt heures vingt-cinq. Elle se dit qu'à cette heure, Junior devait être couché. S'il n'était pas à la maison, il était forcément chez sa mère.

— Ça t'ennuie si je fais un autre interurbain? demanda-t-elle à sa sœur.

— Ne sois pas ridicule, Marielle. Avec tout ce que tu fais pour moi, tu peux bien faire tous les appels que tu voudras. Je te suis tellement reconnaissante d'avoir accepté de venir ici quelques jours! Ta présence me rassure. Tu sais, Stéphane trouve parfois que j'en fais trop et, cette fois-ci, je crois qu'il a raison!

— Je suis bien d'accord!

— Ah non, pas toi aussi! s'exclama Annie, découragée.

— Arrête de t'en faire, je blaguais.

— J'aime mieux ça. Si ma conseillère en marketing se met de la partie avec mon mari pour semer le doute dans mon esprit, alors là, je suis fichue!

— Le cinquième anniversaire de la boutique sera un succès, Annie, ne t'inquiète pas. C'est seulement sur le plan des finances que je suis moins rassurée. Tu as commandé tellement de nouvelles collections que je me demande où tu vas parvenir à toutes les mettre! Tu crois que ton voisin te louerait une partie de sa boutique?

Annie et Marielle s'esclaffèrent. Le gérant de la boutique voisine était en fait le propriétaire des deux locaux, et tout ce qu'Annie entreprenait lui semblait outrageusement exagéré. Il n'avait de cesse de lui mettre des bâtons dans les roues chaque fois qu'elle demandait des permissions pour la rénovation, l'affichage ou des activités spéciales.

Marielle appela sa mère qui lui confirma que Junior passait la nuit chez elle et qu'il s'était endormi très tôt.

— Je pense que ton mari en a profité pour se reposer un peu.

— Moi, je crois plutôt qu'il en a profité pour travailler toute la soirée.

— Il m'a semblé surmené, si tu veux mon avis. Il y a longtemps que je ne l'ai vu dans cet état.

Les paroles de sa mère s'imprégnèrent dans l'esprit de Marielle lorsqu'elle raccrocha. Elle fut tentée de composer le numéro du bureau de Marc, mais se ravisa. Elle venait déjà de faire deux interurbains sur le compte de sa sœur en plus de ceux qu'elle avait faits durant la journée. Elle essaierait plutôt de l'appeler tôt le lendemain pour s'assurer qu'il prenait soin de lui.

— Mathieu ne vient pas ce soir? s'informa Marielle.

— Non, il passe la plus grande partie de son temps chez Angéla qui habite sur le campus. Il vient nous voir le dimanche, lorsqu'il n'a plus de vêtements propres!

— Je crois que Léo et lui restent en contact par Internet.

— Je m'en réjouis. Ils ont toujours été si proches ces deux-là. Même la distance entre Québec et Saint-Sauveur n'a pu les séparer.

— Nous aimerions venir plus souvent, tu sais, mais les semaines passent si vite. Je devrai revenir dans une quinzaine de jours pour ta publicité. Peut-être que je proposerai à Léo de m'accompagner s'il peut s'absenter de l'école un jour ou deux.

— Ce serait bien que les garçons se voient. Mathieu en serait ravi. Je pense même qu'il accepterait de se séparer d'Angéla pour quelques jours afin de profiter de la présence de son cousin. Au fait, Léo s'est-il fait de nouveaux amis ou peut-être une copine?

— Tu penses... il est toujours aussi solitaire. Il bavarde de temps en temps avec un autre pensionnaire de la ferme, mais c'est tout.

— Il ne sort jamais? Même pas avec ses coéquipiers?

— Je ne crois pas, non.

Annie se garda bien de partager ses pensées profondes avec Marielle pour éviter de raviver ses remords. Léo avait passé son enfance à se languir de l'attention de sa mère et conservait sans doute des séquelles d'avoir été abandonné. Son enfance troublée avait altéré sa nature et sa confiance en lui. La fragilité et la peur du rejet guidaient encore ses pas à l'adolescence. De toute façon, pensait Annie, il avait bien le temps de s'amouracher d'une petite amie qui finirait immanquablement par lui briser le cœur. Et il avait déjà assez donné à ce chapitre.

***

Le mercredi midi, Léo se pressa dans les corridors bondés du séminaire pour se rendre au secrétariat avant que les employés ne partent pour leur dîner. Il n'était pas parvenu à croiser Marjorie à l'école et était toujours sans nouvelles d'elle. Ni ses cours, ni ses activités n'étaient assez intéressants pour l'empêcher de penser constamment à elle. Il devait avoir de ses nouvelles avant de devenir fou d'inquiétude.

Il se présenta au guichet et fut soulagé de voir les deux secrétaires toujours au poste.

— Je peux t'aider?

— Euh... oui, j'ai des notes de cours à remettre à une étudiante et je voudrais savoir quel cours elle a cet après-midi.

— D'accord. Comment s'appelle-t-elle?

— Marjorie Simard.

— Ah oui... en secondaire trois, je crois?

— Oui.

La secrétaire s'absenta pour fouiller dans son classeur puis revint au guichet. Léo sentait son cœur cogner dans sa poitrine, comme s'il était en train de commettre un délit.

— Je suis désolée, mais cette étudiante ne s'est pas présentée à l'école depuis plusieurs jours.

Le visage de Léo se décomposa : l'espoir fit place au découragement. Puis, la secrétaire demanda :

— Tu la connais?

— Oui.

La secrétaire réfléchit un moment. Léo était considéré comme un garçon responsable et studieux, ce qui contrastait avec le dossier disciplinaire de Marjorie. Elle poursuivit :

— Tu dis que tu as des choses à lui remettre?

Léo acquiesça, mal à l'aise. La secrétaire s'avança alors et appuya les coudes sur l'étroit comptoir qui les séparait.

— Quel est ton nom? demanda-t-elle.

— Léo Allard, Madame.

— Léo..., répéta-t-elle en hochant la tête, les yeux fixés dans les siens. Tu sais, Léo, son père a appelé pour dire qu'elle avait fugué et qu'il était sans nouvelles d'elle.

Léo était stupéfait. La secrétaire poursuivit :

— Cette élève semble éprouver de graves difficultés scolaires et je ne suis pas certaine que le directeur l'autorise à revenir si son absence se prolonge. Saurais-tu où elle se trouve, par hasard?

Léo secoua la tête, confondu. Pourquoi Marjorie lui avait-elle menti? Son père n'appellerait pas à l'école s'il l'avait mise à la porte. Alors qu'il tentait d'encaisser le coup, la secrétaire reprit :

— Je ne sais pas quel est ton lien avec elle mais, si tu la vois, tu lui rendrais un grand service en l'informant des risques qu'elle court de rater son année scolaire, tu comprends?

Léo hocha la tête. Marjorie avait déjà doublé son secondaire trois, en plus d'avoir été évincée de l'équipe de basketball. Maintenant, elle risquait de rater une autre année. Cette éventualité le perturbait, mais il tenta de rester impassible.

— Tu ne sais donc pas où elle est?

— Non, admit Léo.

— Tu peux me confier ces notes de cours au cas où elle revienne...

— Ce n'est pas la peine, répondit nerveusement Léo avant de s'éloigner.

Il passa l'heure du dîner dans le gymnase — qui avait été rouvert la veille — à lancer des ballons au panier, sans prêter attention à ce qu'il faisait. Son esprit était ailleurs. Il se sentait minable et ridicule de s'être amouraché à ce point d'une fille qui se moquait de lui. Pourquoi lui avait-elle menti? Pour lui soutirer de l'argent, encore une fois, se désola-t-il en donnant un grand coup de pied dans le ballon qui rebondit sur le banc de bois. Les autres jeunes le dévisagèrent. Il alla récupérer le ballon et se laissa tomber sur le banc, essayant de faire le point. Il devait trouver un moyen de la revoir pour savoir ce qu'elle éprouvait pour lui. Cette fille n'était pas comme les autres. Il n'arrivait plus à la sortir de son esprit.

Quelques minutes plus tard, Jean-Gervais entra dans le gymnase et vint à sa rencontre.

— Qu'est-ce que tu fous, Léo? lança-t-il, irrité.

— Quoi?

— On t'attendait au local pour peindre les décors...

— Merde! s'exclama Léo. Excuse-moi, Jean-G, j'avais l'esprit ailleurs, avoua-t-il penaud.

— Qu'est-ce qui t'arrive, Léo? Tu n'as pas l'air dans ton assiette?

Jean-Gervais l'entraîna à l'écart.

— Je sais, je suis un peu préoccupé ces temps-ci, c'est tout.

— Ouais, j'ai remarqué. C'est quoi au juste ton problème? C'est l'école ou le basket?

Léo se contenta de dribbler avec le ballon, sans répondre.

— Alors? fit Jean-Gervais en croisant les bras.

— Alors... rien.

— Ne me dis pas que c'est encore cette fille qui te tracasse? L'embarras qui se lisait maintenant sur le visage de Léo confirma ses appréhensions.

— Bon, qu'est-ce qu'elle a encore fait celle-là?

Léo haussa les épaules, résigné, et lui fit part de ses inquiétudes au sujet des absences de Marjorie et de sa dispute avec son père. Jean-Gervais s'exaspéra.

— Et pourquoi tu t'inquiètes encore de savoir ce qui lui arrive? Je te l'ai dit, Léo: c'est que des problèmes, cette fille... Quand vas-tu ouvrir les yeux, merde!

— Ce n'est pas elle, le problème. Elle n'a pas de chance, c'est tout! Elle ne s'entend pas avec sa mère, et son père... l'a mise à la porte, mentit-il.

— Son père? s'étonna Jean-Gervais. Tu es au courant que c'est un trafiquant, j'espère... il paraît qu'il fournit même quelques étudiants.

Léo resta sans voix. Il était abasourdi. Jean-Gervais profita de sa surprise pour tenter de le convaincre une fois de plus d'oublier sa fixation sur Marjorie.

— Écoute Léo, tout le monde raconte que son père n'est pas exactement un modèle à suivre et le gars qu'elle fréquente ne vaut guère mieux. Il exploite un comptoir d'artisanat au mail du village qui, paraît-il, lui sert de point de rencontre pour tous les drogués des alentours. Tu peux me croire, Léo, laisse tomber avant de te mêler de trop près à ces gens-là.

Léo connaissait le passé criminel du père de Marjorie par l'entremise de madame Martin qui lui en avait confié certains détails. Il refusait cependant d'admettre que Marjorie soit impliquée dans ces histoires. Pour lui, elle n'était qu'une victime de son entourage. Il gardait secrètement espoir de la ramener dans le droit chemin, celui de l'école et celui qui la mènerait vers lui.

La journée passa sans qu'il n'ait de ses nouvelles. Le lendemain, il assista à ses cours l'esprit ailleurs en regardant les aiguilles de l'horloge égrener les minutes. En début de soirée, il devait se rendre au collège de Lévis pour disputer un match. Ce matin-là, il prit soin de prévenir monsieur Martin qu'il s'y rendrait avec le père d'un de ses coéquipiers.

Sitôt ses cours terminés, Léo se dépêcha de ranger toutes ses affaires dans son casier et se hâta vers la sortie du séminaire. Il traversa le stationnement et se rendit jusqu'au chemin Saint-Félix. La température chutait à cette heure avancée et il remonta le col de son blouson pour se protéger du vent. Il commença à descendre le long chemin sur près de cinq kilomètres avant d'apercevoir enfin le centre commercial du village. Quelques minutes plus tard, il entra enfin et s'arrêta entre les portes vitrées pour profiter de la chaleur que lui offraient les calorifères. Il était transi. Il regarda dehors et se mit à imaginer le chemin du retour jusqu'à la ferme, en montant cette fois. Il décida qu'il ferait mieux de prendre le bus pour rentrer, mais réalisa qu'il ne lui restait que quelques sous. Il enfouit les mains dans ses poches et partit à la recherche du comptoir d'artisanat.

Le centre était assez achalandé à cette heure avancée de l'après-midi. Léo découvrait pour la première fois les commerces qui offraient leurs produits et services aux clients du quartier. Une boutique retint son attention quelques instants. Il s'avança devant la façade vitrée d'une animalerie où étaient alignées de nombreuses cages, hébergeant une dizaine de chatons et de chiots. Léo se désola de constater que ces petites bêtes passaient la grande partie de leurs journées enfermées, espérant que les passants s'arrêtent pour leur prêter attention. Ses parents avaient toujours refusé d'exaucer son désir d'avoir un chien, prétextant qu'il se lasserait bien vite de s'en occuper et que l'animal deviendrait rapidement un fardeau supplémentaire dans leurs journées surchargées. Il ne put s'empêcher de remarquer un très jeune chiot, un border collie, assis sagement derrière les barreaux de sa cage, offrant à Léo son regard triste. «Je te ramènerais bien à la maison, toi», pensa-t-il. Il imaginait déjà la joie de Junior à la vue de ce petit chien, en tous points pareil à Harvard.

Il se résigna à l'abandonner à son sort et continua sa recherche de la boutique. Comme le centre était petit, il ne tarda pas à la repérer. Il fit quelques pas en arrière pour s'abriter derrière une boutique voisine afin d'épier. Elliot s'entretenait avec deux garçons qu'il crut avoir déjà aperçus à l'école. Un autre employé, partiellement caché par un haut présentoir chargé de ceintures et de bracelets, répondait à une cliente. Léo devint nerveux et se sentit fautif d'avoir séché son match de basket pour venir ici, à l'insu de tous.

Lorsque la cliente quitta le comptoir, l'employé s'approcha d'Elliot et le cœur de Léo s'emballa : c'était Marjorie ! La frousse le prit et il recula d'un bond, plaquant son dos à la boutique de crainte qu'elle ne l'aperçoive. Pourquoi diable était-il si nerveux ?

Il ferma les yeux et inspira profondément pour reprendre son calme avant d'oser regarder à nouveau. Les deux garçons étaient partis et Marjorie s'entretenait avec Elliot. Léo savait que Jean-Gervais avait encore une fois raison au sujet d'Elliot. Il sentait qu'il trempait dans des affaires louches et était d'autant plus inquiet pour Marjorie, redoutant même qu'elle loge chez lui. Il regrettait son manque de courage ; son corps était paralysé et il était incapable d'avancer vers le comptoir. Il se résigna à attendre, espérant une occasion propice. Il sortit sa vieille montre au bracelet brisé qu'il conservait dans la poche de son veston. Sous la vitre égratignée, les aiguilles indiquaient cinq heures dix.

Vingt minutes plus tard, Léo était toujours adossé derrière la boutique, en position accroupie pour reposer ses jambes qui lui causaient des élancements. Il avait eu droit aux regards méfiants de certains passants, mais prenait son mal en patience. Soudain, il aperçut un agent de sécurité qui s'avançait vers lui. Il se releva aussitôt et tira sur le bas de son blouson pour le rajuster.

— Je peux t'aider jeune homme ?

— Euh… non merci, Monsieur l'agent, répondit-il nerveusement.

— Ça fait un bout de temps que tu es là, non ?

Léo se sentit tout à coup très nerveux et fuyait le regard de l'agent par crainte qu'il ne s'imagine quoi que ce soit.

— C'est que j'attends quelqu'un, dit-il, mal à l'aise.

L'agent le scrutait avec insistance. Pendant qu'il lui recommandait de ne pas traîner dans les parages, Léo vit Elliot passer derrière l'agent, le regard mauvais.

— C'est compris? insista l'agent.

— Euh... oui... désolé.

Lorsque l'agent s'éloigna, Léo reprit son souffle et s'assura qu'Elliot était parti. Il inspira profondément et se dirigea vers le comptoir, hésitant. Marjorie s'entretenait avec une cliente lorsqu'il s'approcha. Elle sentit sa présence et leva la tête.

— Léo?

— Salut, dit-il nerveusement en se raclant la gorge.

La surprise de Marjorie fut aussitôt remplacée par la contrariété. Elle jeta un coup d'œil en direction du mail, à la recherche d'Elliot qui n'était nulle part en vue. Puis elle ajouta à l'attention de Léo:

— Je suis à toi dans une minute.

Elle continua de servir la dame, qui examina longuement la marchandise avant de finir par acheter une ceinture. Marjorie termina la transaction, puis elle s'approcha de Léo.

— Qu'est-ce que tu fais ici?

— Je passais, par hasard...

Marjorie s'inquiéta.

— Tu ne devrais pas venir ici, lui dit-elle d'un ton sec, en regardant à nouveau en direction du mail.

— Je suis désolé..., commença Léo. Comme j'étais sans nouvelles de toi...

Léo était intimidé. Les traits de Marjorie s'étaient durcis et elle semblait très contrariée. Ses yeux avaient perdu leur éclat habituel.

— Ben... je travaille ici, comme tu vois.

— Et tes cours? demanda-t-il.

— Je ne sais pas si je vais y retourner. J'habite chez... un ami et j'ai besoin d'argent, avoua-t-elle, le regard fuyant.

— Tu sais que ton père te cherche?

— Qu'est-ce que tu racontes?

Cette nouvelle l'irrita. Elle regarda à nouveau en direction du mail avant de dévisager Léo.

— Et comment tu le sais?

— Ben... je le sais, c'est tout. Pourquoi tu ne m'as pas dit que tu avais fugué?

Marjorie s'agita, de plus en plus nerveuse.

— Qu'est-ce que tu racontes? De toute façon, ça ne te regarde pas!

Léo était bouche bée et Marjorie ne put s'empêcher d'être touchée par sa naïveté. Elle se radoucit.

— Écoute, Léo... si mon père apprend que je travaille ici, il va me faire arrêter, tu comprends?

Léo ne répondit pas. En fait, il sentait que le sol se dérobait sous ses pieds. Il n'arrivait pas à distinguer le vrai du faux dans les propos de Marjorie, et cette conversation s'en allait de travers. Il se demandait maintenant comment lui avouer, sans qu'elle le rejette aussitôt, qu'il était amoureux d'elle et qu'il mourait d'envie de la tenir dans ses bras. Comme toujours, le courage lui manqua et c'est Marjorie qui reprit. Elle se pencha au-dessus du comptoir et lui toucha le bras, tout en continuant de surveiller l'extrémité du mail.

— Je sais que j'aurais dû t'appeler mais j'ai été très occupée. Je suis désolée... Si tu veux, je t'appelle demain, d'accord?

Alors qu'elle terminait sa phrase, elle aperçut Elliot au bout du mail. Marjorie recommença à s'agiter.

— Tu ferais mieux de partir maintenant, insista-t-elle en retirant sa main subitement.

— Qu'est-ce que tu fais avec lui? parvint à demander Léo. Si tu as des problèmes...

Marjorie s'était déjà éloignée et s'affairait maintenant à trier quelques factures près de la caisse enregistreuse.

— Tu m'appelles demain... tu n'oublies pas?

Marjorie ne répondit pas. Léo allait lui demander son numéro de téléphone mais il s'abstint, sentant le regard insistant d'Elliot posé sur lui.

— On peut t'aider? lui lança-t-il sèchement.

Elliot avait vingt-trois ans et était presque aussi grand que Léo. Son teint sombre lui venait de ses origines indiennes et ses traits étaient durcis par d'épais sourcils noirs et des cheveux plaqués au gel. Sa proximité intimidait Léo qui décida de s'éloigner sans répondre.

***

Le match avait débuté depuis une bonne demi-heure au collège de Lévis lorsque Marc arriva dans l'étroit stationnement déjà complet. Pierrette lui avait à nouveau offert de garder Junior à coucher et il décida de profiter de sa soirée pour aller voir le match. Il pourrait peut-être même aller prendre une bouchée avec son fils avant de le ramener à la ferme. Il tourna entre les rangées de voitures pendant plusieurs minutes dans l'espoir de trouver une place. Il allait faire demi-tour vers la rue lorsqu'un espace se libéra enfin.

En entrant dans le gymnase, il se dirigea rapidement vers le groupe de parents des joueurs de l'équipe du séminaire. Sitôt assis, Marc chercha Léo du regard et s'étonna de ne le voir ni sur le terrain, ni sur le banc des joueurs. Quelques parents le toisèrent étrangement. L'un d'entre eux se tourna vers lui.

— Votre fils est-il venu avec vous ?

— Non, répondit Marc, étonné.

— Vous savez que Léo n'est pas là ?

— Que voulez-vous dire ?

L'homme sembla mal à l'aise. D'autres parents se retournèrent pour les observer.

— Il n'est pas venu au match.

— Je ne comprends pas...

— Tout le monde se posait la question tout à l'heure. Personne ne l'a vu à la fin des cours.

Marc était déconcerté. Devant son visage déconfit, les parents se consultèrent mais personne ne put fournir la moindre information.

— Je suis vraiment désolé, Marc...

Inquiet, il passa un coup de fil à monsieur Martin qui lui confirma qu'il n'avait pas de nouvelles de Léo depuis le matin.

Vingt minutes plus tard, Marc roulait en direction du séminaire, dans l'espoir de trouver son fils. Avant de quitter le match, Marc s'était entretenu avec l'entraîneur qui lui fit part de ses inquiétudes au sujet de Léo. Il avait manqué les dernières séances d'entraînement. Il l'informa également que s'il s'absentait de nouveau, il serait suspendu de l'équipe.

Marc arpenta nerveusement les corridors déserts du séminaire durant près de vingt minutes, sans trouver la moindre réponse. Même la porte du gymnase était verrouillée. Un sentiment de panique s'empara de lui. Il avait peine à garder son sang-froid.

***

Vers huit heures quinze, Léo remonta enfin la rue menant à la ferme. Il était frigorifié et avait les jambes endolories. Après avoir quitté Marjorie, il avait flâné au centre commercial pour essayer de faire le point sur la situation. Il avait utilisé toute sa petite monnaie pour s'acheter une boisson gazeuse et était resté un bon moment assis au comptoir du snack-bar, à observer les clients déambuler. De là, il avait pu voir Marjorie à travers la vitre et ses doutes s'étaient confirmés : Elliot la sermonnait en lui serrant le poignet. Rien dans sa physionomie n'avait laissé sous-entendre la moindre gentillesse à l'égard de Marjorie. Léo avait eu envie de la secourir, mais il devinait qu'il était la cause de cette dispute et avait craint d'aggraver la situation. De plus, Elliot était plus âgé que lui de plusieurs années et il devait admettre qu'il l'intimidait : Jean-Gervais lui avait suffisamment dépeint sa mauvaise réputation et il ne doutait pas une minute qu'il ait raison. Il s'était levé et s'en était allé, déçu, regrettant sa faiblesse et sa lâcheté.

Lorsque Léo tourna le coin de l'allée menant à la ferme, il s'arrêta net : la voiture de son père était garée près de l'entrée. L'inquiétude le gagna. Il redoutait que son absence ait été remarquée et ressentit une pointe de culpabilité à l'idée de l'avoir alarmé. Son esprit se mit à tourner à toute vitesse, à la recherche d'une bonne explication pour se justifier.

Madame Martin réchauffa le café de Marc qui ne cessait de vérifier l'afficheur de son cellulaire. Elle en offrit également à son mari qui refusa d'un signe de la main. Ils étaient assis à la table et un lourd silence régnait. Puis elle retourna s'asseoir dans le fauteuil berçant, devant la télévision éteinte, espérant que Léo se manifeste sans tarder.

Léo s'immobilisa sur le perron. À travers la vitre de la porte, il aperçut la silhouette des deux hommes assis à la table. La nervosité le gagna et, de sa main tremblante tant de fatigue que de stress, il tourna la poignée. En entrant dans la maison silencieuse, tous les regards le dévisagèrent.

— Léo, enfin! s'exclama Marc.

Madame Martin vint rejoindre son mari qui s'était levé au même moment que Marc. Elle lui fit un signe et ils s'éclipsèrent discrètement.

— Je peux savoir où tu étais? demanda Marc en tentant de retenir sa colère. Tu n'as pas idée de l'inquiétude que tu nous as causée!

— Je suis vraiment désolé, papa, admit Léo qui se laissa tomber sur la chaise. Je ne savais pas que tu étais ici.

Marc retourna s'asseoir à la table et appela Pierrette de son cellulaire pour la rassurer. En désespoir de cause, il l'avait appelée pour savoir si par hasard Léo l'avait contactée. Léo écouta son père, honteux, regrettant d'avoir causé tant d'inquiétude.

— Qu'est-ce qui t'arrive Léo, enfin? Ce n'est pas dans tes habitudes de rater des matchs et des séances d'entraînement! Ton entraîneur s'inquiète de ton comportement et je dois dire que je n'ai pas du tout apprécié ma soirée. Où étais-tu passé?

— Tu es allé voir le match?

— Oui, et personne ne savait où tu étais.

Léo secouait la tête, accablé. Son père méritait une explication.

— Je suis vraiment désolé. Si j'avais su...

— Léo, bon sang! Où étais-tu?

— Je suis allé au mail du village pour voir une amie.

Marc prit un moment pour absorber l'information.

— Pour voir une amie...

— Oui.

— Elle n'aurait pas pu aller voir le match, cette amie? demanda Marc sans vraiment espérer de réponse.

— Non, elle travaillait.

— Allons, Léo... ne me dis pas que tu rates des matchs pour aller voir une fille? Ça ne te ressemble pas.

— C'est une longue histoire, papa. Vraiment, je suis désolé de t'avoir inquiété.

— Ce n'est pas seulement moi, il y a monsieur et madame Martin, et j'ai aussi inquiété ta grand-mère, sans parler de tes coéquipiers et de ton entraîneur. Et je doute que monsieur et madame Martin approuvent ta conduite de ce soir.

Léo ne répondait plus. Il fixait le plancher, rongé par le remords. Il avait rarement déçu ses parents et regrettait amèrement son coup de tête qui ne lui apportait que des déceptions. Il se sentit tout à coup très fatigué et désirait plus que tout aller se blottir sous les couvertures pour oublier cette soirée.

— Je suis vraiment très fatigué, papa. Je voudrais aller dormir.

Marc se radoucit un peu en constatant l'état d'épuisement dans lequel se trouvait son fils.

— Tu es rentré comment?

— À pied.

— À pied! Mais il y a plus d'une heure de marche! Tu aurais pu m'appeler ou prendre le bus, je ne sais pas moi...

— Je n'avais plus d'argent, avoua Léo, au bord des larmes.

Marc se leva et attira Léo vers lui. Il l'étreignit un long moment, regrettant maintenant d'avoir perdu patience. Il souhaitait par-dessus tout que son fils soit en sécurité.

— L'important, c'est que tu sois rentré. Va dormir, je t'appellerai demain soir et tu me raconteras qui est cette fille qui te fait rater ton match... et marcher sous la neige pendant toute une soirée!

***

Le lendemain soir, Léo se hâta de terminer ses tâches dans la cuisine et rappela pour la troisième fois à madame Martin qu'il attendait un appel. Elle lui promit à nouveau qu'elle l'aviserait aussitôt et le vit disparaître au fond du couloir où il s'enferma dans sa chambre. Elle interrogea Jean-Gervais du regard, mais celui-ci n'eut pour toute réponse qu'un haussement d'épaules.

Assis à son bureau éclairé par la lampe, Léo prit une boule de pâte. Il n'avait pas la tête à ses études, encore tout retourné par les événements des dernières vingt-quatre heures. La journée lui avait paru interminable, particulièrement la séance d'entraînement de fin de journée. Son entraîneur lui avait donné un sérieux avertissement, et ses coéquipiers n'avaient cessé de le questionner sur son absence de la partie. Personne ne connaissait sa relation avec Marjorie, et son refus de leur donner des détails créa un froid qu'il n'était pas certain de parvenir à dissiper.

Les yeux clos, Léo pétrissait l'argile, revivant pour la centième fois le moment d'intimité qu'il avait partagé avec Marjorie. Cette fille lui remuait les entrailles; le désir se mêlait à la peur de ne plus avoir l'occasion d'être près d'elle. Doucement, au fil des minutes qui s'égrenaient sur le réveil, un personnage prenait forme entre ses mains fébriles. 20 h 55. Il modelait la pâte patiemment, peinant à lui donner le bon profil, les bonnes proportions. 20 h 56. La silhouette n'était pas assez fine. 20 h 57. Les jambes devraient être plus athlétiques. 20 h 58. La tête repose sur les épaules, il faudrait allonger le cou. 20 h 59. Son visage... 21 h. Quelle expression lui donner? 21 h 1. L'expression est trop floue. 21 h 2. Il n'arrive pas à se rappeler son visage. 21 h 3. Son regard est-il noir et dur ou invitant, insistant? 21 h 4. Son regard est fuyant... 21 h 5. On frappe. On frappe...

Léo mit quelques secondes à revenir à la réalité et comprit que quelqu'un frappait à sa porte. Il se leva d'un bond et alla ouvrir. Madame Martin sursauta.

— Doux Jésus! Tu m'as fait peur, Léo, dit-elle en lui tendant le combiné du téléphone.

Léo la remercia d'un signe de tête et s'empara de l'appareil avant de refermer la porte.

— Allô?

— Léo, c'est moi.

Léo ferma les yeux et laissa échapper un long soupir de déception.

— Allô papa, répondit-il.

— Je te dérange?

— Non, ça va.

— Tu as l'air à bout de souffle...

— Non, non, ça va.

— Écoute, j'ai pris conscience que je ne t'avais pas accordé beaucoup de temps dernièrement. Mes affaires me préoccupent plus que d'habitude et...

— Je comprends ça, papa. Je ne veux pas que tu t'en fasses avec ça. Tu sais, moi aussi j'ai été pas mal occupé dernièrement.

— J'ai vu ça, en effet. Tellement occupé que tu n'as pas le temps d'aller à tes matchs?

— Je sais, je suis vraiment désolé de t'avoir inquiété. Je te promets de ne plus m'absenter. J'aurais dû informer les Martin de mon changement de plan.

— Est-ce que je la connais?

— ...

— Léo?

— Oui?

— Je la connais?

— Non.

— C'est une élève du séminaire?

— Oui.

— Elle est jolie?

— Papa!

— Bon, bon... ça ne me regarde pas, je sais.

— Excuse-moi, papa, mais c'est embarrassant, tu sais.

— Je comprends, fiston, et tu n'es pas obligé de m'en parler si tu n'en as pas envie. Mais je ne vois pas d'un très bon œil que tu fréquentes une fille qui t'empêche de jouer au basket.

— C'était une question de circonstance, papa! Je sais que c'est con, mais j'avais vraiment besoin de la voir... Est-ce que maman est au courant?

— Non, elle est encore chez ta tante. Elle rentre samedi soir.

— Tu sais, je ne voudrais pas l'inquiéter avec ça. Ce n'est vraiment rien...

— Ne t'en fais pas, je sais bien que tu ne veux pas lui causer de souci, fiston. Je ne lui en parlerai pas... à une condition...

— Laquelle?

— Que tu acceptes de venir souper avec moi vendredi soir. Qu'est-ce que tu en dis?

— J'ai une séance d'entraînement après l'école.

— Elle finit à quelle heure?

— Dix-huit heures trente.

— J'irai te chercher à l'école à dix-huit heures trente. Tu ne te sauves pas cette fois?

— Non, t'inquiète pas.

— D'accord. Travaille bien d'ici là. As-tu besoin de quelque chose? As-tu besoin d'argent?

— Justement, oui.

— La cafétéria a augmenté ses prix, c'est ça?

— ...

— Ça coûte rudement cher, dis donc?

— Je sais. Désolé, Papa.

— Tu veux bien me passer madame Martin? Je vais lui demander de te faire un prêt jusqu'à vendredi.

— Merci papa. À vendredi.

Léo ressortit de sa chambre à la recherche de madame Martin. Il la trouva au salon. Il lui remit le combiné et s'en retourna aussitôt. En remontant le couloir, il croisa Jean-Gervais qui lui fit signe d'entrer dans sa chambre.

— À quoi tu joues, Léo?

— Laisse tomber, répondit Léo, irrité.

— C'est toi qui devrais laisser tomber. Tu étais avec elle hier soir, c'est ça?

Léo le toisa sans répondre.

— Tu ne comprends donc pas, Léo : elle sort avec un *dealer*, Elliot Pageau...

— Tu te trompes! Elle travaille pour lui, c'est tout...

— ... elle habite avec lui, Léo... ouvre les yeux, bon sang!

— Je n'en crois pas un mot! hurla Léo en serrant les poings.

— Chut! Pas si fort... Tu peux me croire, j'ai fait ma petite enquête...

— Comment ça «ta petite enquête»?

Léo restait adossé à la porte fermée alors que Jean-Gervais alla s'asseoir sur le bord du lit. Il ajusta ses lunettes et se désenroua la gorge avant de poursuivre.

— Tu sais, Léo, tu es mon ami et j'ai de l'affection pour toi. Je n'aime pas te voir courir au-devant des problèmes, dit-il en secouant la tête. J'ai pas mal de contacts à l'école qui sont au courant des allées et venues d'à peu près tout le monde...

Léo l'écoutait, retenant sa rage.

— Elle habite avec lui, répéta Jean-Gervais.

— Ce n'est qu'un ami qui l'héberge en attendant...

— En attendant quoi?

— Qu'elle puisse retourner chez son père.

— Tu es tellement naïf, Léo! Ouvre les yeux... elle te manipule! Il a probablement réussi à la convaincre de vendre sa camelote à ses amies pour payer sa part...

— Tu dis n'importe quoi!

— Ah oui? Combien lui as-tu prêté d'argent jusqu'à présent, hein?

— Elle était mal prise...

— Elle sera toujours mal prise et elle profitera de toi tant qu'elle arrivera à te soutirer de l'argent... Allume, Léo!

— Mêle-toi de ce qui te regarde! lui lança Léo, hors de lui, avant de claquer la porte.

174

Il retourna s'enfermer dans sa chambre et tenta de se calmer. Plus les minutes passaient, plus la rage et la frustration le consumaient. 21 h 31. Il se rassit à son bureau et reprit la figurine. Il inspira profondément, sans parvenir à se calmer tout à fait. 21 h 32. Ses mains tremblaient. 21 h 33. Il n'arrivait pas à retrouver sa dextérité. 21 h 34. La pâte refusait de se laisser pétrir. 21 h 35. Les traits du visage étaient faux. 21 h 36. Ça ne lui ressemble pas... 21 h 37. Pourquoi n'appelle-t-elle pas? 21 h 38. Ses mouvements deviennent brusques... 21 h 39. On frappe à la porte...

« Enfin ! » s'exclama-t-il en allant ouvrir. Madame Martin se tenait à nouveau sur le pas de la porte, plus assurée que tout à l'heure. Elle lui tendit un billet de vingt dollars.

— Tu aurais pu me dire que tu avais besoin d'argent, tu sais. Lionel et moi sommes là pour t'aider.

Léo prit le billet qu'elle lui tendait et baissa les yeux, gêné.

— J'ai cru comprendre que tu avais des nouvelles de Marjorie? dit-elle prudemment, ce qui laissa Léo sans voix. Tu sais, Léo, j'ai eu tort de te demander ton aide l'année dernière pour épauler Marjorie. C'est une jeune fille troublée qui a maintenant besoin d'aide professionnelle. Il y a quelque temps, sa mère m'a confié qu'elle s'inquiétait beaucoup pour elle. En fait, elle souhaite reprendre contact avec elle.

Léo écoutait attentivement, espérant apprendre quelque chose qui puisse l'aider à se rapprocher d'elle.

— Tu sais, sa mère a elle-même de grandes carences, je l'avoue. Mais une mère sait toujours quand son enfant est en difficulté. Ça n'est peut-être pas une bonne idée de te lier avec elle en ce moment.

— Vous en avez parlé à mon père? s'inquiéta Léo.

— Non, mais je crois que tu ferais bien de lui en parler bientôt. Il saura certainement te conseiller.

— Je vous remercie pour l'argent.

— Il n'y a pas de quoi, Léo. Bonne nuit.

Léo referma la porte et s'y adossa, déçu. Le réveil indiquait 21 h 43. Il savait maintenant qu'elle n'appellerait pas. Il se rassit à son bureau et rangea le billet. Puis, il observa longuement la forme imprécise, inachevée. Ratée. Elle ne lui ressemblait pas, il n'avait pas réussi à lui donner vie.

«Et s'ils avaient raison?»

L'intense douleur du rejet lui comprimait la poitrine, trop semblable à celle qu'il avait combattue durant tant d'années. Il prit la figurine fraîche dans sa main et referma les doigts, d'abord doucement, puis désespérément, jusqu'à ce que la pâte grise jaillisse entre ses doigts crispés, jusqu'à ce que même le souvenir de cette figurine se soit effacé de son esprit.

Le réveil indiquait maintenant 21 h 45. Il le retourna contre le mur, en pénitence, pour qu'il cesse de le narguer, de tourner le fer dans la plaie. Sur les étagères, sa famille le surveillait. Les autres figurines lui jetaient des regards interrogateurs. Seule sa mère le rassurait. Il essuya ses larmes du revers de la manche et éteignit la lampe.

***

Le stationnement du séminaire était presque désert à cette heure avancée, et Marc gara sa voiture tout près de l'entrée. Il était arrivé une vingtaine de minutes en avance et en profiterait pour regarder la fin de la séance. Il espérait passer un peu de temps avec son fils adolescent, seul à seul. Léo avait changé dans les derniers mois et Marc comptait sur leur affection réciproque pour comprendre ses tourments et lui éviter de s'égarer.

En remontant le long corridor menant au gymnase, Marc aperçut une fine silhouette postée près de la porte. Il s'arrêta pour l'observer, à l'écart. Par l'étroite ouverture, elle épiait les joueurs. Marc perçut l'inquiétude de cette jeune fille aux aguets. Elle tirait nerveusement sur les manches d'un anorak pourvu d'un énorme capuchon lui couvrant la tête. Sentant quelqu'un approcher, elle se retourna subitement. Leurs regards se croisèrent brièvement, avant qu'elle ne déguerpisse en remontant le corridor à la hâte. Marc n'eut aucun mal à reconnaître les yeux effrayés qui l'avaient dévisagé à la ferme des Martin.

Durant le trajet, Léo résuma ses activités de la semaine et Marc lui fit part des siennes. Avant de rentrer, ils s'arrêtèrent au restaurant du coin où Léo commanda la même chose que d'habitude : un sandwich au fromage grillé et une montagne de frites.

Lorsque les assiettes furent vidées et récurées, la serveuse apporta un deuxième chocolat chaud à Léo ainsi qu'un café noir pour Marc.

— Alors, dis-moi... as-tu réussi à voir ta copine?

— Ce n'est pas ma copine, papa. C'est une amie.

— Ah... d'accord, acquiesça Marc qui espérait en savoir davantage.

Comme Léo semblait perdu dans la contemplation de son chocolat chaud, il fit une nouvelle tentative.

— J'ai vu ton ancienne colocataire tout à l'heure.

— Comment? répondit Léo en redressant la tête.

— Comment s'appelle-t-elle déjà... elle était pensionnaire à la ferme l'an dernier... Mélanie...?

— Marjorie.

— Oui, Marjorie.

— Tu l'as vue?

— Elle était près du gymnase lorsque je suis arrivé. J'ai eu l'impression de la faire fuir...

— Elle était là?

— Hum, hum...

Léo replongea son regard au fond de sa tasse, estomaqué. Elle était venue et il l'avait manquée. La déception transforma son visage.

— C'est elle que tu étais allé voir mardi soir, n'est-ce pas?

Léo opina sans lever les yeux de sa tasse vide.

— Ça n'a pas l'air d'aller très fort, on dirait.

— Elle devait m'appeler, mais je n'ai pas eu de ses nouvelles.

— Et si je n'étais pas arrivé tout à l'heure, tu aurais pu lui parler. Je suis désolé, Léo, si j'avais su...

177

La serveuse apporta l'addition et Marc lui remit sa carte de crédit. Lorsqu'elle repartit, Léo s'adossa et enfouit les mains dans ses poches.

— C'est compliqué, commença-t-il.

— Ça l'est toujours, ironisa Marc. Excuse-moi... Est-ce qu'elle fréquente le séminaire?

— Plus maintenant, justement. Et je n'ai pas son numéro de téléphone.

— Il me semble que les Martin doivent l'avoir, non?

— Non, elle a déménagé.

— Si elle n'habite plus à la ferme ni chez elle, où habite-t-elle alors?

— Chez... des amis.

— Des amis?

— Ouais... c'est une longue histoire.

Marc voulait éviter de s'émouvoir des premiers tourments amoureux de son fils car il importait de redresser la situation qui risquait de le détourner de ses objectifs scolaires.

— Allez, viens, dit-il en se levant. J'en connais un qui, lui, doit être impatient de te revoir.

— On va chercher Junior?

— Oui. Il a passé la semaine chez ta grand-mère. J'ai bien peur d'avoir abusé de son aide. J'ai décidément négligé mes enfants cette semaine...

Comment son père pouvait-il penser l'avoir négligé, alors qu'il s'était tant inquiété de lui? pensa Léo. Marc était grandement préoccupé par son travail et il avait, malgré tout, pris le temps d'assister au match du mardi, en plus de l'avoir appelé le lendemain pour prendre de ses nouvelles. Ce soir, il était venu le chercher avant même de ramener Junior à la maison. Léo s'en voulut de susciter de la culpabilité dans l'esprit de son père, alors que sa propre conduite était répréhensible. Il se fit la promesse de ne plus lui causer de soucis et de se concentrer sur ses études. Il continuerait d'être un bon fils, comme il l'avait toujours été.

***

Léo se pencha au-dessus du lit de Junior qui dormait profondément. Il ne l'avait pas vu depuis une semaine et ses traits paraissaient différents, amaigris peut-être. Il caressa doucement son front tiède et se fit la promesse de lui consacrer beaucoup de temps le lendemain. Il sortit de la chambre sur la pointe des pieds et descendit au salon rejoindre son père qui repassait machinalement les canaux de télévision avec la télécommande. Il avait l'air exténué.

— Il s'est endormi? demanda Marc.

— Il dormait avant même que je remonte la couverture. Je ne l'ai jamais vu si fatigué.

— Ta grand-mère croit qu'il couve quelque chose.

— Tu as l'air inquiet, papa?

— Je le suis, mais pas trop, mentit-il. En fait, je trouve la maison bien vide quand ta mère n'est pas là. C'est sans doute pour ça que j'ai passé tant de temps au bureau cette semaine.

Léo lui enleva la télécommande et se mit à zapper à son tour.

— Est-ce que ça s'arrange?

— Au bureau?

— Ouais.

— C'est difficile à dire... c'est tellement incompréhensible!

— Moi, je pense que ça va s'arranger, papa... tu y arrives toujours, tu verras.

Marc entoura les épaules de Léo. Sa présence lui faisait chaud au cœur. Il ressentait tout à coup toute la solitude de la semaine qu'il avait passée loin de sa famille. Pas étonnant qu'il ait broyé du noir cette semaine, pensa-t-il. Pour la première fois depuis très longtemps, ses vieux démons avaient refait surface. Lors des deux soupers qu'il avait pris avec Viviane, il l'avait regardée tenir son verre et le porter délicatement à ses lèvres. Il avait salivé à l'idée du vin frais coulant dans sa gorge et étanchant sa soif. Il avait fermé les yeux, d'abord pour savourer le moment, ensuite pour l'oublier et chasser l'envie qui l'avait déstabilisé.

À son réveil, le samedi matin, Marc constata qu'il avait dormi plus tard que d'habitude. Le réveil indiquait sept heures quarante-cinq. Il remonta les oreillers et s'assit dans le lit. Il se frotta longuement le visage avant d'ouvrir les yeux pour de bon. Il avait négligé de fermer les rideaux la veille et il pouvait voir la poudrerie par la fenêtre. « Merde... voilà autre chose. » Il roula de l'autre côté du lit et se replongea sous les couvertures, regrettant l'absence de Marielle. Il eut envie de l'appeler mais n'en fit rien, sachant qu'il réveillerait sans doute sa belle-famille.

Lorsqu'il sortit de la salle de bains, il passa devant la chambre de Léo et ferma la porte pour lui permettre de dormir plus longtemps. Puis, il ouvrit celle de Junior et s'approcha du lit. Ce qu'il vit l'inquiéta vivement : le visage de Junior était enflé et grisâtre et il respirait avec peine. Il tâta son front brûlant et s'alarma davantage.

— Junior... ça va, mon ange ? Réveille-toi, fiston...

Junior gémit et peina à ouvrir les yeux. Il tendit les bras vers Marc et se mit à pleurer. Il respirait avec grande difficulté.

— Qu'est qui t'arrive, mon bonhomme ?

***

Lorsque Marielle gara sa voiture dans le stationnement de l'hôpital Hôtel-Dieu, son cœur battait à tout rompre. Elle avait précipité son retour malgré les mises en gardes d'Annie et Stéphane qui l'avaient suppliée de les laisser la raccompagner. La chaussée glissante n'avait rien arrangé et, au bout de quatre heures et demie, elle entrait à l'urgence, à bout de nerfs. Lorsqu'ils l'aperçurent, Marc et Léo se levèrent aussitôt. En larmes, elle se jeta dans les bras de Marc, incapable de parler.

— Te voilà enfin..., soupira Marc, j'étais mort d'inquiétude...

— Junior ? finit-elle par articuler.

— Il va mieux, calme-toi, murmura Marc. Viens t'asseoir un instant, dit-il en lui indiquant le siège vide à côté de Léo qui retenait à peine ses larmes.

180

Marielle l'étreignit à son tour, accablée de lui offrir une telle scène. Elle se ressaisit un peu et se moucha de ses mains tremblotantes.

— Tu es épuisée, ma pauvre chérie.

— Comment va-t-il? Qu'est-ce qu'il a?

Marc plongea son regard dans le sien, ne sachant comment lui annoncer la nouvelle.

— C'est un virus, c'est ça? Parce que moi aussi, je l'ai, ce maudit virus qui m'a foutu la diarrhée toute la semaine! Je veux le voir...

— Attends un instant, ma chérie, dit Marc le plus calmement du monde.

Puis, il la dévisagea, résigné.

— Tu m'inquiètes Marc... qu'est-ce qui se passe, à la fin!

— Tu ne peux pas le voir maintenant, répondit-il.

Léo se mit à sangloter. Marielle était terrifiée. Marc lui annonça la terrible nouvelle.

— Il est en dialyse...

— NON!!

***

En entrant dans la salle austère où les patients étaient branchés à leur machine, Pierrette Dussault avait le cœur serré. Elle ne pouvait pas croire que Samuel Jr subirait le même sort que son défunt frère. Dans l'étroite cellule où seul le son du moniteur cardiaque brisait le silence, elle vit son petit-fils gisant sous le mince drap glacé, Marielle étendue à ses côtés, le visage enfoui dans la chevelure humide de Junior.

— Ma pauvre chérie! laissa tomber Pierrette en s'approchant d'elle.

Les deux femmes s'étreignirent un long moment. Après s'être essuyé le visage, Marielle retourna se blottir contre Junior qui dormait d'un sommeil agité.

— Quand Marc l'a trouvé ce matin, tout son corps était enflé et il avait de la difficulté à respirer, dit Marielle d'une

181

voix atone. Il pouvait à peine ouvrir les yeux tellement ils étaient enflés.

— Je m'en veux tellement de n'avoir rien remarqué! J'aurais pourtant dû m'en douter... il était bien moins énergique que d'ordinaire et...

Elle s'interrompit, la voix brisée.

— Ne fais pas ça, maman! la supplia Marielle. Ne te culpabilise pas.

— Excuse-moi, ma chérie.

Pierrette avait envie de fuir cette salle effrayante où elle s'était juré de ne plus jamais remettre les pieds. Elle parvenait à peine à regarder le visage souffrant de Junior. Elle ne pouvait supporter le spectacle de ses bras percés par les aiguilles et les tubes sanguinolents qui l'entouraient. Elle posa tendrement la main sur celle de Marielle et sortit de la salle d'hémodialyse.

Dans la salle d'attente, elle retrouva Marc sirotant un café noir, le regard perdu. Léo se leva pour lui offrir son siège. Il était près de quinze heures et la salle était bondée. Cette journée de première neige apportait son lot d'accidentés et de patients de toute nature. Léo s'éloigna pour aller rejoindre sa mère, et Pierrette et Marc se réconfortèrent mutuellement.

— Je ne comprends pas, Marc. Samuel était né prématurément et c'est pour ça que ses reins avaient une malformation. Comment se fait-il que Junior souffre aussi de cette terrible maladie?

Marc secouait la tête, les yeux humides.

— Le médecin, à qui j'ai parlé tout à l'heure, a émis l'hypothèse que la maladie de Samuel n'était peut-être pas liée à sa naissance prématurée, expliqua Marc en fixant son gobelet qu'il déchiquetait nerveusement. Il pense que c'est peut-être une déficience transmise dans les gènes, mais il n'en est pas certain.

— As-tu parlé au docteur Gaulin?

— Non. Il ne vient presque plus à l'hôpital maintenant. C'est un autre néphrologue qui s'occupe de Junior.

— A-t-il dit si le petit devra subir d'autres dialyses?

— Il croit que, pour l'instant, ça pourrait être seulement occasionnel. Mais il faudra attendre avant qu'on soit fixés sur son état.

— Pas ça, mon Dieu! souffla Pierrette en faisant son signe de croix.

Marc fut tiré de sa torpeur par la sonnerie de son cellulaire.

— Oui?

— Marc, où êtes-vous?

— Viviane?

— Je vous attends au bureau depuis près d'une demi-heure. Où êtes-vous?

— Oh... Viviane, je suis désolé... je... je ne pourrai pas...

— Qu'est-ce qui vous arrive?

L'infirmière du poste de garde venait de se lever et intimait Marc d'éteindre immédiatement son cellulaire.

— Viviane... je ne peux pas vous parler... On me demande d'éteindre mon cellulaire. Nous devrons remettre cette réunion à plus tard, je vous rappellerai.

Marc éteignit son cellulaire sous le regard réprobateur de l'infirmière. Il le rangea dans la poche de sa veste et vit que sa belle-mère l'observait. Les idées se bousculaient dans sa tête et il ne lui donna aucune explication.

Lorsque Léo entra dans la salle d'hémodialyse à son tour, une préposée terminait de retirer les perfusions et comprimait la plaie de Junior qui pleurnichait. Léo ferma les yeux un moment. Il avait failli perdre connaissance deux heures plus tôt lorsqu'il avait vu Junior ainsi torturé et devait maintenant s'efforcer de rester fort pour le soutenir dans cette épreuve. Marielle s'approcha et lui prit le bras.

— C'est fini pour aujourd'hui. Ton frère est très fatigué, il ne pourra pas sortir avant demain. Ils veulent lui faire d'autres examens.

Marielle s'exprimait d'une voix monocorde, dépourvue d'émotion. Elle n'avait pas la force de réagir davantage, épuisée par le choc de la nouvelle ainsi que par les longues heures à rouler sur la chaussée enneigée.

— Tu devrais aller te reposer, maman, suggéra doucement Léo. Je peux rester avec lui.

— Non. Je ne veux pas le laisser seul.

— Il ne sera pas seul, je serai là, et mamie aussi.

Marc entra dans la salle à cet instant.

— Tu as l'air épuisée, ma chérie, dit-il en la prenant par les épaules. Tu devrais aller te reposer.

— Toi aussi, tu as l'air fatigué, lui répondit-elle en remarquant ses mains tremblotantes.

— Je vais rester ici cet après-midi...

— Papa, l'interrompit Léo, je vais rester, moi. Vous pourriez aller à la maison et revenir ce soir. Mamie sera là, elle aussi.

Marielle et Marc se regardèrent et se résignèrent à laisser Léo veiller sur Junior qui venait de s'endormir. De toute façon, il dormirait sans doute plusieurs heures. Ils embrassèrent leur jeune enfant avant de s'en retourner. Quelques instants plus tard, Junior fut transféré dans la salle des soins intensifs et Léo s'installa à son chevet. Il dut se résigner à retourner dans la salle d'attente rejoindre sa grand-mère, le personnel du département lui interdisant d'enfreindre le règlement prévoyant des visites de cinq minutes toutes les heures.

— Comment va-t-il, s'informa Pierrette?

— Il dort. Je crois qu'il va dormir un bon moment.

Pierrette manipulait nerveusement son sac à main.

— Pauvre chéri... c'est sans doute ce qu'il a de mieux à faire.

— Tu veux venir avec moi à la cafétéria? lui proposa Léo.

— Tu es gentil, mon chou. Et tu as raison, un thé me fera du bien.

Elle s'appuya au bras que lui offrait Léo et fut touchée de sa délicatesse.

— Tu es bien aimable, Léo. Les jeunes d'aujourd'hui ne connaissent plus les bonnes manières.

— Peut-être qu'ils n'ont pas eu la chance d'avoir une mamie qui les leur a enseignées...

— Tu es bien gentil, tu sais, mais je crois que tu as hérité de la galanterie de ton père. Dis-moi, ça te dit quelque chose une certaine Viviane?

***

À quelques kilomètres de l'hôpital, Viviane entra dans le bureau de Marc pour y déposer le rapport sur lequel elle travaillait. Comme les lieux étaient déserts ce samedi-là, elle fit pivoter le fauteuil en cuir usé et s'y laissa choir. Elle retira la barrette qui retenait ses cheveux et la déposa près de l'agenda qu'elle ouvrit sans gêne. En le consultant, elle nota que Marc avait bien inscrit leur rencontre de l'après-midi. En feuilletant furtivement les pages suivantes, elle découvrit quelques informations qu'elle nota sur un calepin, dont un conseil d'administration prévu pour le jeudi suivant. Une autre inscription l'intéressa particulièrement : une page du mois de décembre indiquait « Marielle à Montréal », suivie d'une flèche rayant quatre jours d'affilée.

Viviane referma son calepin et sortit du bureau. Elle prit quelques documents et partit peu après. Elle passa le reste de la fin de semaine dans son nouvel appartement.

***

Junior rentra à la maison le dimanche après-midi, toujours affaibli. Il dormit beaucoup et Léo était triste de devoir retourner au séminaire dès le lendemain.

Marielle annula toutes ses activités de la semaine pour rester avec son enfant. C'est Marc qui reconduisit Léo à l'école. Il avait dû insister pour qu'il accepte de reprendre le cours normal de ses activités. Marc souffrait de le voir si tourmenté.

— Ta mère et ta grand-mère vont rester auprès de lui aujourd'hui et tout se passera bien.

Léo n'était pas rassuré. Il s'était réjoui du retour de Junior à la maison et avait passé la soirée auprès de lui jusqu'à l'heure d'aller dormir. Il avait posé des tas de questions à ses parents sur les tenants et aboutissants de la maladie dont souffrait Junior. Ceux-ci restèrent vagues, s'efforçant de garder une attitude positive.

— Ses reins peuvent-ils guérir ?

185

— Il est trop tôt pour faire des pronostics, mon grand, mentit Marc qui refusait de laisser la panique détruire le moral de son fils.

— Tu me jures de m'appeler s'il ne va pas bien... jure-le, papa! Il aura peut-être besoin de moi, insista Léo avant de descendre de la voiture.

— Ne t'inquiète pas, Léo, je t'appellerai ce soir, c'est promis. Tout va bien aller.

Léo sortit de la voiture et prit ses affaires sur le siège arrière. Avant de refermer la porte, il demanda :

— Pourquoi je ne suis pas malade, moi?

Marc reçut la question de Léo comme un coup de poignard. Il s'était posé cette même question mille fois et, toujours, il s'efforçait d'être reconnaissant qu'au moins un de ses fils soit épargné.

— Je ne sais pas, Léo... la vie n'est pas juste.

— Pourquoi c'est Junior et c'est pas moi!

— Ne dis pas ça, Léo... on n'y peut rien, ajouta Marc, la voix brisée.

Il fit un pénible sourire à Léo avant qu'il referme la porte. Lorsqu'il eut disparu à l'intérieur de l'édifice, Marc appuya la tête sur le volant et se mordit les lèvres pour éviter de crier. «Pourquoi pas moi!» répéta-t-il plusieurs fois en se frappant le front sur le volant.

Marielle et Pierrette restèrent auprès de Junior toute la journée. Il s'était réveillé affaibli et sans entrain. Au début de l'après-midi, il s'endormit sur le divan, la tête posée sur les genoux de Marielle qui lui caressait les cheveux.

— Tu devrais en profiter pour aller dormir, suggéra Pierrette. Je vais rester avec lui.

Marielle ne répondit pas. Elle caressait machinalement la tête de Junior.

— Je suis certaine qu'il va dormir pendant un bon moment et ça te ferait du bien de te reposer un peu, tu as les yeux cernés...

— J'ai peur de le perdre! avoua Marielle, secouée de sanglots.

— Ne dis pas ça! la supplia Pierrette. Junior est résistant et son cœur est fort... Samuel était très faible.

— L'issue est la même, maman, il n'y a rien qui peut guérir un rein malade. Tôt ou tard, il faudra qu'il subisse une greffe.

Pierrette ferma les yeux et croisa les mains en prière.

«Mon Dieu, épargnez-le!» murmura-t-elle d'une voix à peine audible pour éviter d'augmenter le désarroi de sa fille.

— Je vais appeler le docteur Gaulin pour qu'il vérifie la compatibilité de nos groupes sanguins...

— Marielle, je t'en prie...

— ... et si ça s'avérait négatif, je vais remuer ciel et terre pour trouver un donneur compatible!

Pierrette pleurait à présent.

— Il n'est pas question que la maladie gagne une autre fois, maman; elle ne me prendra pas un autre fils!

L'agitation de Marielle fit sursauter Junior qui se retourna sans ouvrir les yeux.

— Tu as raison, ma chérie. Il y a sûrement un donneur compatible quelque part et nous ferons tout ce qui est en notre pouvoir pour le trouver.

Devant la gravité de la situation, Marielle ne put s'empêcher de se remémorer la tragique proposition du médecin, qu'elle regretta longtemps après le décès de Samuel. Cette fois, elle refusa de laisser la panique guider ses actions et elle se fit la promesse de garder la tête froide et de prendre les bonnes décisions, quoi qu'il arrive.

***

Quelques heures plus tôt, dans les bureaux administratifs du Groupe Allard, Michelle entra dans le bureau de Viviane.

— Excusez-moi, Viviane, mais monsieur Néron est au bout du fil et il veut absolument parler à monsieur Allard au sujet du rapport. Je lui ai dit qu'il serait de retour seulement cet après-midi, mais il insiste pour obtenir le rapport ce matin.

— Oui, je suis au courant. Le rapport est sur le bureau de Marc. Vous pouvez le lui transmettre par courrier spécial.

— Très bien.

Sur le bureau de son patron, Michelle trouva le rapport en question. Lorsqu'elle le prit, quelque chose attira son attention : une barrette était déposée près de l'agenda, ouvert au mois de décembre. Son patron refermait toujours cet agenda pour admirer le dessin que Léo y avait collé sur la couverture : un garçon en compagnie d'un chien, dans une maison. Michelle s'empressa de ressortir du bureau et retourna à son poste de travail.

***

Sur l'heure du dîner, Léo avala à peine un demi-sandwich et quelques gorgées de boisson gazeuse. Il eut envie d'appeler à la maison pour prendre des nouvelles de Junior, mais se résigna à patienter jusqu'à l'heure du souper. En se dirigeant vers le gymnase, il croisa Jean-Gervais qui l'interpella.

— Tu ne comptais tout de même pas aller perdre ton temps à lancer un stupide ballon dans un panier ?

— Salut, Jean-G, répondit Léo, adressant un signe de tête quasi imperceptible à Lisa qui souriait de toutes ses dents, en tortillant nerveusement une mèche de cheveux autour de son doigt.

— Si tu venais nous aider à l'atelier au lieu d'aller perdre ton temps, ça nous donnerait un sacré coup de main.

— Ouais, surtout que nos essais de peinture ont gâché ton beau travail, ajouta Lisa.

— Désolé, mais je n'ai pas le temps, répondit Léo, tentant de se dérober.

— Allons, je te connais... tu allais encore perdre ton temps au gymnase. Tu peux bien venir nous aider. D'ailleurs, tu me l'avais promis, Léo, rappelle-toi.

Jean-Gervais jouait la carte de la culpabilité, la corde sensible de Léo. Celui-ci regarda en direction du gymnase et réfléchit un moment.

— Je n'ai vraiment pas la tête à ça, ce midi. Désolé...

— Qu'est-ce qui t'arrive, t'a pas assez dormi ou quoi ?

La compassion de Jean-Gervais fit réfléchir Léo. En dépit de l'animosité qu'il ressentait envers Marjorie, il était un ami fidèle et discret, sur qui il avait toujours pu compter. Il décida de se confier :

— Mon frère est malade.

— Je suis désolé, Léo. C'est grave ?

Léo fit signe que oui, fuyant son regard pour éviter les épanchements embarrassants.

— C'est triste, Léo ! Vraiment, je regrette de l'apprendre. Est-il à l'hôpital ?

— Non, il est rentré hier. Il allait bien ce matin, mais... je suis inquiet.

— Je comprends. Je suis vraiment navré.

— Moi aussi, ajouta Lisa.

— Écoute, reprit Jean-Gervais avec délicatesse, je crois plus que jamais que tu devrais venir à l'atelier. Rien ne peut davantage te changer les idées que lorsque tu sculptes ou que tu crées quelque chose de tes mains. Je t'ai observé assez souvent pour savoir que le monde cesse d'exister autour de toi quand tu as de la pâte ou n'importe quelle autre matière gluante entre les mains, c'est vrai !

Jean-Gervais entoura les épaules de Léo, qui renonça à argumenter davantage. Les trois jeunes se dirigèrent vers l'atelier où Léo se désola de la piètre progression des travaux : deux des figurines étaient en effet peintes misérablement, et une autre n'était toujours pas recouverte de papier mâché.

— Je sais, déclara Chris lorsqu'il aperçut la mine dépitée de Léo. Elles sont affreuses...

Léo lui adressa un sourire poli et enfila un tablier. Décidément, aucun d'entre eux n'avait d'aptitudes pour les arts plastiques.

— Personne d'autre ne s'est porté volontaire, dit Jean-Gervais en constatant son découragement.

— J'espère qu'ils sont meilleurs acteurs ! lui chuchota Léo.

— Lisa a vraiment beaucoup de talent. Tu verras bien vendredi.

— Vendredi ?

189

— Oui, c'est le grand soir!

— Déjà!

— Et tu ferais mieux de t'y présenter sinon j'en connais une qui ne s'en remettra pas.

— Jean-G, écoute... J'espère qu'elle ne va pas s'imaginer quoi que ce soit.

— Relaxe! Elle est super gentille, tu sais, et on aura l'occasion de fêter ça après la représentation. Et y a pas qu'elle qui sera déçue si tu ne viens pas.

— Je ne crois pas pouvoir y être, je voudrais rentrer tôt après l'entraînement pour voir mon frère.

— Je comprends. Mais son état va peut-être s'améliorer d'ici là. Et puis, tu vas pouvoir passer la fin de semaine avec lui, non?

— Je ne te promets rien, conclut Léo en plongeant son pinceau dans la peinture.

Lisa, qui feignait de préparer les costumes, l'observa à la dérobée durant toute la séance.

***

Marc roulait en direction de son bureau après une rencontre avec le directeur d'une des succursales qui s'était prolongée jusqu'après l'heure du dîner. Il était deux heures quarante-cinq et il se sentait épuisé. Il bifurqua en direction de la maison et appela Viviane de son cellulaire.

— Je vais rentrer chez moi pour le reste de la journée. Vous pouvez m'appeler s'il y a des urgences...

— Justement, le médiateur a téléphoné. Il propose de fixer la rencontre avec les représentants syndicaux jeudi dans quinze jours.

— Écoutez, Viviane... je n'ai pas vraiment les idées claires en ce moment, mais il me semble que ça nous donne du temps pour nous préparer. Je vous laisse confirmer avec lui, vous voulez bien le rappeler pour moi?

— Bien sûr.

— Et le rapport?

— Votre secrétaire l'a envoyé ce matin par courrier spécial. Nous sommes dans les délais.

— Très bien. On se verra demain.

— Au revoir, Marc.

Marc referma son cellulaire quelques minutes avant de se garer devant chez lui. Il coupa le moteur et resta assis derrière le volant un moment. Il était aux prises avec une situation inquiétante pour l'avenir de son entreprise mais, en dépit de ses préoccupations d'ordre professionnel, il sentait le besoin d'être auprès de sa famille. Lorsqu'il entra, il trouva Marielle au téléphone.

— ... mais j'ai besoin de connaître ces informations!

— Je suis désolée, Madame Dussault, mais le docteur Gaulin ne donne plus de consultations. C'est le docteur Caron qui le remplace. Je peux vous fixer un rendez-vous pour le mois prochain si...

— Écoutez, Madame, s'emporta Marielle. Vous ne comprenez pas... j'ai besoin de ces résultats tout de suite, c'est une question de vie ou de mort!

— Je peux demander au docteur Caron de vous rappeler, mais je doute qu'il puisse le faire avant quelques jours.

— J'exige qu'il m'appelle aujourd'hui même, vous m'entendez!

Pierrette posa les mains sur les épaules de Marielle pour tenter de la calmer. Marielle réalisa qu'elle avait perdu son sang-froid et elle remercia la secrétaire avant de raccrocher. Lorsqu'elle aperçut Marc qui refermait la porte, elle le rejoignit et se jeta dans ses bras.

— Ça va, ma chérie?

Marielle hocha la tête.

— Et Junior?

— Il va bien, il se repose, répondit Pierrette en désignant le divan du salon où le petit dormait toujours.

— Excuse-moi, dit Marielle en se ressaisissant. C'est cette secrétaire qui ne comprend rien!

— Et alors, tu as pu avoir un rendez-vous?

— Pas encore. Elle n'a même pas pu me certifier que le docteur Caron allait me rappeler aujourd'hui, lança-t-elle d'une voix rageuse.

Marc s'assit à côté de Junior. Il toucha son front tiède et se réjouit de constater qu'il avait meilleure mine.

— Son visage a désenflé, dit-il. Il a l'air mieux.

— Il a passé une bonne journée, dit Marielle au moment où le téléphone sonna.

Lorsqu'elle s'éloigna pour répondre, Pierrette vint s'asseoir près de Marc.

— Vous savez Marc, aujourd'hui c'est de Marielle dont je m'inquiète. Elle n'a pour ainsi dire rien avalé de solide et elle est d'une pâleur inquiétante. Elle se plaignait d'avoir encore ses règles...

— Encore?

Pierrette acquiesça, l'air très inquiet.

— Il faudrait qu'elle arrive à se reposer un peu. Je reviendrai demain, mais je voudrais que vous m'appeliez ce soir pour me donner des nouvelles, d'accord?

Marc la remercia pour son soutien et sa sollicitude et l'embrassa avant qu'elle parte.

Lorsque Marielle revint au salon, elle s'enthousiasma:

— Le docteur Caron va nous recevoir jeudi après-midi, annonça-t-elle soulagée. Pourvu que les résultats soient positifs!

— Jeudi... d'accord.

— C'est un miracle que nous ayons eu ce rendez-vous! Il paraît qu'il y a jusqu'à trois mois d'attente pour rencontrer ce médecin. Je voudrais déjà y être...

***

Le mardi matin, Marc entra très tôt au bureau pour tenter de mettre un peu d'ordre dans ses affaires. Les messages téléphoniques s'accumulaient ainsi que les dossiers à traiter. Et il n'avait pas encore ouvert ses rapports financiers en vue du conseil d'administration prévu le jeudi suivant. Il devait d'ailleurs tenter de le retarder pour pouvoir se rendre au rendez-vous chez le médecin.

Viviane arriva au bureau vers neuf heures.

— Bonjour Marc, dit-elle en s'installant dans le fauteuil près de la porte.

— Bonjour Viviane.

— Comment va votre fils? s'enquit-elle délicatement.

— Il semble aller mieux, je vous remercie.

— Ça doit être difficile de vous concentrer, dans les circonstances.

— Justement, fit Marc en s'adossant, je vais avoir besoin de votre aide. Je dois trouver un moyen de faire reporter le conseil d'administration de jeudi...

— Jeudi?

— Oui, nous avons un rendez-vous très important avec le médecin.

— Mais... je ne comprends pas, s'étonna Viviane. Je vous ai pourtant informé que la date retenue pour la séance de médiation était jeudi après-midi et vous avez accepté de...

— Mais non! s'énerva Marc. Il ne s'agissait pas de ce jeudi, mais de la semaine prochaine.

— Je regrette, mais je vous ai bien précisé que ce serait jeudi de cette semaine et c'est impossible de reporter cette rencontre, Marc. Les représentants syndicaux le prendront comme un refus de médiation!

Marc se prit la tête entre les mains et se frotta le front longuement. Il avait l'impression qu'un étau lui comprimait le crâne de plus en plus au fil des minutes qui s'écoulaient.

— Écoutez, Viviane... je ne sais pas quoi vous dire. Il faut essayer de remettre cette séance, qu'elle soit devancée ou retardée.

— Je vais voir ce que je peux faire, dit-elle simplement avant de sortir du bureau.

***

Le mercredi midi, Léo et Jean-Gervais mettaient la touche finale aux décors. Ils s'affairaient à charger les pièces géantes sur un chariot pour les transporter jusqu'à l'auditorium lorsque Lisa entra en trombe dans l'atelier. En remarquant la présence de Léo, elle se détendit quelque peu.

— Je voulais te dire que ton travail était remarquable, Léo.

Il se contenta de lui sourire faiblement, se concentrant sur sa tâche.

— J'ai besoin d'un coup de main pour poser les affiches avant que la cloche ne sonne, les gars. L'un de vous deux peut-il m'aider?

Les deux garçons se toisèrent et Léo fit de gros yeux à Jean-Gervais.

— Je veux bien, répondit Jean-Gervais, ce qui eut tôt fait d'effacer toute trace d'espoir sur le visage de Lisa.

Léo se chargea seul du transport des décors. Lorsqu'il les eut installés à l'auditorium, il ramena le chariot jusqu'au local et le replaça près de la porte d'entrée. Puis, il éteignit les lumières, s'apprêtant à sortir. La première cloche avait déjà sonné et il devait se hâter pour ne pas arriver en retard à son cours. Quelqu'un se tenait debout devant la porte. Léo sursauta.

— Marjorie?

— Je peux te parler une minute? dit-elle en retenant la porte.

— Euh... c'est que... je suis déjà en retard...

— Allez..., le supplia-t-elle en le repoussant délicatement à l'intérieur du local sombre.

Léo n'opposa aucune résistance lorsqu'elle referma la porte. Il chercha l'interrupteur pour allumer, mais Marjorie l'en retint.

— Ça va moins attirer l'attention.

Tout à coup, mille questions envahirent l'esprit de Léo, incapable d'ouvrir la bouche. Il était troublé à l'idée qu'elle soit venue juste pour le voir. Elle s'avança dans la pièce sombre, jusqu'au banc adossé à la scène, et lui fit signe de la rejoindre. Il inspira profondément pour maîtriser sa nervosité grandissante. L'attitude détendue de Marjorie l'encouragea à croire que, cette fois, il avait affaire à son «côté aimable». Il pouvait facilement faire la différence : celle-ci avait le regard brillant, dégagé. L'autre l'épiait derrière sa frange épaisse, méfiante et agitée.

L'étroitesse du banc le força à s'asseoir tout près d'elle, alimentant sa nervosité. Il ne savait que faire de ses mains, les tortillant machinalement jusqu'à ce que Marjorie y pose la sienne. Ce doux contact lui fit perdre tous ses moyens.

— C'est pas encore fini ? demanda-t-elle en indiquant les décors installés sur la scène.

— Non, mais il faudra faire vite pour terminer avant vendredi soir.

— Tu vas y être ?

— Je ne sais pas, j'ai une séance d'entraînement et après, j'aimerais rentrer tôt.

— Tu es toujours aussi sage, on dirait, le nargua-t-elle.

Léo réagit aussitôt.

— Pas du tout !

Marjorie sourit.

— Tu es un élève modèle, tu étudies, tu fais tes devoirs... et tu ne sors jamais !

— Je dois rentrer tôt parce que... mon frère est malade.

— Oh... excuse-moi, je ne savais pas.

— Comment pouvais-tu le savoir ?

Marjorie semblait sincèrement navrée. Elle fit mine de retirer sa main, mais Léo l'emprisonna entre les siennes.

— Tu sais, reprit-elle, ça m'a fait plaisir que tu viennes me voir à la boutique l'autre soir. Je sais que je n'ai pas été très accueillante mais... tu comprends, Elliot n'aime pas beaucoup que je parle avec d'autres garçons.

Léo se raidit lorsqu'elle prononça ce nom.

— Je ne comprends pas ce que tu fais avec lui, Marjorie. Ce n'est pas lui qui t'aidera à améliorer ta situation.

Léo était content d'avoir réussi à lui dire ce qu'il pensait d'Elliot et se ragaillardit un peu.

— Tu écoutes les ragots maintenant, ou bien tu es jaloux ?

Il la fixa sans répondre.

— Peu importe. De toute façon, je suis retournée chez mon père.

— Sérieusement?

— Ouais. Et je vais recommencer mes cours.

— C'est génial! Tu commences quand?

— J'en sais rien encore, j'ai rendez-vous avec l'orienteur.

— Quand ça?

— Dans trois minutes! ajouta-t-elle après avoir consulté l'horloge.

Les traits de Léo s'assombrirent imperceptiblement. Il était déçu de réaliser qu'elle n'était pas venue pour lui. Marjorie plaqua son visage à deux centimètres du sien.

— Tu m'attends?

Il n'eut pas le temps de répondre. Marjorie plaqua ses lèvres sur les siennes. Ils échangèrent un baiser furtif qui laissa Léo fébrile et hors d'haleine. Il savoura chaque seconde de cet instant délicieux et la supplia presque de ne pas arrêter. Mais Marjorie se leva en douce et sortit du local.

Léo fixa la porte ouverte, dans l'espoir qu'elle revienne se blottir dans ses bras. Après s'être ressaisi, il sortit à la hâte et suivit Marjorie jusqu'à ce qu'il la voie entrer dans le bureau du directeur. Il aurait voulu l'attendre là, mais dut se résigner à se rendre à son cours.

À la fin de l'après-midi, Léo chercha Marjorie partout dans l'école. Il craignait qu'elle parte sans lui reparler. Il savait qu'il devait la recontacter très vite pour éviter que cette nouvelle rencontre ne tombe à plat comme les autres. Il vérifia même dans l'amphithéâtre au cas où elle y soit retournée pour l'attendre, mais il ne la trouva nulle part et n'avait toujours aucun moyen de la joindre. Il dut se résigner à retourner à la ferme, le cœur serré.

Ce soir-là, vers vingt-deux heures, Léo s'apprêtait à se mettre au lit. Il observa quelques minutes les photographies posées sur les étagères. Sur l'une d'elles, Junior paraissait en pleine forme: les effets dévastateurs de la maladie n'avaient pas encore fait leur œuvre. Les grands yeux bruns de Junior cherchaient l'objectif pour lui transmettre sa vitalité et son énergie. Puis, Léo regarda sa vieille photographie, rassurante. Encore aujourd'hui, à quinze ans, il y puisait le réconfort et la reconnaissance nécessaires pour surmonter les difficultés, quelles qu'elles soient.

Il se leva et éteignit la lampe avant de se glisser sous les draps. Il eut à peine le temps de se détendre qu'un caillou cogna à sa fenêtre. Il se leva aussitôt, en état d'alerte, et ouvrit le rideau sans allumer. Il pouvait entendre les aboiements du chien lui parvenir de l'autre bout de la maison. De sa chambre, il put distinguer que la lumière extérieure s'allumait. Monsieur Martin devait avoir ouvert la porte pour voir ce qui avait alerté le chien. Léo se rhabilla à la hâte, sans prendre le temps d'enfiler de chaussettes ni de chandail sous son coupe-vent. Il sortit de la chambre et se rendit au salon où monsieur Martin refermait la porte.

— Léo? As-tu besoin de quelque chose?

— J'ai entendu Harvard japper et je me demandais s'il avait envie d'aller faire une promenade.

— Je crois qu'il a entendu du bruit.

Le chien était retourné se blottir sur sa vieille couverture.

— Et toi, tu ne vas pas dormir?

— Je suis un peu nerveux. Je crois que j'ai besoin de prendre l'air avant d'aller au lit.

— Tu t'inquiètes pour ton frère?

— Ouais, mentit Léo en fixant le plancher.

— Eh bien, je crois que tu devras y aller seul. Ce chien semble trop confortable à l'intérieur. Mais ne tarde pas trop, il fait frais et il est déjà tard.

— D'accord. Ne m'attendez pas, je fermerai à clef en rentrant.

— Je compte sur toi. Je vais dormir, je suis fourbu.

— Bonne nuit.

L'air froid fit frissonner Léo qui remonta le col de son coupe-vent avant de descendre les marches de la galerie. Il avait un pressentiment et espérait ne pas s'être trompé.

Il s'approcha du buisson bordant le stationnement et l'inspecta rapidement à la lueur du lampadaire. Il constata qu'il était désert. Il fit demi-tour et s'engagea sur le chemin menant aux bâtiments. Un faible projecteur éclairait l'entrée de l'écurie dont la porte était fermée. Il hésita à l'ouvrir, craignant de faire grincer les pentures et d'alerter à nouveau le chien. Il contourna le vieux bâtiment et vit que la porte arrière était entrouverte. Son cœur s'emballa.

Léo entra dans la bâtisse humide, sans refermer la porte pour permettre aux lueurs de la lune de s'y introduire. Cette section encombrée de l'écurie était réservée au remisage du matériel. Ses yeux mirent quelques instants à s'habituer à l'obscurité. Il observa d'abord l'attirail qui s'y trouvait, puis se dirigea vers le fond, où une ouverture permettait d'aller vers les stalles, en passant par l'entrepôt du foin. Alors qu'il s'avançait prudemment dans l'entrepôt, quelqu'un l'attrapa par le bras et l'entraîna vers l'arrière de la pièce.

— Tu en as mis du temps!

— Marjorie? souffla Léo d'une voix haletante.

Elle l'enlaça et se blottit contre lui. Léo l'étreignit et la garda longuement contre son cœur, laissant son esprit déterminer s'il s'agissait d'un rêve ou de la réalité. Était-elle vraiment là, lovée dans ses bras? Il avait envie de lui parler, de lui avouer à quel point elle l'obsédait, qu'elle lui torturait l'esprit et le cœur, mais il n'osa pas briser le charme du moment. Il choisit de se taire et chercha sa bouche. Il s'aventura à l'embrasser, d'abord timidement, avant de sentir qu'elle avait le souffle court et les lèvres brûlantes. Le trouble de Marjorie lui tourna la tête et aviva son ardeur. Il la dévorait, insatiable, refusant de s'arrêter par crainte de ne jamais revivre un moment pareil, délicieux et douloureux à la fois. Il était au bord des larmes. Il avait rêvé de ce baiser durant tant de nuits!

À bout de souffle, il s'arrêta pour distinguer le visage de Marjorie. Il ne discerna que ses prunelles et sentit son souffle haletant caresser son cou; l'excitation de Marjorie augmenta son désir et il recommença à l'embrasser.

Léo était dans un état second, ivre de plaisir: la terre venait de s'arrêter de tourner. Il était au septième ciel, dans les bras de Marjorie qui désirait ce contact autant que lui. Ce moment se prolongea encore durant de longues minutes, avant qu'il ne réalise qu'elle tremblait.

— Tu as froid?

— Non, murmura-t-elle, hors d'haleine.

— Mais tu trembles...

Ce qu'il vit dans son regard le bouleversa. Il se mit à trembler à son tour. Un puissant désir l'envahit. De ses mains malhabiles, il commença à la caresser et la pressa contre lui. Il la sentit fondre sous ses caresses. La tête lui tournait et il craignit que ses jambes ne puissent le porter plus longtemps. Il enfouit son visage dans le creux de son cou pour reprendre son souffle et une douce odeur acheva d'exciter ses sens. L'odeur de Marjorie : la douceur et l'intensité fusionnées dans une même personne.

Il la guida avec difficulté jusqu'à l'entrepôt en se tenant aux murs. Il s'allongea le premier dans le foin humide, au bord de l'extase. Tout son corps s'enflamma lorsqu'elle s'allongea sur lui. Il gémit, perdu entre le plaisir et le goût de pleurer.

Puis, il sentit Marjorie se relever à demi et s'asseoir sur lui. Il resta immobile, affolé. Il voulait tant qu'elle revienne se blottir dans ses bras. Marjorie entreprit de descendre la fermeture éclair de son coupe-vent. Il s'abandonna à ses caresses et à ses lèvres humides qu'elle posa sur son torse nu. Léo crut perdre la tête : il n'en pouvait plus! Il chercha à l'embrasser, mais elle le repoussa doucement. Il ne distinguait que le profil de sa fine silhouette lorsqu'elle retira son chandail. Il laissa glisser une main maladroite sur sa peau douce et découvrit ses formes avec délices. Lorsqu'elle retira sa camisole, il regretta que la pénombre le prive du spectacle le plus sensuel de sa vie. Était-ce encore un rêve, comme tous ceux qui le gardaient éveillé la nuit, dans lesquels il avait imaginé ce moment mille fois?

Leur étreinte se poursuivit bien au-delà de ses rêves et il avoua enfin qu'il était amoureux pour la première fois.

5

Le jeudi midi, Marc roulait en direction de l'hôpital en compagnie de Marielle et de Junior qui s'était assoupi sur la banquette arrière. Il s'entretenait avec Viviane au cellulaire.

— Nous devons être à la clinique à treize heures quinze. Essayez de retarder la séance de médiation autant que vous le pourrez. J'ai pu remettre le conseil d'administration, mais je dois absolument me rendre à ce rendez-vous. Je compte sur vous pour les convaincre de retarder un peu la rencontre.

— Je ferai de mon mieux, Marc.

— Je vous appellerai à treize heures trente pour parler avec le médiateur.

— Je le lui dirai. À tout à l'heure.

Après qu'il eut garé la voiture dans le stationnement, Marielle en descendit et Marc souleva délicatement Junior pour le porter jusqu'à la salle d'attente. Une tension pesait sur la famille Allard. Marielle paraissait épuisée et elle avait le teint blafard. Son état inquiétait Marc de plus en plus, car il craignait qu'elle ne sombre dans la dépression si les résultats des analyses s'avéraient désastreux. Le spectre du cauchemar qu'ils avaient vécu quinze ans auparavant planait à nouveau au-dessus de leur tête.

Ils étaient assis dans la salle d'attente depuis une quinzaine de minutes et Marielle et Junior regardaient un livre d'images. L'usage des cellulaires étant interdit à l'intérieur de l'établissement, Marc s'excusa pour aller passer un coup de fil à l'extérieur. Il composa le numéro du portable de Viviane, mais n'accéda qu'à sa boîte vocale. Il lui laissa un bref message et se résigna à éteindre avant de retourner dans la salle d'attente. Il réessaya toutes les cinq minutes, sans parvenir à la joindre. Il regarda sa montre nerveusement. Elle indiquait treize heures quarante-cinq.

— Ça va? s'inquiéta Marielle.

— Oui, ne t'en fais pas.

Il était près de quatorze heures quand le docteur Caron les appela enfin dans son cabinet. Junior se cala dans les bras de Marielle pendant que ses parents s'entretenaient avec le spécialiste.

— Les résultats des derniers examens démontrent que les reins de votre fils fonctionnent à une proportion qui se situerait entre trente et quarante pourcent. Pour l'instant, il n'y a pas lieu d'avoir recours régulièrement à la dialyse. Des séances aux dix ou quinze jours seraient suffisantes pour décharger son système rénal. Toutefois, il faudra l'astreindre à une diète sévère, évitant le potassium et les liquides superflus. Vous devrez également vous faire à l'idée que son état puisse se détériorer rapidement et qu'il soit alors nécessaire d'accroître la fréquence des traitements.

Le médecin fit une pause avant d'ouvrir un autre dossier. Marielle balançait nerveusement la jambe en serrant Junior qui évitait de regarder l'homme en blanc. Elle secouait la tête, incapable d'imaginer que son petit, si énergique hier encore, soit si près de basculer dans un univers où elle n'avait aucune envie de retourner.

Marielle regarda le visage tourmenté de Marc et se retrouva subitement quinze ans plus tôt, dans le bureau du docteur Gaulin, au moment où il leur annonçait le terrible sort réservé à leur fils aîné, s'ils n'acceptaient pas de concevoir un donneur parfait pour trouver le rein qui lui sauverait la vie.

Marc, resté silencieux jusque-là, sentit l'angoisse le gagner lorsqu'il aperçut le visage en sueur de Marielle. Elle semblait sur le point de s'effondrer. Depuis le début de la semaine, il avait bien vu ses traits tirés et son manque d'appétit. Elle semblait même avoir perdu du poids. L'inquiétude lui comprimait l'estomac et la sensation de sécheresse dans la gorge revenait le tourmenter.

Le docteur Caron continua.

— Pour ce qui est des tests de compatibilité effectués récemment, les résultats sont positifs.

Marc et Marielle retinrent leur souffle.

— Vous êtes en effet un donneur compatible, Madame Dussault.

Marielle couvrit sa bouche pour étouffer un cri de surprise.

— Vous voulez dire..., l'interrompit Marc.

— ... que madame Dussault pourrait être considérée comme un donneur potentiel et que cette greffe aurait de bonnes chances de succès. Toutefois...

Le docteur prit le rapport dans ses mains pour mieux lire l'information qu'il leur communiquait.

— ... vos échantillons sanguins indiquent une anémie importante.

Assise sur le bout de sa chaise, Marielle avait de la difficulté à saisir les propos du médecin.

— Avant de considérer une telle intervention, d'autres examens devront être effectués pour vérifier la nature de votre anémie.

— De quoi parlez-vous au juste? s'affola Marc.

— Je n'ai pas de certitudes pour le moment, mais cette situation doit être prise au sérieux. Peut-être s'agit-il simplement de symptômes de préménopause. Cependant, nous devons éliminer toutes les possibilités.

Marielle était pétrifiée.

— Quelles possibilités? insista Marc.

— Eh bien, plusieurs conditions peuvent causer de l'anémie. Il peut aussi bien s'agir de fibromes utérins, comme il peut s'agir, par exemple... d'une leucémie.

La pression sanguine de Marielle chuta subitement. Elle devint livide. Inquiet, le docteur Caron appela une infirmière qui arriva au moment où Marielle faillit perdre connaissance.

***

Peu après quinze heures, Marc ramena Marielle et Junior à la maison. Bien qu'affaiblie et extrêmement nerveuse, Marielle refusa d'aller se reposer. Elle avait besoin de temps pour encaisser la nouvelle : elle était un donneur compatible, mais son propre état de santé inquiétait le médecin. Marc appela Pierrette qui se précipita chez eux. Il partit aussitôt pour se rendre à la séance de médiation.

Pendant qu'il était en route, il essaya à nouveau de contacter Viviane sans y parvenir. Il était près de quinze heures trente. Lorsqu'il arriva à l'entrée de l'immeuble, Viviane en sortait, l'air accablé.

— Marc ?

— Viviane, enfin ! J'ai essayé de vous joindre au moins vingt fois !

— Comment ? Mais... je ne comprends pas, fit-elle en fouillant dans son sac. J'ai attendu votre appel toute la...

— Peu importe. Comment ça se passe ?

— Mais, c'est terminé, Marc..., annonça-t-elle, navrée. Tout le monde est parti.

— Merde !

Marc et Viviane entrèrent dans le hall de l'immeuble et s'assirent sur un banc de service. Déconcerté, Marc se tenait la tête à deux mains, cherchant un moyen d'arrêter le temps. Viviane attendit le moment opportun pour lui donner les détails de la rencontre.

— J'ai retardé la réunion tant que j'ai pu, Marc. Mais, comme vous n'appeliez pas... enfin, comme je n'avais pas de vos nouvelles, la rencontre a débuté.

Marc revint à la réalité et desserra son nœud de cravate qui l'empêchait de respirer. Ses mains tremblaient. Pour la seconde fois depuis quelque temps, il ressentit une soif intense qu'il craignait de ne pouvoir étancher. Il se tourna vers Viviane, sachant que les nouvelles seraient mauvaises.

Selon elle, les employés en faveur de l'accréditation faisaient pression sur un petit groupe en alléguant la faiblesse des propositions patronales. L'absence de Marc avait été interprétée comme un affront et les employés étaient repartis, plus convaincus que jamais d'aller de l'avant avec la demande d'accréditation qui sera déposée officiellement dans quelques semaines.

— Comment cela a-t-il pu arriver! se désola Marc en secouant la tête. Je ne comprends pas... Je dirige cette entreprise depuis plus de vingt-cinq ans et je n'ai jamais vécu une situation pareille! J'ai maintenant l'impression d'être un intrus au milieu des gens que j'ai engagés, que j'ai formés et avec qui j'ai tissé des liens étroits au fil des années...

— Les affaires ne sont plus ce qu'elles étaient, commenta Viviane. Aujourd'hui, les employés privilégient leur qualité de vie personnelle au détriment du sentiment d'appartenance et du dévouement envers l'entreprise. Ils ne se soucient de rien d'autre que de leurs propres intérêts.

— Leurs revendications semblaient tellement futiles, tellement loin de la réalité! Je me suis royalement trompé en pensant que je pouvais réussir à regagner leur confiance simplement en parlant avec eux.

Au bout d'un moment, Viviane se leva et Marc l'imita machinalement. Ils ressortirent de l'immeuble. Dans le froid humide, elle demanda :

— Comment s'est passé votre rendez-vous avec le médecin?

Marc ne trouva pas les mots pour répondre et se dirigea vers sa voiture sans se retourner.

Viviane resta un moment à regarder la voiture s'éloigner. Sa mission était beaucoup plus difficile qu'elle ne l'avait imaginée. Marc était un homme attachant et généreux, et la majorité des gens qui gravitaient autour de lui l'appréciaient pour ses qualités humaines. L'affection qu'elle ressentait pour lui rendait sa tâche presque impossible. Elle craignait de ne pas y parvenir. Mais elle devait garder la tête froide. Marc représentait sa seule chance de reprendre le contrôle sur sa vie, et c'est tout ce qui comptait vraiment pour elle.

***

Aussi soudainement qu'elle était arrivée, Marjorie avait disparu dans la nuit, laissant Léo seul dans l'écurie. L'ivresse de leur rencontre s'était aussitôt évanouie, faisant place à une inquiétude accablante. Marjorie n'avait pas répondu lorsqu'il avait voulu savoir quand ils se reverraient. Son départ laissa un vide douloureux qui voilait la réalité de ce moment d'intimité. L'absence de Marjorie torturait Léo et le faisait douter de la sincérité de ses sentiments. Il souffrait à l'idée qu'elle ne partage pas les siens. Il doutait aussi de son intention d'entretenir une relation avec lui. Il ne pouvait supporter l'idée de ne plus jamais la tenir dans ses bras.

Cette nuit-là, Léo s'efforça de résister à la panique. Pour se rassurer, il tâta le lacet de cuir que Marjorie avait enroulé autour de son poignet avant de repartir. Ce lacet était bien réel et il s'accrocha à l'idée que leur relation l'était aussi.

Le lendemain, Léo chercha Marjorie dans toute l'école, arrivant en retard à ses cours et négligeant ses obligations auprès de la troupe de théâtre. En vain. Il était désespéré. Il l'avait laissée envahir son corps et son esprit, le temps d'une étreinte, puis il l'avait laissée repartir, incapable de la retenir, de l'emprisonner pour toujours.

Vers seize heures, il se résigna à appeler Marc, espérant le trouver au bureau.

— Comment va Junior? s'informa-t-il.

— Il est un peu fatigué, mais ça va, ne t'en fais pas.

— Et maman?

Marc avait convenu avec Marielle de ne pas informer Léo de leur rencontre avec le médecin. Il ne servirait à rien de l'inquiéter avec une situation encore imprécise.

— Elle a eu une semaine difficile. Elle se fait beaucoup de souci.

— Et toi? s'enquit Léo qui notait une lassitude dans la voix de son père.

— Je m'en sors... Et toi, ça va? As-tu du basket ce soir?

— Non, mais...

— Qu'est-ce qu'il y a ?

— J'ai envie de rentrer à la maison maintenant.

— Tu es sûr que ça va ?

— Oui, je voudrais juste voir Junior.

— Tu sais, Junior se couche très tôt et vous ne pourrez pas passer beaucoup de temps ensemble. Tu ne devrais pas te donner cette peine, Léo. C'est déjà jeudi et j'irai te chercher demain après l'école si tu veux.

— Madame Martin va en ville tout à l'heure et elle pourrait me laisser à la maison.

— Qu'est-ce qu'il y a Léo ?

— Rien... C'est que je vais peut-être rentrer plus tard demain. C'est la présentation de la pièce de théâtre...

— Ah oui. Je parie que tes décors sont formidables !

— Je n'ai pas vraiment envie d'y aller, papa.

— Mais tu dois être là ! Tu ne peux pas laisser tomber les membres de la troupe, ils comptent sur toi.

— C'est pour ça que je voulais voir Junior ce soir.

— Allons, ne t'en fais pas pour ton frère. Ta grand-mère est à la maison et elle passera la journée de demain avec lui.

— J'avais envie de vous voir aussi, maman et toi.

— Quelque chose te tracasse, fiston, je le sens. Dis-moi ce qui se passe.

Léo avait besoin de se confier à quelqu'un et le seul ami qu'il avait ne manquerait pas de désapprouver son aventure avec Marjorie. Il se sentait perdu et honteux aussi de s'être laissé aller à aimer Marjorie, connaissant les risques. Mais il percevait la tension dans la voix de son père et décida de ne pas lui faire part de ses tourments. Il s'efforça plutôt de le rassurer et promit de l'appeler le lendemain, après la présentation de la pièce.

***

Vers dix-neuf heures trente, Pierrette terminait de ranger la cuisine lorsque Marielle vint la rejoindre. Elle venait de border Junior.

— Il dort déjà ? s'enquit Pierrette.

— Oui, il ne m'a même pas demandé de lui lire une histoire. Il voulait juste savoir quand Léo rentrerait.

— Il s'ennuie de son grand frère, le pauvre petit.

— Peut-être plus que jamais.

Marielle fit mine de vouloir aider sa mère mais celle-ci l'obligea à aller s'asseoir au salon.

— Tu en as déjà assez fait comme ça, ma chérie. Et puis je terminerai ça plus tard. La vaisselle peut attendre.

Pierrette se désolait de voir les traits tirés de sa fille.

— Tu veux que je t'apporte une tisane ?

— Non, reste assise maman, tu en fais déjà assez, toi aussi. Je veux juste fermer les yeux et me reposer un peu.

Lorsqu'elle les rouvrit, elle fixa sa mère intensément.

— J'ai peur de replonger, maman.

— Ne dis pas ça ! Pour l'amour du ciel, Marielle, il ne faut pas broyer du noir !

Pierrette lui caressa doucement les cheveux pour consoler la petite fille terrorisée qui se blottit au creux des ses bras.

— Pourquoi ça m'arrive encore ? sanglota Marielle.

— Chut… repose-toi, tu as eu une journée difficile.

Pierrette était aussi bouleversée que Marielle, mais tentait de rester forte. Elle aussi avait l'impression de replonger dans le cauchemar qui avait frappé la famille et leur avait volé son premier petit-fils.

— Attendons les résultats des examens avant de nous inquiéter. Bien des causes peuvent provoquer de l'anémie, tu sais. Le docteur a mentionné la leucémie seulement à titre d'exemple.

— Ça m'a donné un choc de savoir que j'étais un donneur compatible…

— …

— … et que je pouvais sauver Junior !

Pierrette sentait la peur lui comprimer la poitrine.

— Tu es certaine que ce soit bien raisonnable, je veux dire, pour toi ? C'est une décision risquée qui peut compromettre ta santé.

Marielle fixa sa mère.

— Rien ne pourra m'empêcher de sauver mon fils, maman.

— Mais Junior n'en est pas encore là, Marielle. Il peut se passer beaucoup de temps avant que son état n'exige une greffe.

— Je suis un donneur compatible cette fois, maman. Que j'aie de l'anémie ou une leucémie, je m'en fous! Je ne le laisserai pas mourir!

Marielle s'était ressaisie.

— Peu importe les conséquences pour moi, tu m'entends, maman : je ne le laisserai pas mourir!

***

Le vendredi soir, au séminaire Saint-François, une frénésie régnait dans l'auditorium où les membres de la troupe se préparaient pour l'unique représentation de la pièce, devant une foule d'étudiants et de parents venus y assister. Pour l'occasion, le local des décors avait été divisé par un grand rideau suspendu à une corde qui croulait sous le poids du tissu et qui menaçait de lâcher à tout moment. D'un côté, les onze acteurs s'agitaient dans tous les sens pour mettre la dernière touche à leurs costumes et maquillages. Ce capharnaüm se répercutait de l'autre côté du rideau où quelques étudiants étaient venus aider aux changements de costumes et d'accessoires, à la prise de son, à la musique et à l'éclairage. Au cours des soixante-quinze minutes prévues pour la représentation, Léo et Jean-Gervais seraient responsables des changements de décor, à partir des coulisses.

Lorsque le signal des dix minutes précédant le lever du rideau fut donné, l'agitation monta d'un cran. Léo sortit du local et se hâta dans l'étroit corridor exempt d'éclairage pour se rendre dans les coulisses où il devait procéder au lever du rideau. Il tâtait les murs pour éviter de trébucher sur les fils qui jonchaient le sol lorsqu'il croisa quelqu'un venant en sens inverse. Il s'arrêta et appuya le dos au paravent pour libérer le passage. Lorsque la silhouette arriva à sa hauteur, il reconnut Lisa qui le dévisageait.

— Léo... c'est toi? demanda-t-elle, haletante.

— Oui.

— J'ai tellement le trac... je crois que je vais perdre connaissance!

— Ça va aller, ne t'inquiète pas, la rassura Léo gentiment.

— Ne me souhaite surtout pas bonne chance... ça porte malheur!

Sa nervosité était si intense qu'elle la communiquait à Léo.

— Alors... merde? dit-il, mal à l'aise.

— Je connais une autre façon de me porter chance, fit-elle juste avant de plaquer ses lèvres contre les siennes. Elle enroula ses bras massifs comme un étau autour de son cou, pour l'empêcher de se sauver avant qu'elle en eût terminé avec lui.

Léo était sidéré et dégoûté. Il sentait sa forte poitrine pressée contre lui sans parvenir à bouger d'un orteil. Tout son corps se révoltait contre cette agression.

Lorsqu'elle le lâcha enfin, il reprit son souffle, incapable de parler.

— On se retrouve après! murmura Lisa à son oreille, avant de repartir à la hâte vers les coulisses.

Le contact de cette fille en sueur lui avait donné la nausée. Il avait envie de pleurer de rage et d'impuissance. Il s'était senti pris au piège, comme une proie, et regrettait maintenant de ne pas être rentré à la maison plus tôt. Il avait bien essayé d'appeler Marc pour lui demander de venir le chercher après la séance d'entraînement, mais n'avait pu le joindre. Il aurait franchement préféré la présence de Junior et de ses parents, et aurait évité cet assaut. Il devait à tout prix rester loin d'elle au cours de la soirée.

Le signal des deux dernières minutes fut donné. Les premiers acteurs à entrer en scène s'agitaient sur les planches pendant que Jean-Gervais avait rejoint Léo à l'arrière-scène, attendant le signal pour lever le rideau.

— C'est dingue, cette agitation! J'ai des papillons dans l'estomac tellement je suis nerveux! avoua Jean-Gervais. Encore une chance que je ne joue pas dans la pièce!

Léo ne répondit pas.

— Eh... tu es nerveux aussi, on dirait.

— Ouais.

— Tu as vu Lisa? fit Jean-Gervais en indiquant la scène. Elle a fière allure dans son costume, tu ne trouves pas?

Léo en voulait à Jean-Gervais d'avoir laissé cette fille se faire des illusions à son sujet. La rage lui serrait la gorge mais il préféra ne rien dire sous le coup de l'émotion, de peur de le regretter plus tard.

Les deux garçons s'activèrent jusqu'au lever du rideau. Ils découvrirent, au même moment que les comédiens, l'énorme foule amassée dans la petite salle. Lorsque les lumières s'allumèrent sur la scène, Lisa prononça la première réplique. Le son de sa voix rebuta Léo qui détourna les yeux pour chasser l'arrière-goût laissé dans sa gorge. Il se changea les idées en laissant errer son regard dans la foule, ses yeux s'habituant à l'obscurité. À l'arrière de la salle se tenaient debout de nombreux étudiants qui étaient arrivés trop tard pour trouver un siège. Aucun d'entre eux ne retint son intérêt jusqu'à ce qu'il aperçoive la seule personne au monde qu'il avait envie de voir : Marjorie! Elle était là! Elle se tenait debout, au milieu de sa bande habituelle.

Son cœur s'emballa. Léo aurait voulu courir pour la rejoindre et la serrer dans ses bras. Mais Jean-Gervais ne le quittait pas d'une semelle et le bombardait de directives avec les changements de décors et d'accessoires. Léo avait du mal à se concentrer sur ce qu'il faisait. À plusieurs reprises, Jean-Gervais dut le ramener à la réalité alors qu'il avait le regard perdu au fond de la salle.

Pendant que la pièce s'achevait, Léo et Jean-Gervais se tenaient prêts à redescendre le rideau. L'assistance ovationnait les acteurs qui saluaient.

— Je dois partir, annonça Léo à Jean-Gervais.

— Eh... tu ne peux pas nous abandonner maintenant!

— Il faut que j'y aille, Jean-G.

— Mais il y a tout le rangement à faire! Tu avais promis de nous aider à démonter les décors...

— Désolé.

— ... et la troupe va se retrouver au local pour fêter. Et tu sais, je crois aussi que Lisa...

— Écoute-moi bien, dit Léo d'un ton agressif que Jean-Gervais ne lui connaissait pas. Tu vas cesser de me parler de cette fille! Et SURTOUT, tu vas cesser de lui créer de faux espoirs à mon sujet! Je n'ai aucune envie de la voir et je veux, par-dessus tout, éviter de la croiser à nouveau dans les coulisses! C'est compris?

Sur quoi, Léo noua les cordes autour de la poutre avant de disparaître dans les coulisses, laissant Jean-Gervais pantois. Il s'engagea dans le corridor pour se rendre au local, espérant y arriver avant les membres de la troupe. Il longeait les longs panneaux de bois pour trouver son chemin et se prit les pieds dans les câbles qui traînaient sur le plancher. Il s'accrocha de justesse au montant fixé sur un des panneaux pour amortir sa chute. Pendant qu'il se redressait, quelqu'un le prit par la taille et l'aida à se relever.

— Tu t'es fait mal? demanda Lisa, survoltée et à bout de souffle.

Durant la représentation, elle l'avait épié furtivement, entre deux scènes. Elle avait anticipé le plaisir qu'elle éprouverait à le retrouver à la fin de cette fabuleuse soirée. Lorsqu'elle l'avait vu quitter les coulisses, elle avait couru derrière lui pour éviter qu'il ne disparaisse.

Léo réussit à reprendre son équilibre et dut la repousser à deux mains pour ne pas se retrouver à nouveau prisonnier de cet étau de chair.

— Je n'ai pas besoin d'aide, répondit-il sèchement. Excuse-moi, mais je dois partir tout de suite. Quelqu'un m'attend, mentit-il.

— Comment? Mais je croyais que tu venais à la fête...

— Non, je ne vais pas à la fête! répéta-t-il en la bousculant pour se frayer un chemin.

Il ne se rappelait pas avoir été aussi grossier dans sa vie. Cette fille faisait ressortir le pire en lui, pensait-il.

— Jean-Gervais m'avait pourtant laissé comprendre que...

— Laisse-moi tranquille!

Rageusement, il la poussa à nouveau et s'éloigna sans se retourner, la laissant seule avec sa désillusion. Il courait malgré l'obscurité. Lorsqu'il déboucha enfin dans la salle, il ne vit Marjorie nulle part. La foule bloquait la sortie de l'auditorium et il dut patienter avant de parvenir à s'approcher de la porte. Il mit une éternité avant de réussir à sortir, hors d'haleine, dans le froid cinglant du début de décembre. Il scruta les environs, en proie à la panique. Personne en vue. Il fit quelques pas en direction de l'arrière de l'édifice où se tenaient souvent des groupes de jeunes. Les battements sourds de son cœur lui secouaient la poitrine lorsqu'il l'aperçut enfin, au milieu du groupe. Il était insensible au froid et à l'humidité qui le transperçait tellement la passion lui enflammait l'esprit.

Ses pas le guidèrent lentement vers les jeunes qui se retournèrent, le regard méfiant. Il s'arrêta lorsque Marjorie le remarqua. Il la vit porter sans broncher un joint à ses lèvres et en tirer une longue bouffée qu'elle laissa échapper lentement, sans le quitter des yeux. Elle passa le mégot à quelqu'un d'autre et se dirigea doucement vers lui, sous l'œil mauvais d'Elliot.

— Salut, souffla Léo.

Il avait du mal à respirer.

— Salut, répondit-elle sèchement.

— J'espérais te voir, ce soir.

Il s'était mis à trembler et commençait à ressentir le froid mordant sur sa peau, aussi glacial que le regard de Marjorie.

— La sœur d'une amie jouait dans la pièce, dit-elle.

— Je ne savais pas...

Léo était dévasté par son indifférence. Elle avait les yeux vitreux et la tête engourdie par le cannabis. Il chercha les mots qui convenaient, mais perdit ses moyens lorsque Elliot les rejoignit. Celui-ci agrippa Marjorie par les épaules, la serrant rudement contre lui.

— Tu jouais dans cette pièce ? demanda Elliot.

Léo fit signe que non.

— De toute façon, tu aurais difficilement pu faire pire ! lança-t-il assez fort pour susciter un élan d'hilarité parmi le groupe qui se tenait tout près.

Puis, sans prévenir, il plaqua ses lèvres sur celles de Marjorie — qui réagit autant qu'une poupée de chiffon —, enfonçant la langue profondément dans sa bouche, à la vue de tous.

Dégoûté, Léo baissa les yeux pour échapper à ce supplice. Lorsqu'il les rouvrit, il toisa le regard d'Elliot qui venait de lui servir un sérieux avertissement : Marjorie lui appartenait corps et âme. Elliot soutint le regard de Léo quelques secondes avant de rejoindre le groupe, entraînant Marjorie qui le suivit docilement.

Un vent glacial s'infiltra sous la chemise de Léo. Il fit demi-tour et retourna à l'intérieur en frissonnant, démoli par ce coup de poing au cœur. La foule s'était dissipée. Il s'approcha d'une chaise et s'y effondra, refoulant les larmes et la rage qui l'étouffaient. Comment avait-il pu s'illusionner à ce point ? Comment avait-il pu croire qu'elle s'intéressait vraiment à lui, et ne pas reconnaître qu'elle profitait de sa naïveté ? Et comment allait-il faire pour guérir la plaie béante qui lui déchirait la poitrine et l'empêchait de respirer ?

Léo éclata en sanglots, et resta là, seul au monde, le visage enfoui dans ses mains, profondément déçu de Marjorie, mais surtout de lui-même. Il ne savait plus quoi faire.

***

Le temps semblait s'être arrêté. Au bout d'un moment, Léo parvint à se ressaisir et chercha un peu de réconfort en pensant à sa famille. Il songea à appeler son père pour qu'il vienne le chercher, mais il devait d'abord trouver le moyen de récupérer ses affaires. Il essuya son visage et tenta de se recomposer avant de faire quelques pas en direction du local où se déroulaient des festivités.

« Merde! » laissa-t-il tomber en entendant les cris de réjouissance provenant de la pièce. Les membres de la troupe ainsi que les bénévoles et leurs amis s'étaient rassemblés. Il n'arriverait pas à récupérer son sac ni sa veste sans se faire voir et il n'était pas d'humeur à bavarder avec qui que ce soit, encore moins de revoir le visage repoussant de Lisa.

Découragé, il s'adossa à une cloison et se laissa glisser doucement jusqu'au sol, la tête remplie de chagrin et de douleur. Il aurait mieux fait de passer la soirée avec Junior, au lieu de subir une déception après l'autre. Il se serait évité cette blessure à l'âme dont il ne se remettrait sans doute jamais. Il tâta le lacet entourant son poignet et tira dessus de toutes ses forces, en vain. Il était solidement accroché à lui, comme le serait la déception chaque fois qu'il penserait à nouveau à elle.

6

Marielle était assise près du lit de Junior qui venait à peine de s'endormir après une soirée difficile. Le petit avait pleuré longtemps, tant de déception que d'inconfort. La fièvre était apparue depuis quelques heures et rien ne semblait pouvoir le consoler, à part la présence de Léo qu'il avait réclamé toute la soirée.

Junior émit un faible gémissement et se tourna sur le côté. Marielle remonta sa couverture et le regarda dormir, le cœur serré. Elle attendait Marc depuis près d'une heure et sentait l'inquiétude la gagner. « Où est-il passé ? » pensa-t-elle en raccrochant le téléphone pour la centième fois sans obtenir de réponse sur son cellulaire.

Lorsque Marc arriva enfin, Marielle l'accueillit avant même qu'il ait eu le temps de refermer la porte.

— Où étais-tu passé ? Je suis très inquiète, Marc.

— Que se passe-t-il ? demanda-t-il en la suivant à l'étage.

— C'est Junior... il ne va pas bien du tout.

Ils allumèrent la lumière du corridor et entrèrent sans bruit dans la chambre de leur fils. Marc s'assit sur le bord du lit et constata que Junior respirait avec difficulté.

— Il fait de la fièvre ?

— Oui.

Marc fut saisi par les traits de Marielle : elle était folle d'inquiétude.

217

— Calme-toi, Marielle, ce n'est peut-être qu'un virus. Tu sais, à cette saison...

— Oh, Marc... s'il fallait...

— Calme-toi, je t'en prie !

— ... je crois qu'on devrait l'emmener à l'hôpital maintenant.

Marc n'aimait pas non plus le souffle court et sifflant de Junior. Il entreprit de l'enrouler dans la couverture et le souleva.

— Allons-y, annonça-t-il.

***

La fête qui se déroulait dans le local de théâtre semblait vouloir se poursuivre tard dans la soirée. Léo désespéra de pouvoir récupérer ses affaires et se résigna à appeler monsieur Martin qui vint le chercher pour le ramener à la ferme. Il resta silencieux tout le long du trajet, prétextant être très fatigué. Lorsqu'il rentra, monsieur Martin l'informa que sa mère avait laissé un message pour lui. Marc ne pouvait venir le chercher avant le lendemain matin et il devrait donc passer la nuit à la ferme.

Léo se sentait complètement abattu. Il s'allongea sur son lit sans même fermer la porte. Il avait maintenant la nuit entière pour ressasser son désarroi et sa frustration, et s'estimerait chanceux s'il parvenait à fermer l'œil. Il ne pouvait même pas compter sur la présence de Jean-Gervais qui festoyait avec la troupe. La chambre lui parut vide et froide, jusqu'à ce qu'il entende un cliquetis familier provenant du couloir : les griffes du chien marquaient chacun de ses pas sur le plancher de bois. Harvard s'arrêta sur le seuil où il s'assit, haletant.

Léo se redressa sur le bord du lit et l'observa. Comme d'habitude, il lui fit signe d'approcher sans espérer qu'il obéisse. Mais, contre toute attente, le chien entra dans la chambre et vint s'asseoir à côté du lit. Léo lui caressa la tête, et se laissa attendrir par cet animal qu'il avait toujours aimé. Il pleura longtemps, et finit par s'endormir sous le regard protecteur du chien qui s'était roulé en boule par terre, comme pour veiller sur lui.

Le samedi matin, monsieur Martin gara sa camionnette devant la maison des Allard peu avant dix heures.

— Tu es certain que ça va aller mon garçon?

— Oui, je vous remercie, Monsieur Martin. C'est vraiment gentil à vous de m'avoir raccompagné. Je vous rapporterai votre veste lundi sans faute.

— T'en fais pas pour ça, je ne la porte plus. J'ai pris un peu de poids..., ajouta-t-il avec un clin d'œil.

Léo lui avait expliqué que ses affaires se trouvaient dans son casier et que cette section de l'école était verrouillée lorsqu'il avait quitté l'établissement la veille.

— Tu es sûr que tu n'as besoin de rien?

Léo hocha la tête et referma doucement la portière, retenant ses larmes. Les événements de la veille l'avaient bouleversé et il ne s'était confié à personne. Il regarda la vieille camionnette s'éloigner, toujours ébranlé. Il ne parvenait pas à chasser le souvenir de Marjorie de sa mémoire, ni l'affront d'Elliot qui provoquait en lui une profonde colère.

Lorsqu'il rentra, Léo s'étonna de ne voir personne puisque la voiture de sa mère était garée dans l'entrée.

— Il y a quelqu'un? répéta-il.

Sa voix résonna dans la maison déserte. Il avait désespérément besoin de la présence rassurante de sa famille. Il fit quelques pas au rez-de-chaussée. Il était tellement perturbé la veille au soir qu'il ne s'était pas étonné que Marc ne puisse passer le prendre. Mais l'inquiétude le gagnait à présent. En montant à l'étage, il constata que le lit de Junior était défait. Une vague de panique s'empara de lui.

— Il y a quelqu'un? répéta-t-il à tue-tête en dévalant les marches.

Son pouls s'accélérait. Il s'approcha du téléphone et remarqua que le voyant lumineux clignotait.

«Bonjour Léo, c'est moi, disait Marielle. Appelle-moi sur mon cellulaire dès que tu seras rentré.»

Le signal sonore de fin de message retentit, laissant Léo seul avec sa panique : quelque chose était arrivé à Junior !

La veille, pendant qu'il ne pensait qu'à lui, égoïstement, quelque chose était arrivé à son frère et il n'avait pas été là pour le rassurer. Une vague de culpabilité le submergea et le secoua de la tête aux pieds. Il décrocha le téléphone et composa le numéro de Marielle.

— Où êtes-vous ? dit-il d'une voix inquiète lorsqu'elle répondit.

— Nous sommes à l'urgence.

— Est-ce que Junior va bien ?

Un bref silence attisa sa panique.

— Ne pleure pas Léo, reprit Marielle. Ce n'est peut-être rien, mentit sa mère.

— Je veux aller le voir ! supplia Léo.

— Ne fais pas ça, Léo. Ton père et moi sommes auprès de lui et...

Léo perçut l'hésitation dans la voix de Marielle.

— ... il est en dialyse pour encore quelques heures.

Il cessa de respirer. Dans ses plus vieux souvenirs, ce mot avait toujours été associé à de terribles événements dans la famille, suscitant douleur et désolation.

Il raccrocha après avoir accepté d'attendre le retour de ses parents. Résigné, il se dirigea vers l'escalier, montant les marches comme un automate. Il entra dans la chambre de Junior avec précautions, errant dans la pièce, à la recherche d'un signe positif, annonçant son retour prochain. Junior possédait une petite table en bois multicolore assortie d'une chaise qu'il tira doucement avant de s'y asseoir. Toute la vie de son frère y était étalée. Ses objets préférés se mélangeaient à un bric-à-brac typique de cet enfant énergique : son sabre laser dont il manquait quelques pièces, des livres aux pages déchirées et des carnets de notes barbouillés, des miettes de pâte à modeler séchée et des pots de peinture ouverts, une figurine les représentant avec leurs sabres laser. Et une photographie les représentant tous les deux.

Ému, Léo ferma les yeux avant de se lever et de replacer la chaise. Il prit le chien en peluche posé sur le lit et le serra contre sa poitrine, espérant engourdir la douleur qui ne l'avait pas quitté depuis des heures. Il s'allongea sur le lit de son frère et se recroquevilla pour mieux étouffer sa peur et sa honte.

La nuit opaque empêchait le malaise de se dissiper. Léo était incapable de sortir du labyrinthe sombre dans lequel il était perdu. Il n'arrivait pas à avancer, comme s'il avait les pieds pris dans un ciment dense. Elle approchait. Il sentait ses pas lourds qui résonnaient derrière lui. Ses jambes refusaient de bouger et elle le rejoignit. Il sentit qu'elle lui agrippait l'épaule par derrière. Il essaya de se dégager, mais elle resserrait les doigts. Il cria, sans parvenir à émettre un son. Lorsque les doigts s'enfoncèrent dans sa chair, toutes les fibres de son corps hurlèrent son refus : « Non ! »

Léo se réveilla et s'assit dans le lit, réalisant que son père le secouait pour le réveiller.

— Papa ?

— Tu as fait un cauchemar, on dirait ! dit Marc, la main toujours posée sur son épaule.

Léo se frotta le visage et vit qu'il était toujours dans la chambre de Junior.

— Où est Junior ?

— Il est à l'hôpital. Nous pourrons y aller aussitôt que tu auras avalé quelque chose.

— Je n'ai pas faim, on peut y aller tout de suite.

— C'est hors de question ! Un garçon de quinze ans a besoin de déjeuner et, sincèrement, j'en ai bien besoin aussi !

Le ton détendu de son père rassura un peu Léo qui accepta de le suivre à la cuisine. L'arôme du café parfumait la pièce.

— Café ? fit Marc en désignant une tasse.

Léo hésita. Marc déposa deux tasses sur la table et les remplit. Léo prit une gorgée et grimaça.

— Tu n'as pas encore l'habitude, hein?

— Non.

— Veux-tu des rôties ou des céréales?

— Je n'ai vraiment pas faim, papa.

— Bon, je te fais une rôtie avec du beurre et des bananes, conclut-il en se levant.

Léo remarqua les traits tirés de son père. Il voûtait légèrement le dos comme si le poids des responsabilités lui pesait. Ses cheveux, autrefois très noirs, avaient pris une teinte argentée tout à coup. Il n'était pas rasé et ses yeux avaient perdu leur éclat.

— J'ai essayé de t'appeler hier, lui apprit Léo.

— Je suis vraiment navré Léo, la pile de mon cellulaire était morte. Mais dis-moi, comment était la pièce?

— J'ai essayé de t'appeler vers quatre heures.

— Quatre heures?

— Ouais, je voulais revenir à la maison.

«Ce que j'aurais dû faire d'ailleurs», pensa-t-il.

Marc encaissa le coup. Tout comme Marielle, Léo avait été incapable de le joindre. Il commençait à douter de sa capacité à prendre soin des siens.

— J'ignore ce qui s'est passé, Léo. Je suis vraiment désolé. D'un autre côté, je préférais te savoir à l'école avec la troupe, plutôt qu'à l'hôpital à t'inquiéter.

— J'aurais voulu être auprès de Junior, j'aurais pu le rassurer.

— Tu as raison, il aurait apprécié ta présence, c'est sûr. Mais parle-moi un peu de cette pièce... ça s'est bien passé?

— Si on veut. Comme j'étais là, j'ai travaillé dans les coulisses.

— Est-ce que ça s'est terminé tard?

— Vers neuf heures.

— Si tôt?

— Oui.

— Tu me feras penser de remercier monsieur Martin d'être passé te prendre, ajouta Marc. Et la pièce était bonne, oui ou non?

— J'en sais rien.

— Tu ne l'as pas regardée?

Léo mourait d'envie de partager sa déception avec son père mais hésitait à ajouter ses tourments d'adolescent aux sérieuses inquiétudes qui le préoccupait. Marc perçut le vague à l'âme qui brouillait le regard de son fils.

— Ça ne s'est pas très bien passé pour toi, on dirait, c'est ça?

Léo baissa les yeux et prit une nouvelle gorgée de café en grimaçant de plus belle.

— Attends, dit Marc qui se leva pour rapporter la boîte de poudre de chocolat. Il en ajouta une généreuse cuillerée dans la tasse.

— Ça va adoucir le goût. Et peut-être que ça va aussi adoucir tes tourments, ajouta-t-il en posant la main sur son épaule.

Marc prit conscience qu'il avait légué plus que des gènes physiques à son fils. Certains traits de caractères, qu'il en soit fier ou non, lui avaient également été transmis, comme sa sensibilité et sa grande émotivité. Il priait le ciel pour ne pas lui avoir transmis aussi sa faiblesse qui lui coûta plusieurs années de sa vie quand il était aux prises avec l'alcoolisme. La vie devait être plus facile pour ceux qui parvenaient à garder la tête froide dans les épreuves, pensa-t-il.

Comme Léo gardait les yeux rivés sur sa tasse, il eut un pressentiment.

— À mon avis, il y a une fille là-dessous... je me trompe?

Le silence de Léo confirma ses doutes.

— Elle jouait dans la pièce, c'est ça?

— NON! s'insurgea Léo, chassant l'image de Lisa de son esprit.

— Hum... alors c'est sans doute une élève de l'école... Vous êtes brouillés, peut-être?

Embarrassé, Léo secoua la tête:

— Je m'étais juste fait des idées.

Léo se sentait vraiment bête et naïf de s'être illusionné à ce point et préférait ne pas lui parler davantage de Marjorie, encore moins de l'arrogance d'Elliot qui provoquait en lui un mélange de rage et d'humiliation et le rendait furieux contre lui-même.

— Tu sais, reprit Marc, c'est fréquent à l'adolescence. On manque d'expérience. On juge parfois un peu rapidement et on ne pense pas à se protéger. Et puis tu me fais tellement penser à moi, au même âge...

Léo releva la tête, s'accrochant aux paroles réconfortantes et espérant en savoir un peu plus sur l'adolescence de son père.

— Combien de fois ai-je été amoureux de filles qui ne l'ont jamais su parce que je n'arrivais pas à trouver le courage de les aborder! Et elles finissaient tout de même par me briser le cœur en sortant avec d'autres garçons.

Marc sentit qu'il avait vu juste.

— Et toi, est-ce qu'elle savait ce que tu ressentais pour elle?

— C'est ce qui fait le plus mal. Je crois qu'elle s'est moquée de moi.

— Je vois, dit Marc. Était-ce... la première fois?

Léo acquiesça, n'osant pas relever la tête.

Marc lui entoura les épaules de son bras réconfortant.

— Tu sais, il y a toujours une première fois.

— ...

— Et puis ensuite, il y a la deuxième...

Léo sourit timidement.

— Et après, il y a toutes les autres! ajouta Marc, l'œil espiègle.

Léo le regarda, reconnaissant de pouvoir compter sur son affection. Ces confidences paternelles le réconfortèrent un peu.

Marc se sentit plus près que jamais de Léo qui devenait un homme presque sous ses yeux. Il tirait une certaine fierté de constater que Léo avait suffisamment confiance en lui pour s'ouvrir sur ses tourments sentimentaux.

Les deux hommes sortirent de la cuisine, laissant derrière eux des tasses vides, des rôties refroidies et des déceptions d'adolescent.

Lorsqu'ils arrivèrent au service des soins intensifs, Marc et Léo s'inquiétèrent de ne pas y trouver Junior ni Marielle. Au poste de garde, on les avisa que Junior avait été admis dans une chambre du service de néphrologie. Le vieil ascenseur de l'hôpital datant d'une autre époque, Marc proposa de monter les cinq étages à pied. L'essoufflement et l'anxiété créée par cet endroit oppressant ralentirent leurs pas à l'approche de la chambre d'où leur parvenaient des murmures. Un grand jeune homme fut le premier à les accueillir.

— Léo!

— Mathieu? Je ne savais pas...

— Je suis content de te voir, cousin!

Mathieu lui offrit une chaude accolade.

— Qu'est-ce que tu fais ici?

— Nous étions tous préoccupés par l'état de Junior et maman a décidé de prendre une journée de congé pour pouvoir être avec vous.

Annie entra dans la pièce à ce moment.

— Salut, mon beau-frère, dit-elle à Marc. Tu as les traits tirés, toi... j'espère que tu prends soin de ta santé?

— Salut, Annie, merci d'être venue. Marielle devait être contente de te voir. Elle n'est pas là?

— Elle est à la salle de bains.

— Et Junior?

— Il passe des examens. Ils l'ont emmené vers huit heures et nous ne savons pas quand il reviendra. Tu sais, ajouta-t-elle en l'attirant à l'écart, je crois que Marielle a bien besoin d'aller se reposer, elle est d'une pâleur inquiétante.

— Léo et moi allons prendre la relève.

— Je suis très inquiète pour elle, ajouta Annie en baissant la voix. Je crois qu'elle ne va pas bien du tout.

— Je sais, elle a passé une partie de la nuit assise sur le siège des toilettes.

Au même moment, Marielle sortit de la salle de bains : ses traits cadavériques donnaient la chair de poule.

— Vous êtes là ! s'étonna-t-elle en allant se blottir dans les bras de Marc.

Ils demeurèrent silencieux, se réconfortant mutuellement.

— Tu vas retourner à la maison avec Annie, dit-il.

— Non, je reste jusqu'à ce que Junior...

— Ce n'est pas négociable, Marielle. Léo et moi allons le ramener dès que le médecin lui donnera congé.

— Je ne veux pas partir sans lui.

— Tu pars immédiatement, l'intima-t-il.

Elle lut dans le regard de Marc qu'il ne céderait pas. Elle ne trouva pas la force d'argumenter et se résigna à suivre Annie qui avait déjà enfilé son manteau. Elle embrassa Léo avant de prendre ses affaires et sortit à contrecœur.

Marc, Mathieu et Léo restèrent dans la minuscule chambre où seule une vieille chaise berçante peu accueillante était réservée aux visiteurs.

— J'ai bien besoin d'un café, moi, annonça Marc. Quelqu'un veut quelque chose ?

Mathieu et Léo, qui s'étaient assis côte à côte sur le bord du lit vide, le remercièrent et il sortit en direction de la cafétéria. Marc se réjouissait de la présence de son neveu et comptait sur la profonde affection qu'il portait à Léo pour l'aider à le consoler de sa déception.

— As-tu pris ta voiture pour venir ? demanda Léo.

— Non, ma mère préfère la sienne. Elle dit qu'elle a passé l'âge de se promener en tape-cul ! Et toi, as-tu commencé à suivre des cours de conduite ?

— Non, je n'ai que quinze ans.

— C'est vrai. T'en fais pas, va, ça viendra vite. Et ton match, c'était lundi, non ?

— Oui. On a gagné par un panier.

— Super. Et tu as fait beaucoup de points ?

— Pas vraiment.

— Tu n'avais pas un match au séminaire hier soir?

— Non, c'était une pièce de théâtre. J'ai aidé à réaliser les décors et ils avaient besoin d'aide avec la mise en scène durant la pièce.

— Cool. Avec ton talent, ça devait être fabuleux à voir!

— Quand même..., répondit humblement Léo. Et Angéla n'est pas venue avec toi?

— Non, elle avait des trucs à faire. Et puis je voulais en profiter pour passer du temps avec toi. Y a longtemps que tu ne m'as pas parlé de cette fille qui te plaisait. Tu disais qu'elle était spéciale...

Léo put enfin confier les détails de son aventure et ses espoirs déçus. Mathieu l'écouta attentivement, confiant même ses propres remises en question avec Angéla.

— J'aimerais être avec elle tout le temps, dit-il, du moins chaque fois que je suis libre. Mais Angéla voit les choses autrement.

— C'est vrai? s'étonna Léo.

— Ouais, elle veut voir davantage sa famille et ses amies, alors que moi, je suis toujours partant pour faire des trucs avec elle.

— Je ressentais la même chose, avoua Léo.

— Sortiez-vous ensemble « officiellement »?

— Ben, pas exactement. On a juste... ben... je sais pas...

Mathieu le poussa doucement du coude, voyant rosir ses joues.

— Vous l'avez fait?

Léo fixait ses chaussures. Il était si gêné qu'il en devint écarlate et n'arriva plus à prononcer une seule syllabe. Autant il avait envie de lui raconter ce moment extraordinaire, autant il avait honte d'avouer qu'elle s'était moquée de lui. Il hocha simplement la tête.

— Wow! Toi alors, tu ne perds pas de temps! Tu m'épates, là.

— Le problème, avoua Léo, c'est que je pense qu'elle voulait seulement s'amuser et que... ce n'était pas sérieux.

— Et toi, tu l'aimes?

Mathieu venait de mettre en mots toute l'émotion qui le troublait tant depuis cette soirée. Un mot puissant qui avait le pouvoir de faire naître l'espoir ou de l'anéantir si on y croyait un peu trop.

Sentant le sujet devenir trop délicat, Mathieu ajouta :

— J'avais dix-sept ans la première fois, presque dix-huit même. Tu te rappelles d'Alexandra ?

— Non.

— Mais oui, elle habitait près de chez moi. C'est la sœur de Clément avec qui j'ai fait le voyage des secondaires cinq à Canada Wonderland.

— Le petit blond ?

— Ouais.

— Et sa sœur, c'était la fille aux millions de taches de rousseur ?

— Je te signale qu'elle avait aussi de jolis yeux bleus... et très peu de pudeur !

— Et alors ?

— Et alors... ça s'est passé au sous-sol, avec toute sa famille à l'étage au-dessus...

— Non !

— J'avais tellement la trouille que quelqu'un descende et nous surprenne que... ben disons que ça n'a pas dû être aussi intense pour elle que ça l'a été pour moi.

À la vue du visage écarlate de Léo, Mathieu comprit que son récit comptait plus de détails qu'il ne souhaitait en connaître.

— Tu sais, une première expérience, c'est toujours marquant. Mais ce n'est que la première.

— Je sais, papa me l'a dit aussi.

— Ton père est au courant ?

Léo n'eut pas le temps de répondre. Leur conversation fut interrompue par un infirmier qui poussait le fauteuil roulant dans la chambre. Junior s'anima dès qu'il vit son frère.

— Léo !

Léo le souleva dans ses bras et le serra très fort.

— Allez-y doucement, recommanda l'infirmier. Son bras droit est un peu endolori.

— Oh, désolé, dit-il en le rasseyant. Est-ce qu'il peut se lever ?

— Ça lui ferait du bien, je crois, répondit l'infirmier qui les laissa bavarder entre eux.

— Comment vas-tu ? lui demanda Léo en l'aidant à s'installer dans le lit.

— Je veux rentrer à la maison, dit Junior en pleurant.

Sa vulnérabilité émut Léo.

— Il faut attendre encore un peu, Junior.

— Je veux rentrer tout de suite ! répéta-t-il à travers ses larmes.

Léo resserra son étreinte.

— T'en fais pas, mon bonhomme, ça va aller, dit-il en le berçant. Je suis là et on va bientôt rentrer à la maison.

Léo s'en voulait de passer de longues semaines loin de Junior. Tout comme cette terrible maladie, la culpabilité faisait partie du bagage transmis par les liens familiaux.

***

Près de la fenêtre donnant sur la rue Sault-au-Matelot, Viviane rêvassait au rythme des gros flocons qui virevoltaient légèrement avant de disparaître sur les pavés humides. Elle frissonna à la vue des passants qui remontaient leur col et pressaient le pas. Dans cet appartement, très peu d'objets lui appartenaient. Elle avait entreposé la plupart de ses affaires, à part un minuscule téléviseur en équilibre sur les étagères et quelques ustensiles de cuisine qu'elle n'utilisait guère. Elle ne comptait pas s'établir dans le quartier ; elle s'était assurée de pouvoir quitter les lieux à quelques heures d'avis. La pièce la plus encombrée était la chambre où une grosse malle fatiguée était dissimulée sous un drap fleuri qui tranchait dans le décor rustique. Le grand placard renfermait très peu de vêtements ; il était occupé par un photocopieur ainsi que des caisses de papier empilées jusqu'au plafond.

Elle sirotait un verre de vin et hésitait entre regarder un vieux film ou faire une promenade dans le quartier, lorsque le téléphone sonna.

— Bonsoir Viviane.

— Qu'est-ce que tu veux ?

— Il me semble que nous avions passé un accord, toi et moi...

— Je sais, je fais ce que je peux...

— Je n'en ai pas l'impression, bien que tu aies tout de même empoché l'acompte que je t'ai versé...

— Ce que tu me demandes prend du temps et...

— C'est pourtant simple, Viviane, il me semblait avoir été très clair.

— Cet homme n'est pas tout à fait comme tu l'avais décrit. Il est bien plus fort...

— Je me fous de ce que tu en penses ! Tu dois agir, Viviane !

— Je te répète que je fais tout ce que je peux. Il me faut plus de temps.

— Plus le temps passe, et moins tes chances de retrouver ton fils s'améliorent.

— ...

— Justement, ton agent d'évaluation au service de la protection de la jeunesse m'a laissé entendre que ton audition prévue pour le mois prochain était probablement ta dernière chance de prouver que tu as repris le droit chemin.

La main de Viviane se crispa sur le téléphone.

— Il a gobé ton histoire de « conflit personnel » comme raison de départ de ton ancien job mais... ça m'étonnerait qu'il envisage de te redonner la garde s'il apprend que tu lui as menti...

— Tes menaces n'aideront pas à accélérer les choses !

Viviane tentait de rester calme, mais sentait la colère la gagner.

— S'il décide de faire du zèle et de creuser cette histoire, avec un peu d'aide de ma part... il pourrait malencontreusement découvrir que tu es une bien vilaine fille.

— Tu es vraiment une ordure !

— Tu ne vaux guère mieux, je te signale.

— Tu arrives toujours à tes fins, on dirait... peu importe qui tu écrases pour y parvenir.

— Nous avons conclu un accord, rappelle-toi. Tout ce qu'il te reste à faire c'est de le compromettre.

— J'ai compris, merde!

— Et tâche de faire vite.

— Je peux te jurer une chose: lorsque cette histoire sera terminée, je ne veux plus jamais avoir affaire à toi et je veux que tu disparaisses de ma vie!

Elle raccrocha, tremblant de rage. Elle aurait voulu régler son cas à cette crapule, mais il la tenait dans ses filets. Elle alla se resservir un verre de vin qu'elle cala d'un trait.

Viviane était un «produit» des foyers d'accueil et elle avait l'habitude des menaces et des situations risquées. Elle attrapa un épais manteau dans lequel elle s'emmitoufla, vérifia que son cellulaire s'y trouvait et sortit de l'appartement. Elle partit marcher dans les rues du quartier.

***

Marielle était à la maison en compagnie d'Annie.

— Junior se repose et tu devrais en profiter pour aller dormir un peu, toi aussi, ça te ferait du bien.

— Non, il y a une tonne de linge sale et il n'y a rien pour le souper.

— Je m'en occupe, Marielle. Va donc te reposer.

— Est-ce que tu repars demain?

— Je ne sais pas encore, ça va dépendre de Mathieu.

— Ce serait bien que tu restes un peu.

Marielle regardait sa sœur avec tendresse.

— Ce serait bien si je revenais vivre à Québec.

— Y songes-tu sérieusement?

— J'ai tellement de travail que je n'arrive pas à songer à quoi que ce soit en ce moment. Mais ce qui compte, c'est la santé de Junior et la tienne, Marielle. Allez, va te reposer une heure ou deux. J'irai faire un marché après avoir fait une brassée de lavage.

Au moment où Marielle se levait, le téléphone sonna. Annie alla répondre.

— Bonjour, Marielle? demanda une voix langoureuse.

— Non, désolée, je suis Annie, sa sœur. Un instant, je vous la passe...

Annie remit le combiné à Marielle.

— Allô?

— Bonjour Marielle, c'est Viviane Sinclair.

Marielle crispa légèrement la main sur l'appareil.

— Bonjour Viviane. Que puis-je faire pour vous?

— Je suis désolée de vous déranger, mais j'aimerais parler à Marc, enfin... à votre mari, pour une affaire urgente.

— Je regrette, mais il n'est pas ici. Voulez-vous que je lui fasse un message?

— Écoutez, s'il revient, dites-lui simplement de m'appeler. Il y a un problème avec le bail de l'appartement et, comme il a été loué à son nom, le propriétaire insiste pour lui parler directement avant...

— Je vous demande pardon?

— Oh... je... je suis vraiment navrée, je croyais que vous étiez au courant. Vraiment, je suis confuse...

Marielle était incapable de prononcer un mot. Elle n'arrivait pas à décoder l'information qu'elle recevait.

Annie s'inquiéta du changement subi dans l'attitude de Marielle et s'approcha d'elle.

— Excusez-moi de vous avoir dérangée avec ça, ajouta Viviane. Je lui en parlerai plutôt lundi matin. Au revoir, Marielle.

Elle raccrocha.

Marielle sentit sa pression monter et elle vacilla avant qu'Annie l'aide à s'asseoir à la table.

— Marielle, ça va?

— Pas exactement, maugréa-t-elle.

— Qui c'était?

La présence de cette femme dans l'environnement de son mari irritait Marielle. Elle ressentait un malaise constant en sa présence : elles étaient comme des aimants se repoussant

232

mutuellement. Cette femme avait le don d'impressionner les hommes et d'intimider les femmes en les scrutant de son regard perçant.

— Il devait bien y avoir quelque chose d'urgent pour qu'elle appelle un samedi après-midi...

Sans rien ajouter, Marielle se retira dans sa chambre.

Au même moment, sur le trottoir enneigé, Viviane referma son cellulaire. Il était près de seize heures et le soleil déclinait déjà derrière l'édifice abritant le siège social du Groupe Allard. Par la grande fenêtre du deuxième étage, Viviane surveillait son patron qu'elle pouvait voir de dos, assis à son bureau, certainement affairé à tenter de trouver une issue à la crise syndicale qu'elle avait contribué à engendrer.

Marc rentra à la maison une heure plus tard, exténué. Il était heureux de retrouver ses enfants et se réjouit de constater que Junior avait meilleure mine. Celui-ci s'empressa d'ailleurs de lui montrer le ballon que les grands lui avaient offert.

— Wow! Tu vas pouvoir jouer comme un pro, toi aussi!

— Regarde comme je dribble bien, papa, fit-il de sa voix affaiblie.

Junior tenta quelques essais au milieu du salon, à travers les tables et la vaisselle tintant sous les coups du ballon. Léo et Mathieu proposèrent d'emmitoufler Junior et de l'emmener faire une promenade en attendant le souper.

À la cuisine, Marc fut accueilli par un silence glacial. Marielle et Annie étaient attablées devant des verres de vin vides. Annie le salua et s'éclipsa rapidement après avoir rangé les coupes dans le lave-vaisselle.

— Comment vas-tu? osa demander Marc en tirant une chaise avant de s'y laisser choir. As-tu pu dormir un peu?

Marielle lui adressa un regard dur.

— Ton adjointe a téléphoné.

— Viviane?

— Elle disait avoir un problème urgent à régler concernant... le bail de *votre* appartement!

— *Notre* appartement?

Marc avait négligé d'informer Marielle de cette affaire qu'il considérait sans importance. Il le regrettait à présent.

— Ah oui, le bail.

Marielle attendait des explications avec hostilité. Il se leva et alla s'asseoir juste à côté d'elle. Il tenta de lui entourer les épaules, mais elle l'en empêcha.

— Marielle, tu n'es pas en train de t'imaginer des choses, j'espère?

Elle ne répondit pas, préférant attendre ses explications.

— Allons... tu n'as pas de raisons de t'en faire avec ça.

— Ah non? Tu es cosignataire d'un bail avec ton adjointe et je devrais trouver ça normal, peut-être?

— Calme-toi, tu veux!

Son éclat de voix la saisit et elle se tut. Marc tenta de mettre de l'ordre dans ses idées. Il inspira profondément.

— D'accord, dit-il en lui faisant face. Tu te rappelles que je t'ai dit que Viviane venait d'emménager dans son nouvel appartement, pas très loin du bureau.

— *Son* appartement?

— Marielle! Tu te comportes comme une gamine, enfin! Qu'est-ce que tu vas t'imaginer là! Bien sûr que c'est *son* appartement!

— Et pourquoi aurais-tu signé le bail pour elle?

— Ouais, vu comme ça, j'avoue que c'est assez étrange...

— C'est le moins qu'on puisse dire! s'insurgea-t-elle, au bord des larmes.

— Marielle, ma chérie! reprit Marc en l'entourant de ses bras. Cesse de t'imaginer des choses et de te torturer! Tu sais bien qu'il n'y a rien entre Viviane et moi, ce n'est qu'une question de circonstances.

Marielle moucha son nez rageusement.

— Je l'ai accompagnée pour lui rendre service lorsqu'elle le visitait et j'ai voulu lui éviter de se retrouver dans une position vulnérable à l'égard du concierge. En nous voyant tous les deux, lors de la visite *dont je t'avais informée*, insista Marc, il a naïvement présumé que nous formions un couple.

234

Et dans les circonstances... eh bien, ça m'a semblé naturel de la soutenir. Ce n'est pas facile pour une femme de vivre seule dans une ville étrangère, tu sais.

Marielle semblait un peu calmée, ce qui encouragea Marc à poursuivre.

— Je t'ai toujours été fidèle, Marielle, comment peux-tu en douter?

— Je n'aime pas cette femme. Je voudrais qu'elle disparaisse de ton environnement.

— Ce n'est pas une raison pour t'imaginer que j'ai une liaison avec elle, c'est trop simple.

Marielle se sentait idiote à présent. Marc avait raison : il ne lui avait jamais donné le moindre signe d'infidélité. Au contraire, il était toujours amoureux d'elle, malgré tout ce qu'ils avaient traversé.

— Je suis désolée, Marc. Ça doit être la fatigue, admit-elle, honteuse, avant de se blottir dans ses bras.

— Je t'aime, Marielle, lui murmura-t-il avant de trouver ses lèvres.

— Ça m'a secouée de penser que tu aies pu faire une telle chose sans que je ne m'aperçoive de quoi que ce soit. Je me sentais trahie et surtout tellement naïve.

— Tu es surtout rendue à bout, ma pauvre chérie!

***

Vers minuit ce soir-là, Annie se réveilla après quelques heures de sommeil agité. Elle se leva pour aller à la salle de bains. En revenant vers sa chambre, elle regarda furtivement dans celle de Marielle pour s'assurer qu'elle dormait, mais s'étonna de l'absence de Marc. Inquiète, elle descendit au rez-de-chaussée. Il était désert, mais de faibles bruits provenaient du sous-sol. Elle agrippa fermement la rampe et descendit en espérant de tout son cœur que Marc n'ait pas cédé de nouveau à ses démons. Elle le trouva profondément endormi devant le téléviseur allumé, tenant toujours la télécommande à la main.

« Merci mon Dieu ! » soupira-t-elle en la lui retirant douce-ment. Elle la posa sur la table, près de la bouteille d'eau minérale vide. Elle ressentit un immense soulagement et éprouva un élan de compassion pour lui, imaginant les épreu-ves qu'il aurait à affronter dans les mois à venir. Elle remonta la couverture sur le corps fourbu de son beau-frère, gardant espoir qu'il saurait rester fort et résister à la tentation.

***

Léo se réveilla tard le dimanche matin. Mathieu dormait toujours sur le matelas d'appoint à côté de son lit. Il le contourna délicatement pour éviter de le réveiller et se dirigea vers la salle de bains. Des murmures venant du rez-de-chaussée attirèrent son attention. Il bifurqua alors en direction de l'escalier pour tendre l'oreille. Il reconnut la voix d'Annie.

— … pour le moment, tu n'es pas en état de donner un rein à ton fils. Tu dois d'abord te remettre sur pied.

— Je me fous d'être en état ou pas, Annie ! Je ne laisse-rai pas Junior subir des dialyses durant des mois puisque je peux lui épargner ce calvaire. Il a besoin d'une greffe mainte-nant, avant que son état ne s'aggrave… comme c'est arrivé à Samuel.

— Marielle…

— Il n'y a que la greffe qui puisse lui offrir une chance de vivre une vie décente et je *suis* un donneur compatible, cette fois.

— Bien sûr, je sais. Mais je crois que le médecin a raison d'exiger d'en savoir davantage sur ton état avant de…

— Mon fils a besoin d'une greffe et je ne laisserai pas pas-ser une journée de plus avant d'agir parce que mon état l'inquiète ! Je me le ferai arracher par des charlatans s'il le faut !

— Marielle !

De violents tremblements la secouaient et Annie la prit dans ses bras pour la réconforter.

— La vie de mes enfants vaut bien plus que la mienne.

— Ne dis pas ça, Marielle! Et ne te mets pas dans un état pareil!

— Je ne le laisserai pas mourir! répéta-t-elle à travers ses sanglots.

— Il ne va pas mourir, Marielle! Junior est bien plus robuste que ne l'était Samuel.

Annie saisit Marielle par les épaules.

— Tu sais, peut-être que Léo aussi serait un donneur compatible pour Junior...

— Tais-toi! lui ordonna Marielle.

Au haut de l'escalier, Léo était pétrifié. Il sentit un frisson lui parcourir la colonne vertébrale. Il retint son souffle, consterné : jamais il n'aurait pu imaginer une telle solution. Il était pétrifié. C'est alors qu'il entendit Marielle ajouter à voix basse :

— Il est hors de question d'envisager cette solution... nous en avons payé le prix durant assez longtemps. Et je ne veux plus jamais t'entendre y faire allusion de quelque manière que ce soit! Jure-le-moi, Annie!

— Je suis désolée, Marielle... je te le promets. Ça m'a échappé... c'est sans doute la panique de te voir dans cet état.

— Ce n'est pas le moment de paniquer, Annie.

Marielle s'était ressaisie et c'est elle, maintenant, qui fixait Annie intensément.

— Cette fois-ci, j'ai bien l'intention de poser les bons gestes pour sauver Samuel. Je ne vais pas regretter une autre erreur le reste de ma vie!

À l'étage, la porte de la salle de bains se referma furtivement. Léo était secoué de violents tremblements et il dut s'asseoir sur le siège de la toilette pour reprendre son souffle. Il ne comprenait pas le sens des paroles qui semblaient le concerner. Ces mots l'alarmaient : « ... les bons gestes... nous en avons payé le prix... une *autre* erreur à regretter le reste de ma vie... » Qu'est-ce qu'elle avait voulu dire?

Il ferma les yeux et se reporta plusieurs années en arrière, un jour qu'il avait surpris pareille conversation entre Marielle et Marc, peu de temps après leurs retrouvailles et l'annonce prochaine de la naissance de Junior. Marielle avait parlé d'une «erreur impardonnable qu'elle s'appliquerait à réparer le reste de sa vie.» Pouvait-il s'agir de lui? Quelle erreur pouvait bien torturer sa mère au point de vouloir consacrer le reste de sa vie à la réparer?

Léo entendit des pas venant du couloir. Pris de panique, il ouvrit aussitôt les robinets de la douche et retourna s'asseoir pour éviter de s'effondrer sur le plancher. Quelqu'un sonda la poignée verrouillée. Il tendit l'oreille jusqu'à ce que les pas se soient éloignés. Son cœur voulait sortir de sa poitrine. Des dizaines d'images défilaient dans sa tête, repassant le fil de sa vie à toute vitesse. Puis, le temps s'arrêta et son tout premier souvenir lui revint à la mémoire: sa mère qui lui souriait sur la photographie. «Quelque chose a dû se passer après ce moment-là», conclut-il, déchiré entre le désir de connaître la vérité et le pressentiment que cette découverte l'affligerait.

Une nouvelle image vint remplacer la précédente dans l'esprit de Léo: celle de Junior, gravement atteint, qui devait obtenir une greffe pour rester en vie! Il était dévasté à l'idée que Junior puisse... mourir! La situation était urgente: le temps jouait contre lui. Les tentatives de greffes subies par son frère aîné avaient échoué, celle de Junior devait à tout prix réussir!

Était-ce possible qu'un frère puisse sauver l'autre en lui donnant un rein? pensa Léo. Et si c'était possible que lui soit un donneur compatible... pouvait-il sauver Junior? Et avait-il aussi le pouvoir d'aider sa mère à expier la «faute» qui la tourmentait depuis toujours?

7

Cette semaine-là, Léo téléphona tous les soirs à la maison pour prendre des nouvelles de Junior et de sa mère : elles n'étaient pas encourageantes. Junior avait déjà subi une séance de dialyse le mardi et la prochaine était prévue pour le vendredi. L'intervalle entre les séances se réduisait de façon alarmante, et Marielle laissait paraître des signes de panique. Dans l'état où elle se trouvait, il était hors de question pour Léo d'aborder la question de sa compatibilité. Il se tourna plutôt vers Jean-Gervais, qui avait un intérêt marqué pour la médecine, pour tenter de trouver les réponses à ses questions.

Jean-Gervais savait fureter efficacement sur Internet pour trouver les sites traitant de la condition médicale de Junior. Léo comprit rapidement que plus les fonctions rénales de Junior diminuaient, plus le cœur allait être sollicité et risquait de s'affaiblir.

— Il est si jeune, s'indignait Léo, ce n'est pas juste! C'est moi qui devrais être malade, pas lui!

— Tu n'y peux rien, Léo. C'est la vie qui n'est pas juste.

Jean-Gervais regrettait de lui avoir donné tant de détails sur la condition de son frère. Pour une fois, il aurait dû refuser de répondre à ses questions et le garder dans l'ignorance.

— Et ta mère, comment va-t-elle?

Léo demeura muet, fixant la photographie. Il y avait longtemps qu'elle n'avait pas eu les traits aussi détendus. Léo ne parvenait plus à se rappeler depuis quand.

Jean-Gervais alla se coucher. Comme un automate, Léo éteignit la lampe sans quitter son fauteuil. Il resta assis là, dans l'obscurité, avec la seule lueur du lampadaire extérieur éclairant l'étagère. Il ne parvenait pas à voir au-delà du voile qui brouillait le regard de sa mère. Il n'arrivait plus à se rappeler un seul moment où ce regard n'était pas voilé, sauf sur cette photographie.

Le jeudi midi à la cafétéria, Léo finissait d'avaler le goûter que madame Martin lui avait gentiment préparé pour s'assurer qu'il ne se laisse pas mourir de faim. Il était en compagnie de Jean-Gervais lorsqu'un professeur vint les rejoindre.

— Je peux m'assoir ?

— Bien sûr, dit Jean-Gervais, glissant sur le banc pour lui faire une place.

Léo ne le connaissait pas mais l'avait souvent vu à l'école, particulièrement dans la section où se trouvaient le local de théâtre et l'auditorium.

— Je suis Antoine De la Chevrotière, mais tous les élèves m'appellent monsieur D.

Léo sourit poliment au professeur qui semblait chaleureux.

— C'est toi qui as réalisé les décors, à ce qu'on m'a dit ?

— ...

— Ils sont étonnants.

— Merci.

— Les jeunes de la troupe m'ont parlé de ton talent pour les arts plastiques. Je crois que tu as un intérêt marqué pour la sculpture, est-ce exact ?

— Je ne suis pas inscrit en arts plastiques. Je... je ne fais que des figurines avec de l'argile.

— Je sais, c'est moi le prof d'arts visuels.

— Ah, désolé.

— Il n'y a pas de faute. Et tu ne fais pas de théâtre non plus ?

— Non, je fais du basket.

— Oui, c'est vrai, on me l'a dit... Décidément, certaines personnes ont tous les talents !

— Je ne suis pas si doué pour les sports. C'est juste que... je me débrouille.

— Je crois que tu es modeste aussi. Dis-moi, le moment est peut-être mal choisi, mais j'aimerais te rencontrer pour te connaître davantage et discuter de quelque chose qui pourrait t'intéresser.

Le professeur nota qu'il avait capté l'attention de Léo et décida de lui donner des détails supplémentaires.

— Ça te dit quelque chose le concours « Lumière sur les grands maîtres de demain » ?

Léo interrogea Jean-Gervais du regard mais celui-ci ignorait aussi de quoi il s'agissait.

— Je vois. En fait, je voulais t'offrir la possibilité de participer à un concours organisé par le Musée du Québec...

— On l'a rebaptisé, il me semble, dit Jean-Gervais.

— Oui, c'est maintenant le Musée national des beaux-arts du Québec.

— Comme ça, ça fait plus intimidant...

— Peut-être, reprit le professeur, mais ils ont intégré à leurs activités un volet très intéressant pour la relève artistique.

— Ça, c'est pour toi, Léo.

— C'est aussi ce que je pense, reprit le professeur, espérant susciter un peu d'intérêt.

Léo l'écoutait poliment, sans enthousiasme. Seule sa famille le préoccupait pour le moment.

— Aurais-tu, par hasard, quelques-unes de tes figurines avec toi ?

Léo secoua la tête, désolé.

— Euh... en fait oui, j'en ai une.

Léo ouvrit son sac à dos et en sortit un t-shirt roulé en boule. Il le posa sur la table mais hésita à l'ouvrir : la pièce qui s'y trouvait représentait bien plus qu'un projet d'art et il craignit que ce soit un sacrilège de l'exhiber pour en tirer du mérite. Il finit par se décider et défit le vêtement avec soin pour dévoiler la figurine le représentant avec Junior.

Le professeur comprit l'importance que cette création avait pour Léo et se retint de la saisir. Il l'observa en détail, faisant simplement tourner le vêtement pour découvrir toutes les facettes.

— Remarquable!

Léo eut un sourire embarrassé. Le professeur continua à examiner l'œuvre de Léo tout en lui jetant des regards interrogateurs.

— Est-ce que c'est toi?

— Oui, avec mon jeune frère.

— C'est inouï... je n'ai jamais rien vu de tel!

— Il en a plein sa chambre, vous savez.

Jean-Gervais ressentait une réelle fierté pour Léo. Il avait toujours pensé, lui aussi, qu'il devrait exploiter ce talent hors du commun plutôt que de perdre son temps au basket.

Le professeur croisa les mains et s'adressa à Léo d'un ton solennel.

— Comme je le disais, c'est un concours regroupant toutes les disciplines comprises dans les programmes d'arts visuels des écoles secondaires de la province. Les élèves inscrits dans l'un de ses programmes sont admissibles et doivent produire leurs œuvres d'ici la fin de janvier.

— Mais je ne suis pas inscrit au programme.

— Ça ne fait rien. Je peux très bien t'y inscrire quand même. Ils exigent simplement que chaque participant soit parrainé par un professeur d'art.

Léo sembla prendre conscience de l'occasion qui lui était offerte.

— Et je serais plus qu'honoré de te parrainer pour te permettre de présenter ton travail. Qu'est-ce que tu en dis?

— Ben, je ne sais pas... qu'est-ce que ça représente pour moi en fait de travail?

— À mon avis, pas grand-chose. Ta pièce du cavalier ainsi que cette figurine et quelques autres auraient toutes les chances de remporter les grands honneurs.

Léo ne put réprimer le sourire qui lui ensoleilla le visage.

— Et qu'est-ce qu'il y a à gagner? demanda Jean-Gervais.

— Les « grands honneurs », répéta Léo.

— ... ainsi qu'une bourse d'études substantielle pour poursuivre ton développement artistique n'importe où au Québec.

Léo ouvrit de grands yeux. Le professeur laissait entrevoir une possibilité qu'il n'avait jamais envisagée. Ses figurines lui avaient toujours servi de bouée de sauvetage, pour compenser l'absence d'amour et d'attention dans sa vie. Elles avaient été son refuge à travers les crises qu'il avait dû surmonter. Jamais il n'avait pensé que son talent pouvait être reconnu et valorisé.

— Comment s'appelle ce concours, déjà?

— « Lumière sur les grands maîtres de demain. » Et j'oubliais: ton travail serait exposé au Musée jusqu'à la fin d'avril, date à laquelle les finalistes seront choisis, ainsi qu'à l'occasion d'une exposition internationale regroupant des jeunes de l'Amérique du Nord et de l'Europe, tenue au Musée durant toute l'année suivante.

— Wow! s'exclama Jean-Gervais.

— Tu sais, Léo, si ça fonctionne, je peux te garantir que ton travail sera remarqué, pas seulement par la communauté artistique de Québec, mais aussi par plusieurs sommités en matière d'art, reconnues à travers le monde!

Léo se laissa aller à imaginer ses œuvres exposées au Musée: l'idée lui paraissait incroyable! Mais ce professeur semblait convaincu qu'il était doué et il avait envie de croire que c'était possible. Peut-être, après tout, avait-il un réel talent qu'il devrait exploiter. Créer des figurines lui procurait un bien-être salutaire, mais la perspective que des étrangers admirent son travail dans un musée était exaltante. La seule ombre au tableau était sa situation familiale: il devrait songer à soutenir son frère et sa mère, plutôt que de jouer les artistes.

Léo promit à Antoine De La Chevrotière de réfléchir à son offre et de lui apporter ses plus belles réalisations d'ici quelques jours. Il retourna à ses cours de l'après-midi, le cœur plus léger, habité d'un espoir nouveau.

***

Marc passa la journée du vendredi en réunion avec ses adjoints et conseillers juridiques. L'heure était grave pour le Groupe Allard : il ne restait qu'une semaine avant le vote pour la demande d'accréditation syndicale et, après un sondage en profondeur, il apparaissait maintenant clair que moins du tiers des employés s'estimaient insatisfaits de leurs conditions de travail ! Voilà pourquoi Marc ne cherchait plus à comprendre comment un tel mouvement avait pu prendre naissance, mais travaillait jour et nuit pour trouver le moyen de convaincre les employés clés de faire pencher la balance en sa faveur.

Il n'avait pu se libérer avant la fin de l'après-midi et planifiait d'aller chercher Léo à l'école vers dix-huit heures, après sa séance d'entraînement. Lorsqu'il sortit enfin de l'épuisante réunion, sa secrétaire lui remit un message. Léo avait téléphoné.

— Pourquoi ne m'avez-vous pas passé cet appel ?

— J'ai voulu le faire, mais votre fils préférait laisser un message plutôt que de vous déranger.

— Il veut que j'aille le chercher au mail de Cap-Rouge ?

— C'est ce qu'il a dit, et il a précisé qu'il serait près de l'entrée principale vers dix-huit heures.

— Sa séance doit avoir été annulée...

— Désolée, Monsieur, il ne l'a pas précisé.

Il était dix-sept heures. Marc prit ses affaires et partit immédiatement. Il arriverait sans doute un peu en avance, mais il avait besoin de sortir prendre l'air.

Durant le trajet, il vit à peine la route qu'il suivit machinalement, ses pensées toujours plongées dans le conflit de travail. Il arriva au centre commercial un peu en avance et décida de faire un tour à l'intérieur, en attendant son rendez-vous.

Ce petit centre regroupait une vingtaine de boutiques, dont une pharmacie d'une bannière concurrente. Il eut envie d'y entrer pour satisfaire sa curiosité, mais se ravisa. Il avait assez d'ennuis sur les bras, il n'avait pas besoin en plus de se faire surprendre en train d'espionner un concurrent. Il erra devant les boutiques à la recherche de Léo qui n'était nulle part en vue. Un petit resto offrait une dizaine de tables à ses clients, mais Léo ne s'y trouvait pas non plus. Marc passa ensuite devant un kiosque fermé, situé au milieu de l'allée centrale et il s'étonna qu'un commerce ait pu fermer ses portes, si peu de temps avant la période des Fêtes. Puis, il s'arrêta devant une animalerie où plusieurs chatons et chiots le regardaient à travers la grande vitre. C'est là qu'il aperçut Léo. Il entra dans la boutique.

— Léo?
— Papa... tu es là!
— Salut, mon grand! Eh, qui c'est celui-là? demanda-t-il en caressant la tête du chiot blotti dans les bras de Léo.
— Ben, il n'a pas encore de nom...

Léo regardait son père dans l'espoir d'y trouver l'approbation qu'il espérait. Il y trouva bien davantage.

— Dis-moi si je me trompe... tu veux acheter un chiot?

Léo caressa le pelage de l'animal. Puis il regarda son père, les yeux remplis d'espoir.

— C'est pour Junior, papa. Je voudrais tant lui éviter d'être malheureux!
— Tu te sens loin de la maison, hein?
— Je voudrais revenir à la maison, papa.
— Je sais que c'est dur pour toi en ce moment. Je m'ennuie de toi aussi, mais je crois que nous devrions éviter de prendre des décisions de cette nature, pour le moment. Nous sommes tous perturbés par la condition de Junior, et ta mère... eh bien, elle n'est pas en très grande forme, mais elle va se remettre sur pied.
— Et Junior, va-t-il se remettre sur pied?

La détresse de Léo lui chavirait le cœur, mais Marc s'efforça de le rassurer du mieux qu'il le put.

— Ça ne sert à rien de trop penser à l'avenir, Léo. Le mieux, c'est d'essayer de profiter du moment présent. Crois-moi, j'ai appris il y a bien des années qu'il valait mieux essayer de vivre un jour à la fois. Ce n'est pas facile, mais ça t'aidera.

Le chiot remua dans les bras de Léo.

— Junior va être rudement content! dit Marc, soulagé de changer de sujet.

— Tu es d'accord?

— Moi, oui, mais je ne suis pas certain que ta mère voie l'arrivée de cette boule de poil d'un très bon œil.

— Je sais, mais... je l'ai déjà acheté.

Léo avait les traits tirés et Marc se désola d'y lire tant d'inquiétude.

— Ne t'en fais pas, le rassura-il en l'entourant de son bras. Je vais plaider ta cause en lui promettant d'aller le promener tous les matins, lorsque tu ne seras pas là pour le faire. Et puis ta mère adore les chiens, tu sais. Nous n'avons jamais voulu en avoir parce que ça demande beaucoup de soin, mais je crois qu'elle va adorer celui-là... D'ailleurs, on dirait Harvard en miniature!

— C'est pour ça que je l'ai choisi. C'est un border collie, mais ce n'est pas tout à fait un pure race.

— Il a dû coûter cher, non?

— Assez, surtout que j'ai dû acheter tout ce qu'il faut pour qu'il soit bien, tu vois?

Léo lui indiqua une grosse boîte en carton que le commis finissait de remplir.

— Oh! fit Marc en s'avançant vers le comptoir.

Il s'étonna que son fils ait pu prendre une décision de cette importance sans d'abord leur en parler, ce qui ne lui ressemblait guère.

— Et comment arrives-tu à payer tout ça?

— J'ai demandé une avance à madame Martin en promettant de la rembourser la semaine prochaine. Je vais le prendre sur mes économies.

— Elle te fait confiance, on dirait.

— Quand je lui ai expliqué pourquoi, elle a tout de suite accepté.

— Je te crois, elle adore les animaux, en particulier son vieux Harvard.

Le père et le fils, presque de la même taille, observèrent le chiot un moment, cherchant un moyen de convaincre Marielle de l'accepter dans leur foyer.

— Merci papa.

— Merci à toi, Léo. Tu es un grand frère formidable.

Lorsqu'ils arrivèrent à la maison, Marielle et Junior étaient blottis l'un contre l'autre sur le grand divan. Marielle les accueillit avec un sourire un peu contraint, épuisée par la journée. Elle porta son index à ses lèvres, leur indiquant que Junior s'était assoupi. En quelques semaines, le petit, jadis débordant d'énergie, avait cédé la place à un être frêle et amaigri, subissant chaque traitement avec un peu plus d'appréhension. Aujourd'hui, il avait pleuré longtemps — imitant sa mère — lorsque le médecin l'informa qu'il faudrait envisager l'installation d'une fistule permanente dans sa jeune chair pour éviter de lui percer l'avant-bras à chaque traitement. Junior n'avait pas saisi tout le sens de cette intervention, mais il comprenait bien la frayeur qui rongeait sa mère.

— Ça va, ma chérie? demanda Marc en se penchant pour l'embrasser.

Marielle secoua la tête silencieusement. Puis, il demanda:

— Comment va-t-il?

— Il dort depuis une demi-heure. Il a beaucoup pleuré aujourd'hui... c'est ma faute. C'est si dur, Marc...

— Chut... tu es formidable, Marielle.

— Ça me brise le cœur de le voir souffrir!

— Je sais ma chérie, je sais.

La présence de Marc apaisa quelque peu Marielle avant qu'elle remarque Léo, toujours debout dans l'entrée.

— Léo? Est-ce que ça va?

Léo lui sourit, sans répondre. Il s'approcha du divan et s'assit sur le pouf, réveillant le chiot lové dans ses bras.

— Mais qu'est-ce que tu as là?

— C'est pour Junior, précisa Léo, anticipant la réaction de sa mère.

— Mon Dieu!

Marc vint à sa rescousse :

— Notre fils est un merveilleux garçon, Marielle. Il est très attentionné et s'inquiète beaucoup pour son jeune frère. Je sais que Junior va beaucoup apprécier ce qu'il fait pour lui... et il va adorer son nouveau compagnon ! ajouta-t-il avec un clin d'œil à l'attention de Marielle, sidérée.

Léo s'approcha d'elle et, avec mille précautions, il déposa la petite bête sur les genoux de Junior. Celui-ci ne tarda pas à sentir la chaude présence de l'animal qui commença à lui lécher la main. Junior mit quelques instants avant de réaliser ce qui se passait. Il remarqua d'abord la présence de Léo et s'en réjouit. C'est en voulant ouvrir les bras pour l'étreindre qu'il remarqua la présence du chiot, aussi étonné que lui.

— Un chien ! s'émerveilla-t-il. C'est un chien ?

Léo guetta la réaction de sa mère avant de répondre, espérant qu'elle approuverait sa démarche — devant le fait accompli — et surtout devant le plaisir évident de Junior.

— Oui Junior, c'est *ton* chien, dit Marc. C'est Léo qui te l'offre.

— Pour moi ?

Junior se frotta les yeux, croyant rêver. Il regarda son frère, les yeux remplis de larmes, et ne put lui dire merci.

Léo lui ébouriffa affectueusement les cheveux, la gorge nouée.

— Il n'a pas encore de nom. C'est un border collie comme...

— Harvard !

— ... oui, comme Harvard. Il n'a que six semaines et...

— Il s'appelle Harvard ! annonça Junior avec détermination.

— Tu es certain ? dit Marc. Tu pourrais peut-être...

— C'est Harvard, c'est décidé. Il est trop mignon !

Marc comprit que Marielle renonçait à essayer de le faire changer d'avis. Junior était aussi déterminé que Léo lorsqu'il avait annoncé, cinq ans auparavant, que Junior porterait le même nom que son frère décédé.

— Pourquoi pas « Petit Harvard » proposa Léo, histoire de les différencier.

— Petit Harvard... Tu es tellement mignon ! Oh, Léo...

Les deux garçons s'étreignirent.

Marc vint s'asseoir près de Marielle et passa un bras autour de ses épaules fatiguées.

— Eh bien, conclut-il, je crois que la famille vient de s'agrandir d'un autre mâle.

— Évidemment! s'exclama Marielle, réalisant qu'elle serait encore la seule femme de la maison.

Léo était ravi de l'effet produit par cette surprise. Marc, lui, se réjouissait de voir enfin un sourire sur le visage de Léo.

— D'un côté plus pratique, ajouta Marielle, il faudra que les autres « mâles » de la maison se relaient pour veiller aux besoins du nouveau venu.

— Justement, commença Léo, j'ai beaucoup réfléchi dernièrement...

Son ton grave alerta ses parents.

— Je voudrais revenir à la maison.

— Oh oui! s'exclama Junior, au comble du bonheur.

— Léo...

Marielle ne savait trop quoi penser.

— ... ce n'est peut-être pas une bonne idée, avec ton entraînement et tes matchs...

— Disons que j'ai moins la tête au basketball ces temps-ci. Et j'aimerais bien être plus près de vous tous.

— Oui! Oui! Oui! s'écria à nouveau Junior.

Son état d'excitation intense effaroucha le chiot qui sauta en bas du divan pour se réfugier sous le fauteuil.

Léo poursuivit, avant que ses parents ne l'interrompent.

— Je pourrai voyager en autobus pour vous éviter les déplacements.

— C'est hors de question! objecta Marielle.

— Il y a un parcours express qui prend à peine plus d'une heure avec un arrêt pas très loin d'ici.

— Léo, je comprends que tu puisses te sentir un peu seul ces temps-ci, reconnut Marielle. L'automne a été difficile pour nous aussi. Mais ce serait un trop grand sacrifice d'abandonner le basket à ce moment-ci.

— Le vrai sacrifice, maman, c'est de passer mes semaines loin de ma famille.

Marielle et Marc resserrèrent leur étreinte, troublés par le plaidoyer de leur fils.

— D'ailleurs, j'ai déjà manqué quelques séances.

Léo hésitait à avouer à ses parents que ses relations avec son entraîneur s'étaient détériorées à cause de ses absences répétées dues non seulement aux événements relatifs à sa famille, mais également à sa relation tumultueuse avec Marjorie.

— Ah bon?

Marc attendait la suite.

— Disons que je n'ai pas la concentration qu'il faut en ce moment.

Léo attrapa le chiot et le reposa délicatement sur les genoux de Junior.

— Il faut rester bien calme lorsqu'il est sur toi, tu comprends? Il ne te connaît pas encore et il a un peu peur.

— Moi aussi, des fois j'ai peur, avoua Junior en caressant doucement le pelage de l'animal tremblotant.

Marielle embrassa la tête de Junior en se promettant de tout faire pour le protéger.

— Tu vois, ajouta Léo, tu réussis déjà à l'amadouer avec tes caresses. Il se calme un peu parce qu'il comprend que tu l'aimes. Il apprendra à te faire confiance. Tu verras, il deviendra ton meilleur ami...

— C'est toi mon meilleur ami.

Vers neuf heures quarante-cinq, Junior consentit enfin à se mettre au lit après avoir démontré presque autant d'énergie qu'à l'époque où la maladie était encore latente. Marielle le borda et l'embrassa affectueusement avant de sortir pour le laisser seul avec Léo.

— Ce n'est peut-être pas une bonne idée qu'il dorme dans ton lit, Junior. Tu risques de rouler dessus cette nuit et de le blesser ou l'effrayer...

— Je ne vais pas bouger du tout, c'est promis!

— Oui, d'accord, mais je vais laisser la porte ouverte, juste au cas où il se réveille. Comme ça, s'il pleure, je viendrai le voir.

Léo se pencha pour faire un gros câlin à son frère et ils restèrent blottis quelques instants.

— Je suis content que tu sois là, dit Junior.

— Je suis content aussi.

— Tu restes avec moi demain, hein?

— On va passer toute la fin de semaine ensemble. Je ne retourne pas à l'école avant lundi.

— Lundi...

— Qu'est-ce qu'il y a, Junior?

Junior resserra son étreinte.

— Je veux pas que tu repartes et je veux pas retourner à l'hôpital!

— Junior, ne parlons plus de ça pour le moment, d'accord?

Léo desserra les bras de Junior et remonta la couverture tout près du chiot.

— Pour l'instant, c'est l'heure de dormir. Ce petit chiot a fait un long voyage pour venir jusqu'ici et il a besoin que tu restes bien calme pour faire de jolis rêves.

Junior acquiesça docilement et entoura son nouveau compagnon de son bras.

— Essaie de dormir maintenant. Je suis juste à côté si tu as besoin de moi.

Léo éteignit la lampe et sortit. Il s'attarda dans l'embrasure pour observer les deux êtres fragiles blottis l'un contre l'autre.

— Léo?

— Oui?

— C'est le plus beau chien du monde entier!

— Je trouve aussi.

Léo s'attarda encore un peu.

— Léo?

— Oui?

— Je t'aime beaucoup, beaucoup.

— Moi aussi Junior, je t'aime beaucoup, beaucoup.

Léo alla se coucher aussitôt, il était épuisé. Il éteignit la lumière mais ne tira pas le rideau pour profiter des lueurs de la lune. La présence de Junior l'avait rassuré et il savait qu'il pourrait dormir et profiter d'un sommeil réparateur. Dehors, la nuit était froide et l'hiver et sa grisaille engourdiraient bientôt toute la région pour de longs mois.

À l'autre bout de la ville, à la résidence des Martin, la chambre de Léo resta plongée dans l'obscurité, malgré les cailloux qui heurtaient la fenêtre givrée.

***

Le samedi, l'atmosphère de la maison était plus joyeuse qu'elle ne l'avait été depuis longtemps. Chacun s'était levé de bonne humeur malgré les fréquents réveils causés par les pleurs du chiot durant la nuit. La tâche de l'entraînement à la propreté occupa les garçons durant une bonne partie de la journée.

En début de soirée, Marc invita Marielle au restaurant. Ils n'étaient pas sortis ensemble depuis des lustres et, bien qu'elle se sentît lasse, Marielle se laissa convaincre par les enfants, ravis de passer la soirée ensemble en compagnie de leur nouvel ami.

Marielle et Marc apprécièrent leur tête-à-tête au restaurant. Ils essayèrent d'éviter d'aborder leurs problèmes et rêvèrent plutôt d'un projet de voyage à l'occasion de la relâche scolaire.

Lorsque la serveuse leur apporta l'addition, Marielle remarqua un couple qui se dirigeait vers leur table. Une femme au visage familier s'avançait, hésitante, suivie d'un homme gardant ses distances. Marielle mit un certain temps à les reconnaître.

— Bonsoir Marielle.

— Kassandra?

— Oui... il y a longtemps, n'est-ce pas?

Kassandra était mariée à Pierre, le frère d'Adam McKay. Elle était venue en aide à Marielle le fameux soir où Adam lui avait administré, à son insu, des pilules abortives. Marielle lui en avait été profondément reconnaissante, mais les deux femmes ne s'étaient pas revues depuis la naissance de Junior. Marielle s'était efforcée d'oublier ce troublant épisode.

— Je... je voulais simplement te dire bonsoir et savoir comment tu allais, ajouta Kassandra, embarrassée. J'ai souvent pensé à vous deux.

— Oui, j'ai moi aussi parfois pensé à toi, avoua Marielle qui ne pouvait s'empêcher d'associer Kassandra à Adam.

— Comment vont les enfants? demanda Kassandra. Ils doivent être grands maintenant...

— Ils vont... bien, je te remercie. Les vôtres aussi doivent avoir bien changé, dit-elle à l'attention de Pierre qui ne savait plus où se mettre. Il lui adressa un sourire poli.

— Ils sont tous à l'école maintenant, reprit Kassandra. J'arrive à respirer un peu.

Après quelques sourires embarrassés et des salutations, Kassandra et Pierre rejoignirent leurs amis qui les attendaient à la sortie. Kassandra se retourna pour observer Marielle une dernière fois avant de sortir de l'établissement. Elle pensa qu'elle avait sans doute bien fait de ne pas l'informer que son beau-frère était revenu à Québec depuis peu. À quoi bon?

Junior s'était couché tôt puisqu'il avait refusé de faire une sieste l'après-midi. Il s'était endormi sitôt la tête sur l'oreiller. Léo s'installa à sa table de travail, partiellement dégarnie de ses effets personnels restés à la ferme. Il profita de ce moment de solitude pour ressortir la vieille photographie et la déposa devant lui. Il resta de longues minutes à la contempler, immobile, se laissant envahir par de troublantes émotions.

***

Ce samedi soir, une fumée dense composée de plusieurs substances dopantes emplissait l'appartement délabré où Elliot et sa bande s'étaient retrouvés. La musique rendait inutile toute tentative de conversation et Marjorie commençait à s'énerver.

— Il faut que tu me ramènes chez moi! répétait-elle depuis une demi-heure.

Son ton impératif irrita Elliot.

— La ferme!

Elle bouillait d'impatience. Il était près de minuit et elle avait promis à son père d'être rentrée bien avant cette heure. Il lui avait imposé des règles strictes pour consentir à son retour à la maison et elle était consciente que cette entrave aux règlements lui vaudrait de graves sanctions, peut-être même de se faire jeter dehors une nouvelle fois.

— Tu avais promis de me ramener chez moi!

— Et toi, tu avais promis de payer ce que tu me dois depuis des mois...

Marjorie devenait nerveuse. Elliot était complètement gelé et son regard était mauvais.

— Il faut que tu me ramènes chez moi!

— La ferme, j'ai dit!

— Je savais bien que je ne pouvais pas te faire confiance! s'emporta Marjorie.

Elle n'eut pas le temps de se protéger: elle reçut un coup fulgurant au visage. Elle vacilla avant de tomber sur la marqueterie souillée.

— Espèce de salope! Ne t'avise jamais plus de me parler sur ce ton! hurla Elliot avec une telle violence que Marjorie n'osa pas se relever. Puisque tu tiens tant à partir, tu n'as qu'à prendre la porte! ajouta-t-il en lui assenant un coup de pied dans le flanc.

Meurtrie et effrayée, Marjorie resta immobile, redoutant un nouveau coup. Après quelques secondes, elle comprit qu'Elliot était retourné à la cuisine et elle en profita pour se faufiler jusqu'à la porte d'entrée en rampant à travers les ordures éparpillées sur le plancher. Aucune des personnes présentes ne l'aida à se relever. Elle y arriva péniblement et tourna la poignée alors qu'Elliot revenait au salon.

— Où crois-tu aller comme ça? Tu ne penses tout de même pas...

Elliot allait la retenir lorsqu'un des autres l'en empêcha.

— Laisse tomber Elliot... on sera bien débarrassés.

Marjorie ouvrit la porte et partit aussitôt, sans entendre la suite des injures qui lui étaient adressées. Elle courut à toutes jambes, sans jamais se retourner, et ne s'arrêta que lorsqu'elle fut persuadée que personne ne la suivait. À bout de souffle, elle s'adossa à un mur de pierre en bordure de la rue et se laissa choir sur le gazon gelé. Elle avait peine à reprendre son souffle. Au fur et à mesure qu'elle se calmait, elle sentait des élancements sur son visage et ses côtes. Elle posa la main sur son flanc pour tenter de calmer la douleur qui la transperçait à chaque respiration, en vain. Elle éclata en sanglots.

Seule au bord de la route, Marjorie eut une pensée pour sa famille. Elle regretta l'époque lointaine où ses parents étaient ensemble, avant l'éclatement. Elle aurait tant aimé pouvoir se blottir dans les bras aimants de sa mère. Elle aussi s'était égarée dans le tumulte qu'était devenue sa vie.

Marjorie parvint à se relever péniblement et marcha longtemps, jusqu'à une station service encore ouverte d'où elle appela son père.

***

Toujours assis dans l'obscurité de sa chambre, Léo était tourmenté. Il repensait à la conversation qu'il avait surprise entre sa mère et sa tante. Pouvait-il s'agir de lui? Cette erreur impardonnable qui rongeait sa mère depuis des années pouvait-elle le concerner? Pouvait-il s'agir de sa venue au monde? Les occasions de poser ces questions s'étaient rarement présentées et, chaque fois, il avait craint de ne pas supporter les réponses. Tant d'incertitudes lui martelaient la tête et le torturaient! La vérité lui apparaissait maintenant pire que l'ignorance dans laquelle il se trouvait.

Léo se sentait nerveux. Il était incapable de dormir. Il alluma la lampe et resta immobile, fixant les figurines qui garnissaient sa chambre. Mentalement, il remonta le fil du temps marqué par les événements qui l'avaient incité à leur

255

donner vie. Les plus récentes représentaient Junior. Venaient ensuite celles des Martin, des chevaux et de Harvard. Il remonta encore jusqu'à son père, source d'amour et d'affection indéfectible malgré les épreuves. Enfin, de sa main tremblante, il saisit la figurine représentant Marielle. Il l'avait faite belle, souriante, le regard franc et aimant. À l'époque, il l'avait façonnée selon son désir, à l'opposé de la réalité. Aujourd'hui, il avait du mal à la reconnaître. En fait, il apparaissait de plus en plus clairement qu'il ne savait rien de sa mère, ni de sa propre venue au monde. « Il faut que je sache... Je dois savoir ce qui s'est passé... »

***

Le dimanche matin, Marc trouva Marielle assise à la cuisine. Le chiot s'agitait sur elle, reniflant la banane qu'elle mangeait en guise de petit déjeuner.

— Les garçons ne sont pas encore levés?

— Si, Junior est au salon, il regarde la télé.

— Et Léo?

— Toujours couché. Tu veux un café?

— Ne te lève pas, je vais me servir.

Lorsque Marc porta la tasse à ses lèvres, Marielle s'inquiéta du tremblement de ses mains.

— Je n'ai pas beaucoup dormi, avoua-t-il en reposant la tasse. Les pleurs du chien m'ont gardé éveillé une partie de la nuit.

— Pauvre chéri! Crois-tu qu'on devrait l'appeler Junior lui aussi?

— J'espère bien que non! C'est déjà assez mêlant d'avoir deux fils qui portent le même nom. Tu sais, reprit-il, j'ai repensé au désir de Léo de revenir habiter à la maison... c'est très dur pour lui en ce moment.

— J'en suis persuadée et je serais tellement soulagée de le savoir de retour. Si seulement l'école n'était pas si loin...

— On trouvera bien une solution. Je pourrais le reconduire et aller le rechercher s'il le faut...

— Tu n'y penses pas! Tu arrives à peine à venir dormir quelques heures à la maison... tu y laisserais ta peau! Non, je crois que c'est à moi de le faire.

— Jamais de la vie! Dans l'état où tu es, il est hors de question que tu t'astreignes à te lever de si bonne heure tous les matins. Tant que tu n'auras pas revu le médecin, tu devras te reposer.

— Il y a une détresse chez Léo que je n'arrive pas à identifier et qui m'inquiète. Crois-tu que la condition de Junior le mine au point de l'empêcher de se concentrer sur ses études?

— C'est bien possible. De toute façon, c'est moi qui me chargerai de son transport...

Ils interrompirent leur conversation lorsque Léo entra dans la cuisine avec son manteau sur le dos.

— Vous n'aurez pas à vous en préoccuper, annonça-t-il. J'ai bien réfléchi et je crois que je ne peux pas laisser tomber mes coéquipiers de cette façon.

— Bon matin, fiston! lança Marc, souriant. Tu veux un chocolat chaud?

— Non, merci. Je vais aller faire un tour avec le chien avant qu'il fasse un dégât.

Il attacha la laisse au collier du chiot et sortit aussitôt dans le froid matinal de décembre, laissant ses parents déconcertés.

— Je suis inquiète, Marc. Il n'est pas comme d'habitude.

— J'avoue qu'il a les traits tirés ce matin et qu'il est sorti un peu vite, mais...

— On dirait qu'il s'est refermé sur lui-même. Je sens qu'il y a quelque chose dont il ne nous parle pas.

— Allons, il avait peut-être simplement besoin d'être seul. Tu sais, il a quinze ans et c'est normal qu'il devienne plus distant.

— Non, Marc, il y a autre chose. Je le vois dans son regard: il m'évite.

À quelques pâtés de maison, Léo déambulait machinalement, l'esprit absent, sans remarquer le chiot qui tremblait sous l'effet du vent. Il avançait comme un automate, le cerveau engourdi par d'incessantes questions. À qui les poserait-il? Certainement pas à sa mère. À son père, il en doutait. Quant à sa tante, elle avait promis de ne plus jamais en reparler. Il devait trouver un moyen de savoir... Peut-être que sa grand-mère, sa mamie Pierrette? Oui, sa grand-mère devait bien savoir certaines choses... et elle l'aiderait à trouver les réponses à ses questions.

Il marchait d'un pas rapide, ne sentant ni le vent ni le froid, jusqu'à ce que la laisse résiste assez pour le sortir de sa torpeur. Le chiot fit entendre une faible plainte.

— Oh... pauvre petit!

L'animal tremblait de froid et refusait de faire un pas de plus.

— Désolé, Petit Harvard.

Léo le prit et le cala à l'intérieur de sa veste pour le protéger des bourrasques qui soulevaient les feuilles mortes. Il n'avait pas envie de rentrer maintenant, espérant se changer suffisamment les idées pour traverser la journée. Mais il dut faire demi-tour et ramener la pauvre bête à la maison.

Au début de l'après-midi, Marielle se sentit très lasse et alla faire une sieste avec Junior.

— Ça te dirait de venir au bureau avec moi? proposa Marc à Léo. Je n'y resterai que quelques heures.

— J'avais plutôt envie d'aller chez mamie, si tu veux bien me laisser en passant. J'aimerais la voir un peu avant de repartir.

— Aucun problème, je te reprendrai en rentrant.

Une demi-heure plus tard, Léo était assis au comptoir de la cuisine chez Pierrette. Elle était touchée qu'il ait pensé à venir la voir et elle lui proposa de l'aider à préparer une soupe. De le voir là, sur le tabouret, appliqué à éplucher les légumes comme à l'époque où il habitait avec elle, la remplit d'émotion.

— J'ai l'impression que c'était hier! lui confia-t-elle. Et pourtant, il s'en est passé des choses depuis cette époque.

— Je ne t'ai jamais dit à quel point mes séjours ici avait été importants pour moi, mamie.

— Je sais, mon chéri.

— Grand-papa et toi étiez comme un roc pour moi. Je savais que vous seriez toujours là... enfin, cette idée me rassurait et m'aidait à ne pas trop angoisser quand les grands changements se produisaient.

— Tu sais, derrière cette douceur que tu dégages, se cache une force intérieure peu commune, Léo. C'est elle qui t'a permis de surmonter les épreuves. Et ça, depuis le jour de ta naissance.

— Justement, j'aimerais bien que tu m'en parles...

— Quoi, de ta naissance?

— Oui. C'est encore une zone grise pour moi. Papa et surtout maman ont toujours évité le sujet. Je sais seulement que je suis né peu de temps après le décès de Samuel, et que toute la famille a dû s'occuper de moi, à tour de rôle.

Pierrette brassait son bouillon, songeuse.

— Ce que j'aimerais savoir, reprit-il, c'est pourquoi maman ne pouvait pas s'occuper de moi...

— Mon pauvre chéri... tu étais pourtant un bébé adorable!

Elle posa la louche sur la cuisinière et vint s'asseoir sur le tabouret à côté de Léo. Elle croisa les mains et regarda son petit-fils.

— Quand Samuel est parti, nous avons tous été terriblement affectés.

— Je sais que maman est devenu l'ombre d'elle-même.

— Elle faisait peine à voir.

— Je comprends que quelque chose s'est brisé en elle à ce moment-là.

— Ton raisonnement est très juste, mon chéri.

— Comme si autre chose la perturbait au-delà de sa peine.

— Je l'ai pensé, aussi.

— Tout ça, c'était quelques mois avant ma naissance, c'est ça?

— Oui. Dans les semaines qui l'ont précédée, ta mère était dans une profonde dépression et ne manifestait aucun intérêt pour quoi que ce soit; elle dut même être alimentée par intraveineuse parce qu'elle refusait de manger. Les médecins lui ont fait une anesthésie générale pour procéder à l'accouchement. Elle n'a aucun souvenir de ta naissance.

— Oui, on me l'a expliqué.

Pierrette avait la gorge serrée. Elle fit une brève pause avant de poursuivre.

— Après, ta mère est restée dans un état dépressif durant des semaines, c'était vraiment pénible. Nous allions te voir à l'hôpital tout les jours, le temps qu'on s'organise. Annie et Stéphane t'ont d'abord accueilli chez eux, avant que ton père ne puisse prendre la relève. Il a été formidable, tu sais.

— Il l'est toujours.

— Je suis d'accord. Mais à cette époque, il ne faut pas oublier qu'il souffrait terriblement de la mort de Samuel et la condition de ta mère était troublante. Il disait que tu étais un baume sur toutes ses blessures et qu'il ne se sentait soulagé que lorsque tu étais blotti dans ses bras.

— C'est vrai?

— C'est grâce à toi s'il a arrêté de boire.

Léo refoula ses larmes. La tendresse de son père le touchait profondément.

— Et maman, que crois-tu qui lui soit arrivé à ce moment-là?

— C'est étrange que tu parles de ça... Parfois, tu as une telle intuition, une telle sensibilité... ça me dépasse!

— Alors tu penses, toi aussi, qu'il y avait autre chose?

— J'ai pensé, en effet, que quelque chose s'était produit, juste après le décès de Samuel.

— Quelque chose qui l'aurait empêchée de s'attacher à moi?

Pierrette posa la main sur celle de son petit-fils.

— Ça me déchirait le cœur...

C'est Léo qui, à son tour, la réconforta. Puis elle reprit:

— ... c'était comme si elle ne pouvait pas te regarder, comme si tu lui ramenais à l'esprit trop de souvenirs, trop de douleur...

— ... trop de regrets?

— Ne dis pas ça!

— Mamie, j'ai besoin de savoir: étais-je... un accident?

— Non! Bien sûr que non... Tes parents s'étaient réjouis lorsqu'ils avaient appris cette grossesse. Non, mon chéri...

Léo la regardait, perplexe.

— Elle n'a jamais voulu me parler de cette période de sa vie. À part son psychiatre, je crois qu'elle est la seule personne à la connaître.

***

Le lundi matin, après une autre nuit éprouvante, Léo prépara son bagage et sortit de sa chambre à la dernière minute. Il trouva son père seul à la cuisine.

— Je me demandais si tu allais finir par descendre, lui lança Marc affectueusement. Tu veux des céréales ou des rôties?

— Papa, ça te dérangerait si on partait tout de suite? Je ne voudrais pas arriver en retard.

— Tu devrais prendre le temps de déjeuner.

— Je prendrai quelque chose à la cafétéria.

— Et le café?

— On n'a qu'à le prendre en route.

Marc emplit deux tasses isolantes et dut se hâter pour rejoindre Léo qui ouvrait déjà la porte.

— Attends une minute! Je dois prendre mon porte-monnaie et mon cellulaire.

— Je t'attends dans la voiture, lança Léo.

Puis, la voix anxieuse de Marielle le fit sursauter:

— Léo... attends!

Il s'immobilisa, le visage à quelques centimètres de la porte. Dans l'état d'épuisement dans lequel il se trouvait, il redoutait par-dessus tout d'affronter sa mère ce matin-là. Il se retourna lentement et, comme une seconde nature, dissimula son affolement derrière un perpétuel sourire complaisant.

— Je... je voulais juste te dire au revoir avant que tu partes.

Elle s'approcha prudemment, le sentant craintif.

— Bonjour maman.

Marc revint de la cuisine à ce moment.

— Bonne journée, ma chérie, tu m'appelles s'il y a quoi que ce soit, d'accord?

Marc embrassa Marielle avant de passer devant Léo.

— Tu viens?

Léo et Marielle s'observèrent quelques secondes.

— Tu sais, dit Marielle hésitante, je crois que Junior a vraiment envie que tu reviennes vivre à la maison. Il aura des moments difficiles à passer et...

Léo n'écoutait plus les propos de sa mère. Elle lui demandait de revenir habiter à la maison, pour le bien-être de Junior.

— ... il en serait si heureux, tu sais.

«Junior», pensa Léo. Au cours de cette longue et solitaire fin de semaine, il avait eu le temps de se faire à l'idée qu'il pouvait lui venir en aide, d'une toute autre façon. Les mots sortirent tout seul.

— Je veux passer les tests moi aussi.

— Les tests?

— Je veux faire les tests moi aussi.

— Je ne te suis pas Léo... De quoi parles-tu?

— Je sais qu'il aura besoin d'une greffe et je veux savoir si je suis un donneur compatible...

— NON!!!

L'expression horrifiée qui défigurait Marielle affola Léo. Elle le dévisageait, les yeux remplis de terreur.

— NON! répéta-t-elle, alors que Léo recula de quelques pas.

Marielle s'agrippa à la table de l'entrée pour éviter de s'effondrer.

Léo recula encore jusqu'à ce qu'il se trouve à l'extérieur, dans la neige et le froid. Sans rien ajouter, il referma la porte, laissant Marielle seule à l'intérieur. Il courut vers la voiture et s'y engouffra. Ils se mirent en route vers le séminaire sans que Léo mentionne cette troublante conversation.

Léo arriva près d'une demi-heure avant le début des cours. Il déambula dans les corridors, croisant quelques professeurs matinaux. En arrivant à son casier, il remarqua la lisière d'un billet glissé dans la fente de la porte métallique. Il le saisit du bout des doigts et le déplia. Sous un numéro de téléphone étaient griffonnés les mots « appelle-moi ».

Léo se mit à réfléchir à toute vitesse. Il ne reconnaissait pas l'écriture, pas plus que le numéro de téléphone, mais il avait un fort pressentiment. Il eut le réflexe de porter le billet à son nez... « Ça doit être mon imagination », pensa-t-il, s'en voulant d'être encore aussi entiché et aussi naïf. Son désir et sa raison se livrèrent un combat sans pitié, avant qu'il enfonce son sac dans le casier et qu'il se précipite vers le premier téléphone public.

— Allô! répondit sèchement une voix d'homme inconnue.

— Euh... excusez-moi de vous déranger... je...

— Qui parle?

— Je... je suis Léo Allard, mais je...

— Vous êtes un ami de ma fille?

— Euh... oui, mais...

— Si c'est toi l'enfant de salaud qui l'a agressée, je te jure que j'aurai ta peau!

Le sang se glaça dans ses veines. Le ton menaçant de l'homme l'incita presque à raccrocher, mais il perçut une voix en bruit de fond dans le récepteur. Il la reconnut sans l'ombre d'un doute.

— Excusez-moi, reprit Léo après avoir dégluti, j'aimerais parler à Marjorie quelques minutes.

Il y eut un échange verbal inaudible au bout du fil avant qu'il entende enfin le son de sa voix. Comme une mélodie à ses oreilles.

— Léo?

— Marjorie?

— Oui, je sais..., dit-elle. Je regrette d'être en retard, mais je crois que je pourrai vous rejoindre dans une quinzaine de minutes. Vous n'avez qu'à commencer sans moi.

— Quoi? Je ne...

— Je te laisse... nous partons à l'instant. On se voit tout à l'heure à l'entrée.

— Marjorie?

Elle avait raccroché. Il en fit autant, sa main tremblant sur l'appareil et son esprit tournant à toute vitesse.

Il fit le guet à l'entrée du séminaire durant vingt interminables minutes. Les élèves arrivaient de toutes parts, emmitouflés dans leurs épais manteaux pour se protéger du froid et de la neige abondante qui s'accrochait aux cils de Léo. Il remonta le col de sa veste et scruta la marée humaine, brouillée par la blancheur de l'hiver. Comme toujours, elle avait fait appel à lui et il accourait, ignorant sa raison qui le prévenait encore que des déceptions inévitables allaient s'ensuivre. Il accepterait toutes les peines, toutes les humiliations et toutes les déceptions de cette relation pour passer encore un moment avec elle. L'espoir de cet instant avait le pouvoir de lui faire oublier tout le désespoir qu'il portait en lui.

La neige devint plus abondante et la visibilité diminuait. Léo avait les cheveux trempés et il frissonna. Enfin, il aperçut un gros véhicule sombre s'engager sur la route menant vers l'entrée du séminaire en se frayant un chemin dans la neige qui couvrait maintenant le sol de plusieurs centimètres. Il porta la main à son front pour tenter de distinguer les occupants, mais dut attendre que le véhicule s'immobilise avant de voir Marjorie en descendre. Elle referma la porte sans s'adresser à son père. Le véhicule repartit et disparut derrière le rideau de neige.

Marjorie s'approcha furtivement, le capuchon en peluche lui descendant jusqu'au nez. Sous le gros anorak blanc dépassaient deux longues jambes et les rebords effilochés du jean traînaient dans la gadoue.

— Salut, Léo.

— Salut, dit-il, cherchant toujours à voir son visage.

— Tu veux bien venir avec moi au casse-croûte?

Elle évitait tout contact visuel.

— Maintenant?

— Oui.

— Mais... on va être en retard...

— Je sais, dit-elle en relevant finalement la tête, laissant voir les écorchures et l'ecchymose sur son visage.

Léo fut saisit de rage en constatant que quelqu'un avait osé la maltraiter. Il soupçonna tout de suite de qui il s'agissait. «Quel minable! pensa-t-il. Comment a-t-il pu lever la main sur elle!» La rage lui nouait la gorge et il ne trouva que ses bras pour la consoler. Elle s'y blottit aussitôt, reconnaissante et soulagée. Marjorie eut l'impression d'avoir trouvé un refuge et d'être comprise sans même devoir s'expliquer.

— Tu veux bien, murmura-t-elle sans se libérer de son étreinte.

— Mais c'est loin... et tu trembles. Tu as froid?

— Non.

Il s'en fallut de peu pour qu'il l'embrasse et qu'il s'illusionne à croire qu'elle tremblait d'émotion. Le va-et-vient incessant des étudiants l'en dissuada.

Léo réfléchit. Dans cette neige épaisse, ils mettraient certainement près de trois quarts d'heure avant d'atteindre le casse-croûte et il était déjà trempé. Léo envisagea de se rendre à l'arrêt d'autobus en bordure du chemin, mais c'est alors qu'il aperçut un taxi déposant un étudiant près de l'entrée.

— Suis-moi! lança-t-il en la tirant par le bras.

Marjorie courait derrière Léo et ils arrivèrent à la hauteur du taxi au moment où il se remettait en marche. Léo frappa dans la vitre et le chauffeur immobilisa le véhicule.

— Je peux vous aider? demanda-t-il en baissant la vitre.

— Vous pouvez nous emmener au casse-croûte au bas de la route?

— Montez!

Léo ouvrit la portière arrière et fit signe à Marjorie de monter.

— Je n'ai pas un sou, Léo...

— Monte, je m'en charge.

Il referma la portière et le taxi reprit la direction du chemin Saint-Félix. Léo tâta l'intérieur de sa veste, où se trouvait son porte-monnaie. Il contenait près de trois cents dollars qu'il avait retirés de son compte la veille dans le but de rembourser sa dette auprès de madame Martin. Il savait qu'elle comprendrait.

Dix minutes plus tard, ils étaient assis à une table, au fond du casse-croûte, devant deux chocolats chauds. Ni l'un ni l'autre n'osait prendre la parole. Tant de choses s'étaient passées depuis leur dernière rencontre. Marjorie, pour sa part, avait un vague souvenir de son comportement lors de la représentation de la pièce de théâtre, tout engourdie qu'elle était par la drogue consommée ce soir-là. Elle était embarrassée d'avoir ignoré Léo, à défaut de se rappeler qu'elle l'avait humilié.

— Je voulais te dire que je regrette pour l'autre soir, à l'école... Je t'ai ignoré alors que toi, tu m'as aidée quand j'en avais besoin.

— Je doute de t'avoir réellement aidée.

— Tu m'as aidée plus que tu ne le crois. Tu me comprends, toi.

Elle le regardait intensément pendant qu'elle se confiait.

— Quand je suis avec toi, j'ai l'impression d'être quelqu'un, de compter pour toi. Ça fait du bien de sentir que je peux être moi-même et qu'on ne me fera pas de reproches.

Cette remarque ébranla Léo. Les sentiments qu'il ressentait maintenant pour elle étaient mitigés. L'ecchymose qui la défigurait lui rappelait l'emprise qu'Elliot avait sur elle et sa propre naïveté. D'un autre côté, sa présence ravivait l'espoir, une émotion qui l'avait gardé en vie dans son enfance. Ce matin-là, peu lui importait les conséquences de leur absence de l'école et la température qui se détériorait, Léo avait le cœur léger. Pour une fois, il avait l'impression de faire exactement ce qu'il devait faire : venir en aide à quelqu'un qui avait besoin de lui. Cette réflexion le détendit un peu.

Il dévisageait Marjorie.

— Cesse de me regarder comme ça, je suis affreuse.

— Tu es certainement la plus jolie fille que j'aie jamais vue.

Léo se réjouit enfin de son audace. Pour une fois, il arrivait à surmonter son trouble et avait même réussi à dire ce qu'il pensait vraiment. Ce commentaire fit fondre Marjorie qui glissa légèrement sur la banquette inconfortable.

— Tu veux me parler de ce qui s'est passé?

— Non.

Léo ne broncha pas.

— Quoi?

Il attendait toujours.

— Je sais, je sais, c'est un salaud! Bon, t'es content maintenant!

— Non.

— Qu'est-ce que tu veux au juste?

— Qu'est-ce que tu fais avec lui?

— C'est trop compliqué.

— Il ne faut plus que tu le revois.

— C'est facile à dire...

— Pourquoi?

— Parce que...

Léo attendit patiemment, les yeux rivés sur elle.

— ... parce que je lui dois de l'argent, avoua-t-elle, honteuse.

Léo serra les dents.

— Combien?

— Pas mal.

— Combien?

Marjorie se cala encore un peu plus sur la banquette. Même avec Léo, elle tâchait de projeter l'image d'une fille forte et indépendante. Elle refusait d'avouer l'étendue de l'emprise qu'Elliot avait sur elle.

— J'ai perdu le compte...

— Combien? répéta Léo, imperturbable.

Il était prêt à aller jusqu'au bout de cette histoire pour la forcer à voir la réalité en face et réaliser à quel être minable elle avait affaire.

— J'ai perdu le compte, je te dis!

— Tu dois bien avoir une idée?

Un long silence s'installa. Puis, Marjorie avoua:

— Cinq cents... Peut-être six cents...

— Et c'est pourquoi?

— Pourquoi quoi?

— L'argent.

— Merde, Léo!

— D'accord. Mais j'espère que tu réalises que cet individu est dangereux et qu'il...

— On croirait entendre mon père!

— Ton père a raison, alors.

— Tu ne connais pas mon père... alors laisse tomber.

— Il avait justement l'air assez fâché au téléphone. Peut-être que tu devrais l'écouter, lui.

— Ouais, sauf qu'il part à Bagotville pour l'armée.

— Ce qui veut dire?

— Eh bien, qu'il ne sera plus là pour me surveiller.

— Tu n'as quand même pas l'intention d'aller vivre chez... lui?

— Non. Je suis censée retourner chez ma mère.

— C'est loin, déclara Léo.

Il comprenait surtout que, dans ces conditions, elle ne pourrait poursuivre son année scolaire au séminaire et qu'il n'aurait plus l'occasion de la voir.

— C'est loin, mais surtout trop proche du minable qui habite avec elle!

— Et si tu revenais chez les Martin?

— Oublie ça! Après mes dernières folies, ils ont dit à ma mère qu'ils ne pouvaient...

— ... c'était il y a longtemps, Marjorie. Je suis sûr que je peux les convaincre.

— J'en doute. Et pourquoi tu ferais ça?

Léo ne laissa pas paraître la vraie nature de sa motivation.

— Parce que c'est ce qu'il y a de mieux à faire pour toi.

— Je doute que ma mère accepte de payer la pension.

— Elle y verra peut-être l'avantage d'un environnement propice aux études, et même celui de réintégrer l'équipe de basket.

— C'est impossible et tu le sais très bien. Même toi, tu prends des risques.

— Qu'est-ce que tu veux dire?

— Tu as manqué des séances d'entraînement la semaine dernière.

— Et comment tu le sais?

— Je le sais, c'est tout.

— Tu es venue me voir?

Un sourire radieux éclaira le visage de Léo et son rythme cardiaque s'accéléra imperceptiblement. Marjorie lui frappa doucement l'épaule, insistant pour qu'il cesse de la dévisager. Mais Léo lui attrapa la main et l'attira à lui pour lui dérober un baiser qui se prolongea, le temps de quelques battements de cœur irréguliers.

De l'autre côté du comptoir, les deux jeunes serveuses échangèrent des sourires complices avant de reprendre leur tâche.

***

Lorsque Léo avait refermé la porte, Marielle avait à peine trouvé la force d'atteindre le fauteuil pour s'y effondrer. Leur discussion l'avait atterrée au point de ne plus être en mesure de penser : elle était en état de panique.

Au cours des dernières années, elle s'était efforcée de compenser pour l'enfance malheureuse de Léo en lui offrant toute l'affection dont elle était capable. Lorsqu'il prononça les mots « greffe » et « compatible », elle comprit que tôt ou tard elle allait devoir lui raconter son histoire puisqu'elle ne pourrait jamais effacer toute trace de son erreur passée : Léo en était le résultat et son destin originel avait été de sauver Samuel. Elle devait maintenant trouver le moyen de préserver l'intégrité physique et psychologique de Léo et empêcher ce destin inhumain de s'accomplir. Il devait y avoir un moyen de changer le destin... Elle refusait aujourd'hui de le laisser devenir un enfant-médicament, de lui laisser croire qu'il n'était qu'une pièce de rechange. Elle l'en empêcherait!

Désemparée, Marielle erra dans la maison vide. Il était à peine sept heures et Junior dormait encore. Elle monta à sa chambre et ferma la porte. Elle s'assit à la table et ouvrit machinalement le tiroir renfermant les albums photos des enfants. Ses mains tremblaient en tournant les pages de sa vie. Des instants immortalisés sur papier glacé, des images de moments heureux, des photos de ses trois fils. Elle retira une photographie de chacun d'eux et rangea les albums. Puis, elle sortit une feuille et un stylo. Elle plaça soigneusement les photos devant elle et, sereine, commença à écrire.

***

La première tempête de l'année s'abattait sur la région. En fin d'avant-midi, Marie-Paule Martin enfilait ses lourdes bottes qu'elle venait de sortir du grenier avec les autres vêtements d'hiver. Elle devait se rendre à l'écurie pour fermer tous les accès afin d'empêcher la neige de s'infiltrer à l'intérieur du vieux bâtiment. Une heure plus tôt, Lionel était parti chercher les garçons au séminaire qui fermait ses portes à cause du mauvais temps.

Madame Martin finissait de nouer les cordons de son bonnet lorsque la porte d'entrée s'ouvrit : Léo et Marjorie entrèrent, couverts de neige, après être revenus à pied du casse-croûte.

— Doux Jésus ! s'exclama-t-elle en les aidant à refermer la porte secouée par une violente bourrasque. Vous ressemblez à deux bonshommes de neige !

— Bonjour, Madame Martin, dit Léo en se secouant comme un chien. Excusez-moi d'arriver sans prévenir, mais...

— Comment ça... sans prévenir ? Lionel est parti depuis plus d'une heure pour vous ramener...

— Pour nous ramener ?

— Oui, Jean-Gervais a téléphoné pour dire que le séminaire fermait ses portes.

— Nous sommes revenus à pied...

— À pied ?

— Oui, Marjorie et moi.

— Bonjour, Madame Martin, murmura Marjorie, hésitante à sortir de sous son capuchon.

— Bonjour, ma chère, dit-elle en l'étreignant. Ça fait longtemps...

Elle l'invita à entrer et à se débarrasser de ses vêtements trempés.

— Vous devriez enlever tout ça et venir vous réchauffer près du feu, vous avez l'air frigorifiés!

Madame Martin s'éloigna pour ajouter une bûche dans l'âtre. Lorsqu'elle revint, elle s'immobilisa à la vue de Marjorie qui avait retiré son capuchon.

— Mon Dieu! Marjorie... qu'est-ce qui t'est arrivé?

— Ce n'est rien.

— Comment ça «ce n'est rien»?

Madame Martin secouait la tête, bouleversée, n'osant pas imaginer.

— Dépêche-toi d'enlever tout ça et viens t'asseoir près du feu... Mais qu'est-ce que fait Lionel?

La sonnerie du téléphone l'interrompit et elle courut à la cuisine, laissant Léo et Marjorie terminer de suspendre leurs vêtements.

— Finalement, tu n'auras pas tout à fait séché tes cours, dit Marjorie avant d'aller s'asseoir sur la vieille catalogne, près du chien qui paressait. Léo resta debout, épiant madame Martin qui était toujours au téléphone.

— Ils doivent me chercher, se désola-t-il.

Madame Martin revint finalement au salon.

— Ça y est, ils sont en route! J'espère seulement que la camionnette ne s'embourbera pas dans toute cette neige!

— Je peux déneiger l'entrée si vous voulez.

— Ce n'est pas la peine, Lionel aura tôt fait de sortir le tracteur. Viens plutôt me raconter ce qui vous arrive, dit-elle en l'invitant à s'approcher de l'âtre.

— Madame Martin, commença Léo, Marjorie se demandait si elle pouvait revenir habiter ici... pour terminer son année scolaire.

Il fit une pause, remarquant la moue sceptique de sa logeuse. C'est Marjorie qui reprit.

— Mon père partira en mission après les Fêtes et...

— ... et tu auras besoin de loger quelque part, pas trop loin de l'école, pour ne pas rater la deuxième session.

Madame Martin hochait la tête. Elle était plus au fait de la situation de Marjorie que ne l'était Léo. En fait, elle prenait de ses nouvelles régulièrement puisqu'elle voyait toujours la mère de Marjorie, sa coiffeuse depuis des années. Elle savait aussi que la relation avec son beau-père n'était pas idéale.

— Si tu me racontais comment tu t'es fait cette ecchymose.

Marjorie inclina légèrement la tête, espérant dissimuler son visage derrière sa frange.

— Ce n'est rien, je vous assure.

Madame Martin se tourna vers Léo.

— Tu veux bien aller à la cuisine arrêter la bouilloire? Tu pourras sortir ce qu'il faut pour préparer le thé, je te rejoins dans une minute.

Léo s'exécuta, les laissant seules au salon.

— Dis-moi, Marjorie... je voudrais juste m'assurer que ce n'est pas... que ton père n'aurait pas perdu son sang-froid, au point de te malmener.

— Non! Ce n'est pas ça...

— ... ni ton beau-père?

— Il n'est *pas* mon beau-père. Et non, ce n'est pas lui.

— Qui est-ce alors?

— Un ami.

— Eh bien, si un de mes amis me mettait dans un état pareil, il cesserait de l'être sur-le-champ!

Madame Martin avait toujours de l'affection pour Marjorie. C'est d'ailleurs cet attachement qui rendait la situation difficile lorsqu'elle habitait à la ferme. Madame Martin se considérait trop vieille pour s'inquiéter de Marjorie, comme s'il s'agissait de sa propre fille. Cependant, elle reconnaissait que de la retourner à ses parents n'avait pas été la solution idéale. Elle s'y était résignée, sentant que cette adolescente troublée avait besoin d'un encadrement plus strict que celui offert par des septuagénaires.

— Léo m'a dit la même chose, avoua timidement Marjorie.

— Ce garçon est plein de bon sens, et tu aurais avantage à l'écouter!

Madame Martin alla rejoindre Léo à la cuisine, laissant Marjorie à ses réflexions.

Léo emplissait la théière d'eau bouillante.

— Tu t'en sors bien, dis donc... merci.

— Ce n'est rien. Voulez-vous que j'apporte le plateau au salon?

— Non, attends. Dis-moi plutôt ce qui en est avec Marjorie.

— Eh bien, elle... elle s'est un peu égarée, je crois.

— Tu crois?

Léo baissa les yeux et inspira profondément.

— Sa situation ne pourrait que s'améliorer si elle habitait ici.

— Marjorie est très troublée, je ne suis pas certaine de vouloir endosser cette responsabilité.

— Je comprends, mais vous auriez une bonne influence sur elle... et je pourrais aussi m'assurer qu'elle assiste à ses cours et qu'elle fasse ses travaux.

— Pourquoi fais-tu ça, Léo?

— ...

— Tu sais, je regrette de t'avoir demandé de l'aider, l'an dernier.

— Mais je veux l'aider.

— Je sais, ça se voit dans tes yeux quand tu la regardes.

Il se frotta la nuque, embarrassé.

— Écoute, mon garçon. Pour l'instant, nous allons aviser ses parents qu'elle se trouve ici pour éviter de les inquiéter.

— D'accord.

— Ensuite, vous allez m'aider à l'écurie. Les chevaux doivent s'affoler dans leur stalle et nous devons tâcher d'isoler toutes les issues. Cette bâtisse tombe en ruine!

Au moment où ils revenaient au salon, la porte d'entrée s'ouvrit et une rafale poussa Lionel et Jean-Gervais à l'intérieur.

— Vous voilà enfin! s'exclama Madame Martin pour la deuxième fois ce jour-là. Entrez vite vous sécher!

Jean-Gervais salua Léo et adressa un signe de tête à Marjorie.

— Ce sera pour plus tard, dit monsieur Martin, en fouillant dans le placard à la recherche de ses gants et de son foulard.

Je vais aller ouvrir le chemin. J'ai eu toute la misère du monde à me rendre jusqu'ici.

— J'y vais aussi, dit Jean-Gervais qui ressortit aussitôt.

— Eh bien... c'est ce que j'appelle passer en coup de vent!

Léo et Marjorie ressortirent peu de temps après pour se rendre à l'écurie. Ils durent contourner le vieux bâtiment par l'arrière et déneiger la porte avec leurs pieds. Elle grinça lorsqu'ils la refermèrent.

Cette section du bâtiment n'était pas chauffée et l'air était glacial. Léo prit la main de Marjorie et l'amena jusque dans la partie chauffée où se trouvaient les chevaux qui s'agitèrent à leur arrivée. Il commença à s'occuper d'eux pour les rassurer. À l'écart, Marjorie l'observait et s'étonnait de l'aisance avec laquelle il leur prodiguait des soins. Il semblait avoir oublié sa présence.

Marjorie se rappela qu'à son arrivée à la ferme, l'année précédente, Léo passait la majorité de son temps libre à l'écurie, avec monsieur Martin. Il lui était arrivé, à plus d'une occasion, de rentrer d'une de ses escapades et d'y apercevoir Léo, soignant les bêtes. Son intérêt pour les chevaux demeurait un mystère pour elle.

Après un moment, Léo s'adressa à Marjorie.

— Viens! dit-il en lui tendant une brosse.

— Moi?

— Qui d'autre?

— Mais...

Marjorie s'avança avec réticence. Léo lui saisit la main et y déposa la brosse.

— Junior est le premier cheval que j'ai vu d'aussi près, dit-il en brossant l'animal.

— Il s'appelle Junior aussi?

— Oui, c'est drôle, non? Il m'a beaucoup aidé quand je suis arrivé ici. Je n'avais personne d'autre, à part monsieur et madame Martin.

Marjorie s'approcha et commença à brosser le flanc du cheval, imitant Léo.

— Je me sentais si seul, loin de chez moi, loin de ma mère.

— Pourquoi ils t'ont placé ici?

— Mes parents étaient séparés.

— C'est vrai? Ils sont ensemble aujourd'hui, non?

— Aujourd'hui oui, mais mon père a habité ailleurs durant quelques années. Il avait ses problèmes... et ma mère avait les siens.

— Et toi, les tiens.

Léo opina, brossant toujours d'un mouvement régulier.

— J'ai souffert d'être séparé d'eux. Surtout d'elle.

— ... et de ne pas savoir si elle t'aimait toujours?

Léo releva la tête, troublé par l'intuition de Marjorie.

Ils s'interrompirent quelques instants, surpris par les fortes bourrasques qui faisaient trembler le bâtiment. Puis, Léo commença à brosser le vieux Buck pour le rassurer.

— J'imagine un peu ce que tu pouvais ressentir, confia Marjorie. Quand ma mère a commencé à sortir avec ce crétin, j'avais l'impression de ne plus exister. Je le détestais, et je *la* détestais. Je lui en voulais d'être aussi égoïste! J'ai tout fait pour qu'elle accepte de me laisser habiter avec mon père. Et quand je suis enfin partie vivre chez lui, j'ai eu peur qu'elle m'oublie, qu'elle cesse de m'aimer.

— Je pense que les parents ne savent pas à quel point ils nous manquent.

— Je le pense aussi, répondit Marjorie qui brossait maintenant avec assurance.

— As-tu pensé que ça pouvait être ta faute? reprit Léo.

— Ma faute?

— Leur séparation.

— Hum... je me sentais coupable surtout quand je voyais ma mère pleurer, le soir... après les éternelles disputes avec mon père.

— C'est dur...

— Ouais... et c'était pas son nouveau chum qui arrangeait les choses.

La vulnérabilité de Marjorie incitait Léo à vouloir prendre soin d'elle, contrairement à Elliot qui n'avait pas hésité à en profiter, pensa-t-il.

275

— Est-ce qu'il t'arrivait de quitter la ferme, le soir?

— Assez souvent. J'aurais dû venir ici au lieu d'aller rejoindre... mes amis.

Léo était troublé de constater que Marjorie laissait tomber ses défenses de la sorte.

— J'aurais mieux fait de venir te rejoindre ici, conclut-elle.

Léo s'approcha et lui retira la brosse des mains. Elle se blottie dans ses bras ouverts et il la garda serrée contre son cœur.

— Tu peux toujours venir me rejoindre, murmura-t-il.

Il frotta sa joue contre la sienne, heureux de l'avoir retrouvée. Un flot d'émotion passa entre eux, traversant sans peine les épais manteaux qui gênaient leurs mouvements. Marjorie releva la tête.

— À quoi tu penses?

— Qu'il doit bien manquer un ange au ciel...

— ... un oiseau de malheur, oui!

8

La tempête faisait toujours rage sur la ville. Vers seize heures, les employés du Groupe Allard avaient quitté le bureau et Marc venait de joindre Marielle au téléphone. Elle était chez sa mère avec Junior.

— Léo vient d'appeler, dit-il. Il est en sécurité à la ferme.

— Oui, j'ai pris les messages sur le répondeur. Il avait téléphoné à la maison un peu plus tôt, mais j'étais déjà en route pour aller chez maman. Je suis restée prise dans la circulation pendant une éternité à cause de cette foutue tempête ! Je me demande comment tu vas faire pour rentrer par ce sale temps...

— Et toi, as-tu l'intention de rester chez ta mère ?

— Je ne pourrais même pas sortir de l'entrée ! Je préfère ne pas la laisser seule dans ces conditions, ça la rend nerveuse. Et je dois dire que je n'ai pas vraiment envie de ressortir en voiture avec Junior. Le mieux à faire, c'est de rester ici. Notre rendez-vous à l'hôpital n'est qu'en fin d'avant-midi demain. Les routes seront sans doute dégagées d'ici là.

— Et comment va fiston ?

— Je voudrais que tu voies ça...

Dans la cuisine au décor datant des années quatre-vingt, Junior était assis au comptoir, sur le tabouret que Léo avait occupé si souvent. Il écoutait avec attention le récit de sa grand-mère. Devant lui étaient étalés des pommes de terre, des navets et des carottes qu'il parvenait difficilement à éplucher.

Sa grand-mère lui racontait combien Léo appréciait se trouver là, sur ce même tabouret, avec ce même éplucheur, à découper jour après jour, morceau par morceau, ces mêmes légumes, libérant du coup son talent artistique et ses inquiétudes de petit garçon.

— J'ai l'impression de voir Léo à la place de Junior, avoua Marielle, la gorge nouée.

— Les années ont passé si vite!

— Et pourtant, j'ai l'impression que c'était hier.

Marielle dut se ressaisir. Elle lui confirma ensuite sa décision de passer la nuit chez sa mère.

— Dans ce cas, je crois que je vais rester au bureau. Je vais en profiter pour travailler tard.

— Et pour renouer avec ton vieux sofa?

— J'y ai passé quelques très bonnes nuits, tu sais.

— Je sais. Trouveras-tu quelque chose à manger?

— Ne t'en fais pas pour moi. Quelques kilos en moins ne me feraient que du bien.

— Quand même!

— Je peux toujours faire un saut au dépanneur d'en face.

— Marc?

— Oui?

— Est-ce que Léo t'a parlé de quelque chose ce matin?

— Non, rien de particulier. Je dois avouer que j'étais perdu dans mes pensées... et il avait l'air songeur lui aussi. On s'est à peine dit quelques mots durant le trajet.

— ...

— Cesse de t'en faire, ma chérie. Si quelque chose ne va pas, il va nous en parler.

— Il m'a dit qu'il voulait se faire tester pour être donneur.

Marc appuya la tête sur le dossier et ferma les yeux. Les mots lui manquaient.

— C'est hors de question, Marc! C'était une erreur depuis le début et j'ai bien l'intention de la corriger une fois pour toutes.

Marielle baissa la voix pour éviter que sa mère ne l'entende.

— Je ne le laisserai jamais devenir un *donneur d'organe*!

Un lourd silence s'installa.

— Marc?

— Je suis là. Je... je ne sais pas quoi te dire, Marielle.

— Il n'y a rien à dire.

Marc ressassa cette conversation durant une demi-heure avant de se décider à faire une pause. Il se sentait las et décida d'aller faire un saut au dépanneur d'en face avant la fermeture. Il s'apprêtait à sortir lorsqu'il aperçut Viviane, toujours affairée à son bureau.

— Mais qu'est-ce que vous faites encore ici? Je croyais que vous étiez partie...

— Je voulais terminer ce rapport. Et j'habite à seulement dix-minutes.

— Dites plutôt une heure, par ce temps! Et je doute que vous puissiez trouver un taxi encore en service à cette heure-ci. Si vous voulez, je peux essayer de vous raccompagner.

— Et vous, comment allez-vous rentrer?

— Ce serait inutile d'essayer. Je mettrai des heures avant d'arriver à la maison. De toute façon, je passerais la nuit à me retourner dans mon lit. Ici, au moins, je pourrai travailler un peu.

— Vous seriez davantage efficace si j'arrivais à vous convaincre de venir souper avec moi. J'ai du saumon à la moutarde dans le frigo qui va se perdre si je ne le mange pas bientôt. Vous pourrez revenir au bureau un peu plus tard. Votre vieux sofa vous attendra bien quelques heures.

Marc était tenté d'accepter. Il n'avait pas envisagé un souper aussi copieux, mais comme il avait offert de la reconduire chez elle, il se dit qu'il pouvait prendre le temps de manger une bouchée et donner une chance à cette tempête de se calmer.

— Allez, venez, dit-il. De toute façon, nous n'arriverons à rien de plus aujourd'hui. La ville est complètement paralysée et personne ne répond plus au téléphone.

Ils descendirent au stationnement souterrain et montèrent à bord de la voiture de Marc. La nuit était déjà tombée et les conditions routières étaient impossibles. Ils mirent près de trente minutes pour franchir trois kilomètres.

***

À la ferme des Martin, tout le monde était rentré. Les jeunes terminaient de souper tranquillement et monsieur Martin était monté au grenier, s'affairant à quelque besogne, sur l'insistance de sa femme. Feignant de ne pas entendre le vacarme à l'étage, madame Martin poursuivait la conversation comme si de rien n'était.

— Je vais desservir, proposa Léo, impatient de se retrouver seul avec Marjorie.

— Je vais t'aider, renchérit-elle aussitôt en se levant à son tour.

Elle emporta quelques assiettes à la cuisine où Léo l'attendait, fébrile.

Lorsqu'elle déposa la vaisselle sur le comptoir, il lui entoura la taille et la pressa contre lui.

— On se retrouve plus tard, d'accord?

L'arrivée de Jean-Gervais et de madame Martin lui fit relâcher aussitôt son étreinte.

— Pour une surprise... on peut dire que c'en est toute une! laissa tomber Jean-Gervais en dévisageant Léo.

— De quoi parles-tu, mon garçon?

— De toute cette neige, ajouta-t-il, sarcastique.

— Les météorologues ne l'ont pas vue venir, celle-là. Je crois qu'ils ont atteint un record d'inefficacité.

Monsieur Martin redescendit du grenier à cet instant.

— Et moi j'ai atteint le maximum de mes capacités! J'espère que tu n'as rien d'autre à me demander, Marie-Paule... Je suis crevé, je vais me coucher.

Il lui embrassa le front et disparut vers la chambre.

— Nous sommes tous fatigués de cette journée mouvementée, n'est-ce pas? suggéra madame Martin à ses pensionnaires. Je crois que nous devrions tous aller nous reposer.

— Je raccompagne Marjorie à sa chambre, proposa Léo.

Au moment où ils allaient quitter la cuisine, madame Martin les interpella.

— Je vous recommande de monter au grenier dans ce cas. Lionel vient d'aménager une chambre juste pour toi, Marjorie.

Comme ça, tu pourras dormir tranquille, sans risquer de te faire réveiller.

Abasourdi, Léo ouvrit de grands yeux tandis que Marjorie fixait le plancher. Ils firent demi-tour et se résignèrent à monter les marches qui rouspétaient à chacun de leurs pas.

— Tu redescends très vite, Léo, j'ai besoin de toi pour rentrer un peu de bois pour le feu.

Jean-Gervais s'essuya les mains et souhaita bonne nuit à sa logeuse, échangeant avec elle un sourire entendu.

Au haut de l'escalier, Marjorie remarqua le rayon de lumière provenant de la pièce du fond qui servait de débarras. Elle s'avança et découvrit un lit récemment débarrassé de son fardeau. Le couvre-lit était toujours marqué des empreintes des caisses de carton maintenant entassées sur le côté de l'étroite pièce. Des draps propres était pliés et déposés au pied du lit.

Léo et Marjorie se regardèrent, à la fois étonnés et déçus de la lucidité de madame Martin. « C'était trop beau pour être vrai », pensa Léo. Il prit les draps et commença à faire le lit.

— Je ne crois pas que tu puisses venir me retrouver tout à l'heure sans réveiller toute la maison. J'ai toujours pensé qu'elle possédait un sixième sens.

— Ouais, moi aussi.

Ils terminèrent de placer les couvertures et se rapprochèrent pour se souhaiter bonne nuit. Marjorie prit les mains de Léo et les referma l'une contre l'autre. Elle les appuya sur sa joue et ferma les yeux pour s'imprégner de sa présence. Léo déposa un chaste baiser sur son front et se fit violence pour ne pas céder à son envie de l'enlacer encore une fois.

— Je vais redescendre maintenant.

— Oui, elle attend!

— Je sais. Bonne nuit.

— Bonne nuit.

Léo s'éloigna.

— Léo?

— Oui?

— Merci d'être si... gentil avec moi.

281

Léo ne trouva rien à répondre. Il se retourna et descendit l'escalier, le cœur gonflé d'une douce sensation d'euphorie.

Lorsqu'il arriva dans la cuisine, les lumières étaient éteintes. Il entra au salon et vit madame Martin, refermant les grilles du foyer.

— Je crois qu'il y a assez de bûches pour ce soir, dit-elle en le regardant. Je te souhaite une bonne nuit, mon garçon.

— Bonne nuit.

— Et je veux que tu saches que je te suis reconnaissante de ce que tu fais pour elle. J'espère seulement que tu seras prudent et que tu sauras te protéger.

— C'est quelqu'un de bien, l'assura Léo.

— C'est aussi quelqu'un de troublé, qui ne sais pas encore très bien où est sa place. Tu sais, Léo, parfois, même avec les meilleures intentions du monde, on n'arrive pas à aider quelqu'un qui ne veut pas s'aider lui-même. Elle devra faire le point sur sa situation et ça peut prendre du temps.

— Je suis patient.

— Je sais, mon garçon. Je sais.

***

Dans la rue Sault-au-Matelot, située à deux pas du fleuve, le vent faisait vibrer les vitres de l'appartement du troisième étage. Les rideaux étaient tirés et une douce musique venait se perdre sur le mur de pierre.

Viviane et Marc se faisaient face à la table bistro, agrémentée pour une rare occasion d'une nappe et de quelques bougies. Marc toucha à peine à son assiette et parut absent pendant une bonne partie du repas. Connaissant les préoccupations de son patron, Viviane n'essayait guère d'entretenir la conversation. Elle s'accommodait assez bien du silence. Elle se versa un autre verre de vin avant de s'excuser pour aller à la salle de bains.

Marc fixait la coupe qui reposait sagement sur la nappe, imaginant l'effet désaltérant de l'alcool dans la gorge de

Viviane. Elle avait ouvert une bouteille de chardonnay après s'être assurée que ça ne l'incommodait pas. Il avait menti.

Il était troublé par la vue du vin frais qu'elle versait dans le verre et qu'elle savourait à petites gorgées. Sa résistance faiblissait sournoisement et cela l'inquiétait. Ses longues nuits d'insomnie, meublées d'inquiétudes pour sa famille et pour son entreprise, contribuaient à son état d'épuisement et au relâchement de sa volonté. « Ne prends pas le premier verre », se répétait-il de plus en plus souvent. « Un jour à la fois... »

Il se leva de table pour s'éloigner de la tentation et arpenta l'appartement dans l'espoir de calmer le tremblement de ses mains.

Viviane revint de la salle de bains et constata que Marc était assis au salon. Elle commença à débarrasser la table.

— Laissez-moi vous aider...

— Pas la peine, j'en ai pour une minute. Je fais du café, vous en voulez?

— Je crains que ça ne m'empêche de dormir.

— Alors ce sera un déca pour moi aussi.

Marc ferma les yeux quelques secondes. Il se sentait déjà un peu mieux, loin de la bouteille. Il retira sa cravate qu'il avait desserrée au début du repas. Il jeta ensuite un coup d'œil à la collection de films sur l'étagère.

— C'est une vieille passion, lança-t-elle du fond de la cuisine.

— Je vois. Vous les regardez souvent?

— Assez. Et vous?

— Moi?

— Vous avez une passion?

Marc aurait pu répondre bien des choses: ses affaires, malgré la tourmente dans laquelle était plongée son entreprise; ses enfants qu'il aimait et qu'il voulait protéger; et sa vraie passion, Marielle, qu'il sentait fragile et qui avait besoin de lui.

Il prit conscience qu'il n'avait pas répondu à Viviane lorsqu'elle lui apporta un café. Il en prit une longue gorgée.

— Vous devez bien avoir une passion, non?

— Eh bien, j'aimais beaucoup le jogging, à l'époque...

Il préféra ne pas étaler sa vie privée.

— Vraiment? Je ne savais pas que vous en faisiez?

Il fit signe que non en avalant son café.

— Plus maintenant, je manque de temps et je n'ai plus vraiment la tête à ça.

Viviane retourna à la cuisine.

— Aimeriez-vous un dessert avec votre café?

— Je vous remercie, mais je crois que je vais retourner au bureau.

— Rien ne presse, je vous en prie, dit-elle en l'invitant à rester assis.

— Vraiment, je devrais déjà être parti, dit-il en se frottant le visage. Il sentait la fatigue le gagner.

— Les derniers mois ont été très intenses, commença Viviane, faisant référence au conflit de travail.

Ils reparlèrent de la situation de l'entreprise. Au fil de la conversation, Marc se sentait de plus en plus détendu.

— Ça m'échappe complètement, avoua-t-il. Quel employé peut être assez sot pour imaginer améliorer son sort en plongeant la compagnie dans ce merdier?

Depuis un moment, Viviane l'écoutait sans intervenir.

— Excusez-moi, Viviane... je crois que je suis au bout du rouleau.

Il se massa la nuque, se sentant très las.

— Je vous comprends très bien Marc, le rassura-t-elle.

Marc avait du mal à se concentrer sur les propos de Viviane. Il sentait tout à coup le poids de la journée et il avait besoin de prendre un peu d'air.

— Excusez-moi, l'interrompit-il. Je voudrais utiliser votre salle de bains.

Il se leva et fit quelques pas en direction de la porte d'entrée.

— Venez plutôt de ce côté, Marc, dit-elle en lui prenant le bras.

Marc arrivait à peine à placer un pied devant l'autre et dut s'appuyer au bras de Viviane pour ne pas trébucher.

— Je ne me sens pas très... bien...

— Marc?

— ... excusez-moi...

— Vous devriez peut-être vous allonger un peu, vous semblez épuisé!

Elle bifurqua vers la chambre et incita Marc à s'étendre sur le lit. Il voulut protester, mais en fut incapable. Il s'endormit sitôt la tête sur l'oreiller.

Par la fenêtre de la chambre, Viviane pouvait voir que la tempête avait atteint son point culminant et elle dut faire un effort pour maîtriser sa nervosité. Elle n'arrivait pas à croire d'en être arrivée là.

Le réveil indiquait dix-neuf heures quarante-cinq. Elle ferma les rideaux et s'approcha furtivement du lit. Marc dormait profondément. Elle glissa la main dans la poche de son veston et en sortit son cellulaire. Elle vérifia qu'il était bien allumé et le déposa sur la table de nuit. Puis, elle entreprit de lui retirer ses vêtements.

***

Le lendemain matin, Marielle fut réveillée par l'odeur du café lui parvenant de la cuisine. Sa mère avait dû se lever tôt pour préparer le petit déjeuner. Elle ne se souvenait pas de s'être levée aussi tard depuis longtemps. Puis, elle se rappela que des vents violents avaient fouetté la fenêtre de la chambre, troublant son sommeil. Elle se hâta de s'habiller et se rendit à la cuisine.

— Vous êtes levés tous les deux! s'étonna-t-elle en embrassant Junior, tout barbouillé de tartinade au chocolat.

Pierrette lui apporta un café.

— Je n'ai pas osé te réveiller. Tu as dû avoir du mal à dormir avec ce vent.

— J'ai cru que les vitres ne résisteraient pas. On dirait que ça t'a incommodée, toi aussi...

Sa mère lui paraissait soudainement plus vieille, plus fragile. C'était sans doute parce qu'elle n'avait pas encore fait sa toilette. Marielle n'avait pas eu l'occasion de la voir à son réveil depuis longtemps. Elle le regrettait.

Junior recula sa chaise et se faufila hors de la cuisine pour aller dans le boudoir terminer de regarder un dessin animé.

— Il me semble que nous aurions toutes les deux grand besoin de quelques jours de vacances, dit Marielle.

— Songes-tu vraiment à partir?

— Non, je rêve tout haut. Je ne vois pas comment je ferais.

— Quelques jours de vacances te feraient beaucoup de bien. Je pourrais garder Junior.

— Merci, maman, mais je ne partirai pas.

— Je suis inquiète pour toi, Marielle.

— Ça va, maman, ça va.

Marielle prit une gorgée de café avant de poursuivre.

— Je voulais te dire que j'ai décidé de me battre jusqu'au bout pour mes enfants. Pour Junior et pour Léo.

Pierrette vint s'asseoir près d'elle.

— J'ai perdu assez d'années de ma vie à pleurer sur mon sort. Je ne veux plus être spectatrice de ma vie, maman. Je vais me prendre en main et sauver mon fils.

— C'est aussi mon petit-fils... et Marc est son père, ne l'oublie pas. Nous sommes là pour toi, Marielle. Même si je suis vieille, tu peux toujours compter sur mon soutien et sur mon affection.

— Je sais, maman. Les enfants aussi t'aiment beaucoup.

— Parlant de Marc, je doute qu'il ait bien dormi! On ne peut pas dire que ce soit une bonne idée de passer la nuit sur un sofa. Il doit être courbaturé.

— Je vais lui passer un coup de fil.

Marielle se leva et décrocha le téléphone. Elle composa le numéro du bureau mais n'obtint pas de réponse. Elle raccrocha. En jetant un œil à l'extérieur, elle remarqua que le soleil brillait et que la neige et le vent étaient de l'histoire ancienne. «Peut-être est-il passé à la maison pour se changer ou pour manger une bouchée». Elle composa son numéro de cellulaire.

Dans l'appartement de la rue Sault-au-matelot, Viviane fut réveillée par la sonnerie du téléphone. Elle saisit le cellulaire de Marc posé sur la table de nuit. Elle laissa sonner encore plusieurs fois, jusqu'à ce que Marc, allongé à côté d'elle, se réveille et ouvre les yeux. Puis, elle répondit.

— Allô?

— ...

— Allô? répéta-t-elle, la voix tout endormie.

Marielle dut se rasseoir à table.

— Allô? répéta la voix féminine qu'elle reconnut.

Elle déglutit douloureusement, prise d'un léger vertige.

— Viviane?

— Oui?

Marielle fit une longue pause, refusant de laisser d'horribles idées la perturber. « Pourquoi Viviane répond-elle au cellulaire de Marc à cette heure matinale? » Sa pression chuta subitement. Mais elle devait savoir.

— Est-ce que Marc est près de vous?

— Marielle?

— ...

Viviane tourna la tête vers Marc qui la dévisageait.

— Je... je vous le passe.

Elle tendit le cellulaire à Marc.

— Où suis-je? demanda-t-il.

— Vous devriez répondre...

— Je ne comprends pas...

— Répondez..., insista Viviane. Votre femme est au téléphone, ajouta-t-elle avant de se lever et de sortir de la pièce, vêtue seulement d'une camisole et d'un string.

Marc entendait la voix de Marielle lui parvenir de son cellulaire qui reposait toujours dans sa main. Puis, il réalisa qu'il portait seulement son caleçon et que ses vêtements gisaient sur le tapis à côté du lit. Il entendit à nouveau la voix de Marielle et porta finalement le cellulaire à son oreille.

— Marc!

— Marielle?

— Mais qu'est-ce qui se passe! cria-t-elle, au bord des larmes.

— Je... écoute...

— Où es-tu?

— Marielle, écoute...

— Je veux savoir où tu es!

— Je suis... chez Viviane, je crois... Mais ce n'est pas ce que tu penses...

9

— Espèce de salaud! C'est dégueulasse ce que tu as fait!

Marc était rentré à la maison un peu avant Marielle qui avait laissé Junior chez Pierrette. Elle était en furie. Elle déversait sur lui une pluie d'injures, à travers ses larmes et sa rage.

— Pendant que notre fils est malade et que ton entreprise traverse une crise... et que tu sais que je suis fragile, tu n'as pas pu t'empêcher de te vautrer dans les bras de cette vipère!

— Marielle! Il faut que tu m'écoutes... je ne sais pas ce qui s'est passé...

— Tu as bu! Voilà ce qui est arrivé!

— Marielle... je t'en prie!

— Comment peux-tu avoir été aussi lâche!

Marielle ne voulait rien entendre. À son arrivée à la maison, elle s'était jetée sur lui comme une furie pour vomir la rage et la déception qui l'étouffaient. C'est alors qu'elle avait senti l'odeur d'alcool se dégageant de sa veste et de sa chemise. Elle s'était arrêtée net, prise de panique. Elle s'était aussitôt éloignée de lui, par crainte d'être contaminée elle aussi par ce démon qui revenait rôder autour d'elle et de sa famille.

Marc ne trouvait pas les mots pour la convaincre qu'une telle chose n'avait pu se produire. C'était peine perdue puisqu'il ne comprenait pas lui-même comment il en était arrivé là.

Marielle finit par mettre un terme à cette scène épuisante.

— Ne t'avise pas de t'approcher de notre chambre! Va plutôt retrouver ton vieux sofa au sous-sol!

***

Lorsque Léo se leva, il trouva monsieur Martin à la cuisine, sirotant une grande tasse de café en écoutant les informations pour connaître les conditions routières.

— Tu peux retourner au lit, mon garçon. Le séminaire ouvrira seulement à treize heures. Ils mettront plusieurs heures à déneiger les bâtiments et le stationnement.

— La neige est arrivée tôt, cette année...

— Tôt et à la tonne! Je vais devoir retourner déneiger, la poudrerie a ramené la neige dans le chemin.

— Je vais vous aider.

— Si tu veux, tu peux t'occuper de l'entrée. Je vais prendre le tracteur pour ouvrir le chemin.

Ils s'habillèrent chaudement et sortirent se mettre au travail. Au bout d'une vingtaine de minutes, Léo termina sa corvée et rentra se reposer. La cuisine était déserte. Il se débarrassa de ses vêtements et s'approcha de l'escalier menant au grenier. Il mourait d'envie d'y monter. L'arrivée de Jean-Gervais l'en dissuada.

— Crois-tu qu'il y a de l'école, ce matin?

— Non, c'est fermé pour l'avant-midi.

— Super! On peut retourner dormir.

— ...

— ... ou déjeuner. Tu veux quelque chose?

Léo toisa son ami sans répondre, puis s'assit au comptoir. Jean-Gervais proposa des rôties que Léo accepta.

— Elle est toujours là-haut?

— Je pense.

— Crois-tu vraiment qu'elle va retourner...

— Je ne veux pas en parler avec toi, dit Léo en se levant pour aller chercher du beurre d'arachides.

— D'accord, dit-il, résigné, avant de changer de sujet. Plus que quelques jours avant le congé de Noël.

— Est-ce que tu retournes chez ta mère?

— Oui, on va aller faire un tour dans sa famille. Pour une fois, je laisse mes bouquins ici. Et toi, passes-tu Noël chez toi?

— On va célébrer chez ma grand-mère.

— Vas-tu en profiter pour faire de nouvelles figurines pour le concours?

— Oh... je ne pensais plus vraiment à ça.

— Ne laisse pas passer cette chance, Léo...

Marie-Paule Martin entra dans la cuisine à ce moment-là.

— Vous êtes déjà levés? Lionel m'avait prévenue que vous n'aviez pas d'école ce matin, alors j'en ai profité. Vous auriez pu en faire autant.

— Quand je suis réveillé, je n'arrive jamais à me rendormir, se plaignit Jean-Gervais.

— Et Lionel est toujours dehors?

— Oui, répondit Léo, mais je crois qu'il n'en a plus pour longtemps. J'ai dégagé l'entrée.

— Merci, Léo. Crois-tu que Marjorie dors encore?

— Je crois.

— Elle ferait bien de ne pas trop tarder, son père vient la chercher tout à l'heure.

— Son père?

— Oui, elle a rendez-vous avec le directeur cet après-midi.

Léo attendait la suite.

— Son père va la ramener chez lui après. Ils vont profiter des congés des Fêtes pour faire le point sur la situation.

Léo était profondément déçu. Il avait espéré passer cette semaine avec Marjorie, et voilà qu'elle repartait le matin même. Elle descendit à la cuisine quelques instants plus tard, mais il n'eut pas l'occasion d'être seul avec elle avant son départ. Jean-Gervais et madame Martin ne lui en donnèrent pas l'occasion. Son père arriva peu après. C'était un homme au regard dur qui parlait peu. Léo et Marjorie n'échangèrent qu'un bref au revoir. Il lui restait à espérer pouvoir clavarder avec elle durant le congé de Noël.

***

Après leur dispute, Marielle s'était enfermée dans la chambre, laissant Marc désemparé. Il n'arrivait pas à comprendre

291

comment il avait pu aboutir dans le lit de Viviane, ne se rappelant même pas avoir eu envie d'elle durant la soirée. La seule chose qu'il avait désirée avait été le verre de vin. Il avait pourtant résisté... Comment se faisait-il que ses vêtements sentaient l'alcool? Tant de questions qui ne faisaient qu'alimenter son mal de tête. Une chose était claire : il devait parler à Viviane avant de pouvoir éclaircir la situation avec Marielle.

Il arriva au bureau en fin d'avant-midi, très agité et les traits tirés. Il appela Viviane sans parvenir à la joindre. Il s'informa de ses allées et venues auprès de Michelle :

— Elle a téléphoné vers neuf heures pour savoir si vous étiez là. Puis elle est arrivée dix minutes plus tard.

— Elle vous a parlé ?

— Eh bien... oui. Enfin, brièvement.

— ...

Michelle sentait qu'il se passait quelque chose.

— J'ai voulu lui passer un appel, mais elle m'a dit de prendre le message. Elle est repartie au bout de dix minutes.

— Elle est repartie ?

— Oui.

— A-t-elle dit si elle reviendrait aujourd'hui ?

— Elle n'a rien dit.

Marc entra dans le bureau de Viviane. Il nota tout de suite que les dossiers et les documents sur lesquelles elle travaillait récemment étaient là. Cependant, ses effets personnels avaient disparu.

Il se laissa choir sur la chaise, perplexe. « Pourquoi a-t-elle emporté ses affaires ? » Il devait lui parler pour savoir ce qui s'était passé la veille. Elle avait sûrement une explication qui lui permettrait de convaincre Marielle de sa franchise.

Quelques minutes plus tard, Michelle entra dans le bureau de Viviane et fut d'abord troublée de trouver son patron installé sur le fauteuil, la tête entre les mains. Elle n'osa pas avancer davantage.

Marc sentit sa présence et leva la tête.

Michelle avait un air étrange, pensa Marc. Pourquoi restait-elle immobile, à le fixer sans rien dire, tenant un message téléphonique à la main ? Pendant qu'il essayait de décoder la situation, son regard se porta au-delà de Michelle, vers la réception, où deux hommes à l'air grave surveillaient leurs moindres gestes. Marc vit alors les hommes s'approcher. Michelle s'écarta pour les laisser entrer.

— Êtes-vous Marc Allard ? demanda l'un d'eux.

— Oui, c'est moi.

— Nous sommes enquêteurs pour la Sûreté du Québec.

— Pardon ?

L'homme se présenta à nouveau. Cette fois, Marc fut saisi de surprise et d'incrédulité. « Pourquoi deux agents de la Sûreté du Québec se tenaient-ils debout, devant lui, dans ses bureaux ? » La stupeur et l'épuisement le paralysèrent. Il écouta la suite en silence :

— Je vous prierais de bien vouloir nous suivre. Nous avons certaines questions à vous poser.

Comme Marc ne bronchait pas, l'autre homme s'approcha et lui demanda avec insistance :

— Si vous voulez bien nous suivre.

Lentement, Marc obtempéra, cherchant à comprendre ce qui lui arrivait.

— Mais... quelles questions ?

L'homme lui saisit le bras et l'incita à sortir du bureau pendant que son collègue lui répondit :

— Nous avons reçu des informations selon lesquelles des documents incriminant les dirigeants du Groupe Allard se trouvaient dans un appartement que vous louez dans la rue Sault-au-Matelot.

— Quoi ? Mais... c'est ridicule !

— Veuillez prendre votre manteau et nous suivre, s'il vous plaît.

— Mais qu'est-ce que c'est que cette histoire !

Marc regardait les deux hommes sans comprendre. Michelle semblait aussi déconcertée que lui.

293

— Mais il n'y a aucun document!

— Nos agents sont sur les lieux et ils ont confirmé la présence de relevés d'exploitation suspects dans votre appartement.

— Ce n'est pas mon appartement!

— Nous avons également vérifié cette information auprès du concierge qui a confirmé que vous en étiez le locataire.

Devant la gravité de la situation, Michelle s'alarma :

— Voulez-vous que j'appelle quelqu'un?

Marc était trop abasourdi pour répondre. Il nota cependant que Michelle tenait toujours un message téléphonique à la main. Il le saisit délicatement et le lut.

Un journaliste d'un quotidien local voulait obtenir ses commentaires sur des informations alléguant qu'une enquête pour fraude était présentement en cours au sein du Groupe Allard.

**

Durant les jours qui suivirent, Marc crut traverser la période la plus difficile de sa vie. La réalité le rattrapait : son entreprise était au bord du gouffre, sa relation avec Marielle était en crise et son fils avait besoin d'une greffe. Il était atterré.

Marc dut subir un interrogatoire au cours duquel il découvrit toute l'horreur de la manigance qui s'était tramée à son insu au sein de sa propre entreprise : dans l'appartement de la rue Sault-au-Matelot, les agents avaient trouvé plusieurs relevés d'exploitation supposément « falsifiés », qui laissaient entrevoir une double comptabilité visant à dissimuler au fisc une partie des revenus d'exploitation. Marc jura sur les Saints Évangiles qu'il n'avait jamais vu ces documents auparavant.

Il passa des heures à essayer de comprendre et d'expliquer l'existence de ces documents. Il répéta à qui voulait l'entendre que l'appartement était celui de son adjointe, bien que le bail fût à son nom. Le concierge de l'immeuble attestait pourtant qu'il en était bien le locataire et qu'il l'avait même vu la veille dans ledit appartement, en compagnie de la dame qu'il hébergeait depuis un certain temps. Personne ne put vérifier le témoignage de Viviane qui s'était tout bonnement évaporée dans la nature. La semaine entière fut remplie de rencontres avec des enquêteurs et des avocats, avec les directeurs de tous les départements du Groupe Allard, les employés et même les fournisseurs de l'entreprise. À la veille du congé des Fêtes, les agents informèrent Marc qu'ils ajournaient l'enquête jusqu'au début de janvier, que Marc devait rester à leur disposition et qu'il lui était interdit de quitter la ville sans les en informer.

Marc hésitait à rentrer chez lui. Pour la première fois depuis des jours, la procession de gens qui entraient dans ses locaux et en sortaient s'était arrêtée momentanément. Il se retrouva seul, assis à son bureau, tremblant de fatigue et désorienté. Dans l'état où il se trouvait, il comprit qu'il ne pourrait rien faire de plus pour le moment et décida de rentrer. Alors qu'il s'apprêtait à sortir, le téléphone sonna. C'était Michelle.

— Avez-vous regardé le journal aujourd'hui?

— Non, pourquoi?

— Je n'ai pas osé vous le montrer ce matin...

Marc raccrocha et se rendit dans la cuisine des employés où il en trouva un exemplaire. Après un survol rapide, il découvrit, à la page quatre, la photographie dans le coin supérieur. Il reconnut la façade d'une de ses pharmacies avec la vignette suivante: « Le Groupe Allard sous enquête ».

***

Léo était rentré à la maison le vendredi soir et, depuis son retour, Junior et lui étaient inséparables. La tension familiale s'intensifia à la suite de la parution de l'article dans le journal. D'autres journalistes avaient téléphoné à la maison pour tenter d'obtenir des renseignements, mais les appels cessèrent rapidement devant le mur de silence derrière lequel la famille s'était réfugiée.

Bien qu'il ignorât la querelle opposant ses parents, Léo remarqua que Marielle faisait des efforts pour être courtoise avec Marc, qui n'était que l'ombre de lui-même. Il ne l'avait jamais vu dans cet état.

Pierrette reçut la famille le soir de Noël. L'attention se porta sur la présence des cousins. Mathieu et Léo avaient préparé des surprises pour Junior qui fut le centre d'attraction. Annie n'arriva que le surlendemain, retenue par certaines affaires urgentes à la boutique.

Les deux sœurs bavardèrent tard en soirée, après que tout le monde fut allé dormir. Annie avait peine à croire ce qui leur arrivait, particulièrement l'aventure inexplicable de Marc et Viviane.

— Je suis si contente que tu sois enfin là, répétait sans cesse Marielle.

— Tu es au bout du rouleau, ma pauvre petite!

Marielle secouait la tête, accablée.

— Si je peux me permettre un commentaire, Marielle: le moins qu'on puisse dire, c'est que toute cette histoire est louche, surtout en ce qui concerne la fameuse nuit. Excuse-moi de retourner le fer dans la plaie, mais je suis incapable de croire que Marc ait pu faire une chose pareille!

— Tu veux dire me tromper ou recommencer à boire?

— Ces deux éventualités sont tout aussi loufoques l'une que l'autre, Marielle!

— ...

— Tu as bien vu, comme moi, qu'il n'a pas cherché à prendre d'alcool de la soirée... et il ne se comporte pas du tout comme un mari navré et repentant: il est désespéré!

— Je ne sais plus quoi penser.

— Moi, j'ai le pressentiment qu'il est sincère quand il dit qu'il ne sait pas ce qui s'est passé. Bon, j'avoue que c'est difficile à avaler, mais ça l'est moins que tout le reste quand même! Et cette femme qui a justement disparu: ça fait trop de coïncidences, Marielle.

— Je sais! Je sais... Ça me torture l'esprit continuellement. Je suis tellement fatiguée!

Annie lui prit la main tendrement.

— Bon, toi tu as besoin d'une bonne nouvelle.

— Oh oui! Si tu pouvais seulement me dire que je vais me réveiller bientôt et que tout ça n'est qu'un horrible cauchemar!

— Ça n'est pas tout à fait ça, mais si j'étais toi, je garderais espoir. Toute cette histoire finira bien par s'éclaircir. En attendant, je veux que tu saches que j'ai vendu la boutique.

— Celle de Saint-Sauveur?

— Oui Madame!

— Mais... je ne savais pas que tu avais l'intention de vendre?

— C'est pour ça que j'ai mis un frein à nos projets publicitaires le mois dernier. Je ne voulais pas t'en parler avant. Je suis assez superstitieuse, tu sais. En fait, le propriétaire du local m'avait fait savoir depuis un certain temps qu'il était intéressé à acheter mon fonds de commerce pour récupérer le local.

— J'ai du mal à le croire...

— Moi aussi! C'est pour ça que je ne t'en ai pas parlé avant aujourd'hui. Et tu te doutes qu'avec l'état de santé de Junior, je regrettais encore plus d'être loin de vous tous. J'ai donc tâté le terrain et quand j'ai compris qu'il était sérieux, j'ai accéléré les choses en acceptant des conditions avantageuses pour lui.

— Et quand est-ce que tu reviens?

— Au plus tard à la fin de janvier.

— Oh! Annie... c'est merveilleux!

Les deux sœurs s'étreignirent à travers leurs larmes et leurs exclamations.

— Stéphane a peut-être déjà repéré un condominium en ville, près de la boutique sur Cartier.

— Oh! Annie, si tu savais comme cette nouvelle me réjouit! Tu viens de me mettre un baume sur le cœur!

Marielle était secouée de sanglots tellement la nouvelle l'avait surprise et remplie de joie.

— Ma pauvre chérie, tu as l'air au bord de l'épuisement. Dis-moi, quand est-ce que tu retournes voir ton médecin?

— Ne m'en parle pas! s'irrita Marielle en se ressaisissant. Je me décourage d'attendre l'appel pour ce rendez-vous.

— C'est inhumain de faire attendre les gens comme ça!

Annie redoutait le diagnostic autant que Marielle et priait pour qu'un autre malheur ne s'abatte pas sur la famille.

***

Le lendemain matin, Léo fut réveillé tôt par le chiot qui réclamait de sortir. Il se leva et passa d'abord à la salle de bains. Mais lorsqu'il ressortit, le chiot avait disparu. Il alla vérifier dans la chambre de Junior, mais le chien ne s'y trouvait pas. Il décida d'aller voir au sous-sol et descendit l'escalier d'un pas lourd. En arrivant dans la grande pièce sombre, il remarqua la porte fermée de la chambre d'amis. Tous les invités étaient pourtant repartis la veille, même Mathieu qui avait utilisé cette chambre durant quelques nuits. Il sonda la poignée et ouvrit délicatement la porte.

— Salut Léo... toi aussi, tu es matinal?

Marc était enroulé dans les draps froissés, caressant le chiot bien calé à côté de lui.

— Tu dors ici?

— Approche, fit Marc en soulevant les couvertures.

Léo s'installa à côté de lui et le chien l'accueillit en lui léchant le visage.

— J'espère que nous arriverons à l'entraîner à faire ses besoins dehors avant que tu repartes. Il a encore fait un dégât, dit Marc en désignant la flaque d'urine près du placard. Il n'y a que ta mère qui pense à le faire sortir régulièrement...

Le visage de Marc s'assombrit.

— Vous êtes fâchés tous les deux, c'est ça?

Léo espérait cette occasion de bavarder avec son père depuis quelques jours.

— J'aurais voulu t'éviter de te tourmenter avec ça, tu sais.

— ...

— J'ai l'impression d'être au milieu d'un très mauvais film.

Marc s'allongea sur le dos, frottant son visage à deux mains, peut-être pour effacer les traces des soucis qui le vieillissaient.

— Elle croit ce qu'on raconte dans les journaux, c'est ça?

— Ta mère?

— Oui.

— C'est... c'est un peu plus compliqué que ça. Mais, un article assassin comme celui-là, c'est un coup très dur. Les gens croient ce qu'ils lisent dans les journaux sans chercher à savoir si c'est vrai ou pas.

Marc se redressa et s'adossa à la tête du lit.

— Il faut que tu saches, Léo, que je n'ai jamais fraudé qui que ce soit.

— Je te crois, papa! lui jura Léo, ému par la vulnérabilité de son père qu'il admirait tant.

Marc serrait les poings et secouait la tête de découragement. Il respira profondément et se frotta les yeux. Sa relation avec Marielle le torturait encore plus que ses problèmes avec la justice et il cherchait le moyen d'épargner Léo. Il réussit à maîtriser ses émotions.

— Merci fiston, ça me rassure de te l'entendre dire, et je suis désolé que tu aies à subir tout ça.

— Je voudrais tellement pouvoir t'aider.

— Ce qui m'aide, c'est de savoir que tu vas bien, enfin... malgré les circonstances.

— C'est tellement injuste pour Junior, papa!

— Je sais, répondit Marc en frappant les draps de sa main ouverte. Il est si jeune!

— Je veux faire les tests, papa.

Marc le regarda sans répondre.

— Je suis peut-être un donneur compatible, moi aussi, continua Léo malgré le mutisme de son père. Si maman... si sa santé ne lui permet pas, eh bien moi, je le ferai.

Marc le serra très fort contre lui. Il s'écoula un bon moment avant qu'il soit en mesure de lui répondre sans fondre en larmes.

— Il est encore trop tôt pour parler de tout ça, Léo. Pour l'instant, je crois que tu devrais te concentrer sur tes études et tes activités. Les médecins semblent croire que Junior est assez robuste pour tenir le coup encore un peu.

— Maman refuse que je passe le test, mais je le ferai malgré elle.

Léo vit la désapprobation de son père.

— Ne force pas les choses, Léo, veux-tu? Ta mère est très perturbée par tout ça en ce moment.

— Elle a toujours été perturbée par «tout ça», papa. Moi aussi je suis perturbé, mais je fais partie de cette famille et je n'accepte plus qu'elle m'écarte. Pas avec Junior...

— Léo...

— Que tu m'aides ou non, papa, j'irai passer les tests. Je ne laisserai pas Junior souffrir si je peux lui donner un rein.

Marc secouait la tête, accablé. La détermination qu'il lisait dans le regard de son fils l'emplissait d'effroi et de fierté à la fois.

— Je suis très fier de toi, fiston.

Il resserra son étreinte et fondit en larmes.

— Je suis fier de toi, aussi, répondit Léo. Tu vas t'en sortir, papa, tu n'as qu'à leur dire la vérité. Si la vérité n'est pas assez bonne, tant pis! J'ai peur de ce qui peut arriver, papa, mais je n'ai pas peur que tu perdes ton honneur. Je vais leur dire, moi, que tu es quelqu'un d'honnête et qu'ils se trompent.

— C'est certainement le meilleur conseil qu'on m'ait donné dans toute ma vie! dit Marc en souriant à travers ses larmes.

Léo était serein. Il était habité d'un sentiment nouveau: la confiance. Pour une fois, il savait ce qu'il devait faire. Il connaissait sa mission et il allait la mener à bien.

— Tu m'impressionnes de plus en plus, lui avoua Marc. Il me semble que tu ferais un excellent conseiller, peut-être même un excellent avocat! Tu as un grand sens du devoir et de la justice et une persévérance à toute épreuve. Ton arrière-grand-père serait fier de toi.

— Du moment que toi tu l'es.

— Je le suis, et ta mère aussi est fière de toi, tu sais.

— ...

— Elle a été très éprouvée par le décès de Samuel et elle a l'impression de revivre toute cette horreur avec Junior.

— Elle ne m'a jamais permis d'entrer dans l'univers de Samuel, papa. Toi non plus d'ailleurs. Mais je ne permettrai pas qu'on m'écarte de Junior.

— Léo, je t'en prie, écoute... Tu es le seul de nos fils qui a la chance d'être en bonne santé. Une procédure comme celle-là n'est pas sans danger. Je ne veux pas non plus que tu coures de risques si ce n'est pas obligatoire. Tu as la vie devant toi, Léo. Ta santé est ta plus grande richesse et je compte sur toi pour perpétuer mon nom!

Cette idée ne fit pas sourire Léo.

— Je ne le ferai pas seul. Nous serons deux, Junior et moi.

— Oui, Junior et toi, d'accord.

Marc eut envie de changer de sujet pour détendre l'atmosphère.

— Au fait, tu dois bien avoir de nouvelles copines dont tu ne m'as pas encore parlé...

Léo sembla reprendre vie. Il ne se fit pas prier pour enfin confier à son père l'essentiel de sa relation et de ses espoirs avec Marjorie.

Marc écoutait le récit «censuré» avec beaucoup d'attention. Pour la première fois depuis longtemps, il se sentit un peu plus confiant grâce à l'enthousiasme de Léo. Il s'en imprégna et s'y accrocha comme à une bouée de sauvetage.

***

La veille de la rentrée, la tension régnait autour de la table au souper. À part Junior qui brisait le silence par ses jacasseries incessantes, chacun gardait la tête baissée sur son assiette. Marielle appréhendait la journée du lendemain où Junior subirait un nouveau traitement. Et elle avait enfin obtenu un rendez-vous pour connaître le diagnostic sur son état de santé. Quant à Marc, il disposait seulement de la journée du lendemain pour se préparer à plusieurs jours d'interrogatoires.

Durant son congé scolaire, Léo avait eu peu d'occasion de parler avec Marjorie. Depuis longtemps, il savait qu'avec elle, «distance» rimait avec «distante» et il s'en désolait. Bien que ses efforts pour la voir n'aient donné aucun résultat, il était parvenu à savoir qu'elle passait les Fêtes chez sa mère et que sa rencontre avec le directeur de l'école ne l'avait guère encouragée. Ce dernier l'avait sermonnée sévèrement et l'avait menacée de l'expulser définitivement si elle ne se conformait pas aux exigences du séminaire, à commencer par le rattrapage de son retard durant le congé. L'ampleur de la tâche l'affolait et Léo regrettait de ne pouvoir l'aider. Il était néanmoins fébrile à l'idée de la retrouver au séminaire le lendemain.

Léo fut le dernier à border Junior avant qu'il s'endorme en compagnie de son inséparable compagnon à quatre pattes. Lorsqu'il sortit dans le corridor, le murmure de la voix de Marc lui parvint de la chambre de ses parents. Léo se réjouit de les savoir réunis. Quelques minutes plus tard, il entendit les pas de Marc descendant l'escalier menant au rez-de-chaussée. Il sortit de sa chambre et vit que la lumière était toujours allumée dans la chambre de sa mère. Il réfléchit à toute vitesse, hésitant à aller l'affronter. Après avoir rassemblé son courage, il frappa à la porte.

— Oui?

— C'est moi.

— Entre, Léo.

Marielle était assise au bord du lit et lui tournait le dos. Elle moucha son nez et dissimula le kleenex dans la poche de sa robe de chambre. Elle tarda à se retourner.

— Je peux revenir si...

— Non, non, je... Moi aussi je voulais te parler, dit-elle en se retournant.

Léo remarqua ses yeux rougis.

— Assieds-toi.

— Ce n'est pas la peine, je voulais simplement te demander de prendre un rendez-vous pour moi à l'hôpital... pour le test.

Marielle secouait la tête, le regard suppliant.

— Ne fais pas ça, Léo... je refuse!

— Si tu ne le fais pas, je m'en chargerai moi-même.

— Léo...

— Tu ne me feras pas changer d'idée, maman, et quoi que tu fasses, Junior est mon frère et tu... personne ne m'écartera de sa vie.

— Léo, je t'en prie!

Elle le suppliait, les mains jointes.

— Écoute-moi...

— Si c'est pour me faire changer d'avis, c'est inutile. Je suis fatigué et je voudrais aller dormir.

Léo fixa sa mère, imperturbable. Elle ne lui offrit, pour toute réponse, que des larmes silencieuses et Léo tourna aussitôt les talons pour éviter de flancher et de se jeter dans ses bras pour la consoler. Ses autres questions devraient attendre.

Dans sa chambre, les doutes l'envahirent et il regretta d'avoir été si dur avec elle. Les larmes de sa mère étaient pour lui autant de coups au cœur. Il dut combattre l'envie de retourner la trouver pour lui dire qu'il était désolé de la contrarier et de l'avoir fait pleurer. Il était conscient que sa position allait à l'encontre de leur relation, basée depuis toujours sur l'inversion des rôles. Cette fois, c'était lui qui avait besoin d'encouragement et d'appui pour aller au bout de ses convictions. Il devrait s'en passer cette fois encore.

***

Le lundi matin, Marc partit très tôt. Il devait passer la journée avec ses conseillers juridiques à examiner en détail les états financiers, les rapports, les bilans et tous les documents qu'il était sommé de produire lors de l'interrogatoire qui reprenait le lendemain. Sans le témoignage de Viviane, la partie s'annonçait corsée.

Pierrette accompagnait Marielle à son rendez-vous avec le docteur Caron. Dans la salle d'attente, elle laissait Junior fouiller dans son sac à main, espérant le faire patienter sagement. Il réclama pour une énième fois de retourner à la maison.

303

— Je sais, mon trésor, nous y retournerons tout à l'heure et tu pourras caresser Petit Harvard et jouer avec lui, suggéra-t-elle pour lui changer les idées.

— Il doit s'ennuyer de moi, pleurnicha Léo.

— Tu crois? Moi, je pense plutôt qu'il en profite pour sortir toutes tes chaussettes du tiroir et qu'il le fait exprès pour en cacher une sur deux!

— Non, répondit Junior, un sourire aux lèvres.

— ... et il aura encore fait ses besoins sur le tapis de la chambre, c'est sûr!

— Oui, c'est sûr!

Lorsque la secrétaire l'appela, Marielle embrassa Junior et remercia sa mère de le surveiller.

Le docteur Caron l'accueillit.

— Asseyez-vous, je vous en prie.

Marielle prit place et le médecin ouvrit son dossier.

— Les nouvelles ne sont pas aussi mauvaises qu'elles auraient pu l'être, commença-t-il.

Marielle attendit la suite.

— Toute forme de leucémie ou de cancer est écartée.

— Tant mieux! se réjouit-elle enfin.

— Vos saignements ainsi que votre épuisement sont causés par la formation de fibromes utérins. Ce sont des masses de tissu fibreux qui couvrent les parois de votre utérus et dont la grosseur varie de quelques millimètres à plusieurs centimètres.

— Je n'ai pourtant aucune douleur...

— Selon leur grosseur et leur emplacement, ils peuvent parfois provoquer des douleurs abdominales ou, au contraire, ne présenter aucun symptôme. Ils peuvent également provoquer des saignements plus ou moins abondants, pouvant entraîner une anémie.

— Et c'est mon cas?

— Oui. Vous présentez une forte anémie, ce qui vous cause une fatigue excessive et un déséquilibre sanguin.

— Qu'est-ce que vous recommandez?

— Lorsque les fibromes sont asymptomatiques, ils ne nécessitent habituellement pas de traitement. Cependant, lorsqu'il y a douleur ou, dans votre cas, anémie sévère, nous devons prendre des mesures pour éviter d'aggraver votre état et rétablir votre équilibre sanguin. Étant donné l'importance de votre anémie, la meilleure solution envisageable est l'hystérectomie qui a de fortes chances de corriger la situation.

— Une hystérectomie?

— Il s'agit de l'ablation de l'utérus et, dans votre cas, de tout le système reproductif... les trompes et les ovaires.

Marielle prenait conscience de la gravité de l'intervention.

— C'est une procédure assez courante, bien qu'elle comporte des risques, comme toute intervention chirurgicale. Mais vous êtes d'autre part en bonne condition physique et votre rétablissement ne devrait pas être trop long.

Marielle prit le temps d'absorber le choc de la nouvelle. Puis, elle s'inquiéta du délai à attendre avant l'intervention.

— Je devrai vous envoyer en obstétrique. Mes confrères seront en mesure de s'occuper de votre cas, mais vous devrez prendre rendez-vous auprès de ce service.

— Vous devez bien avoir une idée du délai?

— Tout ce que je peux vous dire, c'est que votre état est préoccupant et qu'il serait préférable de vous traiter sans tarder. Je vais déjà vous prescrire du fer pour contrer les carences que cause votre anémie. Je vais contacter le service et voir ce que je peux faire pour votre rendez-vous. Ma secrétaire vous appellera dès que nous serons fixés.

— Merci docteur, dit Marielle, mais j'ai besoin de savoir autre chose...

— Oui?

— Est-ce que je suis quand même apte à faire don d'un de mes reins à mon fils?

Le médecin baissa les yeux et se frotta le visage.

— Je crains que ce ne soit pas possible avant plusieurs mois.

— Combien?

— Un an, peut-être...

***

305

Marielle encaissa durement la nouvelle. Elle était rentrée depuis quelques heures et n'avait pas cessé d'arpenter la cuisine de long en large, refusant la fatalité de la situation. Non seulement Junior devrait poursuivre ses traitements durant de longs mois, mais elle allait maintenant être à court d'arguments pour empêcher Léo de se porter volontaire. La détermination qu'elle avait lue dans ses yeux, la veille, lui confirmait qu'il ne changerait pas d'idée.

Lorsque Pierrette entra dans la cuisine, Marielle était toujours aussi agitée.

— Marielle... tu n'es pas encore partie?

— Quoi?

— Tu as rendez-vous chez la coiffeuse dans dix minutes.

— Zut! dit-elle en regardant sa montre.

— Allez, si tu pars maintenant, tu pourras être là à temps. Et ça va t'empêcher de continuer de tourner en rond dans la maison.

— Tu as raison, maman. J'y vais.

— N'oublie pas de passer à la pharmacie chercher ta prescription. Ça va sûrement t'aider un peu, en attendant.

— Pourvu qu'ils m'appellent vite!

Deux minutes plus tard, Marielle sortit de chez elle. En refermant la porte, elle prit une grande bouffée d'air frais et laissa un peu de sa nervosité se dissiper. Sa mère avait raison, elle avait bien besoin de continuer à vaquer à ses occupations pour éviter de devenir folle à force de ruminer la situation. Elle eut une pensée pour Marc, mais la chassa aussitôt, sentant l'angoisse la gagner. Elle s'approcha de la voiture en cherchant les clés dans son sac à main lorsque quelqu'un l'aborda.

— Bonjour Marielle.

Elle sursauta et se retourna pour voir de qui il s'agissait. Son cœur s'arrêta net.

— Adam?

— Je suis désolé de t'avoir effrayée, dit-il en resserrant son foulard Burberry pour se protéger du froid.

Il portait un chic manteau de cachemire chamois et des gants de daim assortis. Au-delà de son élégance, c'est la menace qu'il représentait qui frappa Marielle.

— Qu'est-ce que tu fais ici?

Elle était adossée à la portière, effrayée. Adam fit un pas en sa direction et s'arrêta devant sa réaction.

— Je souhaitais simplement avoir la chance de te parler... et de te dire que j'étais désolé de ce qui est arrivé. Sincèrement.

Marielle regarda aux alentours, cherchant quelqu'un à appeler pour lui venir en aide : elle se sentait en danger. Comme elle ne vit personne, elle s'efforça de répondre d'un ton tranchant :

— Eh bien, c'est fait maintenant.

Adam s'approcha davantage, ne la quittant pas du regard.

— Tu n'as pas changé, Marielle... tu es toujours aussi belle.

Marielle était affolée. Elle cherchait la poignée de la portière.

— Tu m'excuseras, mais je dois partir, dit-elle d'une voix crispée.

— Écoute, je... j'aimerais avoir l'occasion de t'expliquer. J'ai eu le temps de réfléchir et de faire le point sur ma vie et sur notre relation. Tu m'as ouvert les yeux sur tellement de choses...

Adam était à quelques centimètres de Marielle lorsqu'elle parvint enfin à ouvrir la portière.

— Au revoir, le coupa-t-elle en s'asseyant dans la voiture.

— Marielle, attends! Je sais que j'ai commis une erreur impardonnable, mais j'ai changé. Marielle, écoute...

Marielle referma la portière, refusant de le regarder. Elle n'avait qu'une idée en tête : introduire cette foutue clé dans le contact et faire démarrer le moteur pour déguerpir au plus vite. Son cœur battait frénétiquement.

Adam frappa dans la vitre.

— J'aimerais vraiment que tu m'appelles! insista-t-il en tendant sa carte.

Il frappa de nouveau dans la vitre. Marielle sursauta et laissa échapper un petit cri de panique. La clé finit par trouver le chemin du contact et elle fit démarrer le moteur de sa main tremblante.

— Marielle! Attends... Marielle!

Elle réussit à embrayer à reculons et à sortir de l'entrée. Puis, elle écrasa l'accélérateur et démarra en trombe, patinant quelques secondes avant que les pneus réussissent à adhérer à la chaussée glacée. Elle disparut au coin de la rue sans même jeter un coup d'œil à son rétroviseur.

**

Ce soir-là, dans un hôtel modeste de la ville, Adam McKay composa un numéro de téléphone interurbain.

— Allô?

— Bonsoir Viviane.

— Qu'est-ce que tu veux? Je m'apprêtais à sortir.

— Je voulais juste vérifier si tu pouvais faire encore une petite chose pour moi?

— C'est terminé, Adam.

— Allons, ne t'énerve pas, Viviane...

— Jamais plus je ne travaillerai pour toi, Adam!

— Tu devais me débarrasser de lui, je te rappelle...

Le sang de Viviane se glaça dans ses veines. Elle mesurait finalement l'ampleur de la folie qui poussait Adam à agir pour atteindre son but, coûte que coûte.

Durant les longs mois où il fut incarcéré, après avoir été trouvé coupable d'agression et de tentative de meurtre sur Marielle et l'enfant qu'elle portait, Adam eut tout le loisir de nourrir la passion qu'il éprouvait pour elle et de laisser émerger de ce profond sentiment un vif désir de vengeance. Marc Allard s'était mis en travers de son chemin et avait contrecarré ses projets personnels. Adam avait longuement mûri le plan qui lui permettrait non seulement de détruire cet homme et son entreprise, mais en fin de compte de reconquérir la femme qu'il aimait.

Lorsqu'il sortit de prison, il s'arrangea pour disparaître de la circulation en liquidant ses parts dans l'agence ainsi que son condominium. Il s'acheta une discrète propriété en Estrie, en retrait d'une route secondaire, loin de la ville et de l'attention. Durant des mois, il étudia les affaires de Marc, lisant tout ce qui lui tombait sous la main pour placer ses pions. Une occasion en or s'était présentée lorsqu'il avait croisé Viviane Sinclair par hasard, au Palais de justice. Elle était assignée à l'audition de la cause pour la garde de son fils, cause qu'elle perdit à nouveau, vu l'état navrant dans lequel elle se trouvait.

Adam et Viviane avaient fait connaissance à une autre époque, lorsqu'elle était aux prises avec de sérieux problèmes personnels : trafic de narcotiques, fraude, vol à l'étalage. Adam considérait les gens de son espèce comme des êtres faibles, ayant d'énormes besoins, et donc des proies faciles à manipuler. Viviane avait aussi l'avantage d'être séduisante et... reconnaissante. Il l'aida à se sortir du pétrin en lui faisant promettre d'accepter de l'aider s'il venait à le lui demander. Puis, il découvrit qu'elle venait de quitter Montréal et son ancien boulot pour tenter de refaire sa vie sur des bases respectables. Lorsqu'il découvrit ses démêlés avec son employeur, il fut persuadé qu'il possédait l'arme ultime pour mettre son plan à exécution. Non seulement il avait soumis Viviane à un chantage crapuleux, mais il comptait également lui faire faire le sale boulot à son insu : compromettre Marc Allard dans son entreprise, comme dans sa vie personnelle.

Viviane sentait la colère la gagner.

— J'ai tout fait ce que tu m'as demandé et je vais probablement y laisser ma peau! répondit-elle, cinglante. Il est brouillé avec sa femme, son entreprise est sous enquête et la presse le pourchasse... qu'est-ce que tu veux de plus!

— Il habite toujours chez lui. Je veux qu'il disparaisse.

— Écoute-moi bien, Adam McKay : je considère avoir rempli ma part du contrat, et bien au-delà! J'exige que tu me verses immédiatement les vingt mille dollars que tu m'as promis!

— Tu n'as *pas* terminé ton travail.

— Je te répète que c'est fini!

— A-t-il couché avec toi?

— C'est tout comme.

— A-t-il recommencé à boire?

— Ce n'est qu'une question de temps, à mon avis...

— ...

— Tu n'as vraiment pas de cœur! s'insurgea Viviane. L'homme est au bord du gouffre et son jeune fils est malade. Tu voudrais que je l'achève d'un coup de poignard au cœur peut-être!

— Il n'est pas encore hors d'état de nuire...

— Si tu n'es pas foutu de séduire cette femme dans de telles conditions, c'est que tu n'y arriveras jamais!

Elle venait de le piquer au vif. Sa vanité l'empêcha, comme toujours, de perdre sa contenance. Il riposta, impitoyable.

— Au fait, je te félicite. Tu sembles t'être débarrassée une fois pour toute de tes mauvaises habitudes. Une mère qui vole des narcotiques chez son employeur pour en faire le trafic n'est pas vraiment un bon exemple pour un jeune garçon. Quel âge a-t-il déjà... dix ans?

— Laisse mon fils en dehors de ça.

— Tu sembles oublier qu'un seul coup de fil de ma part à ton agent d'évaluation pourrait le mettre sur la piste de tes fausses déclarations et le convaincre de rejeter ta demande de garde une nouvelle fois.

— Tu n'es qu'une ordure!

Il y eut une pause dans le récepteur. Viviane reprit:

— J'en sais assez sur toi à présent pour te faire retourner dans le trou à rats d'où tu viens.

— Je te conseille de rester polie.

— ...

— L'argent sera déposé dans ton compte lorsque tu l'auras invité à souper une dernière fois.

— C'est hors de question! Je ne retourne pas à Québec. Tu sais bien qu'on me recherche.

— Évidemment, tu n'as pas à te rendre au rendez-vous, pourvu que lui y soit. Je veux avoir le champ libre pour la revoir. Elle n'était pas seule chez elle aujourd'hui.

— Un dernier rendez-vous et tu me jures de disparaître de ma vie. Tu te chargeras toi-même de faire tes sales besognes à l'avenir.

Adam raccrocha. Le regard fiévreux, il contempla quelques instants la photographie qu'il tenait à la main : Marielle lui souriait.

**

Léo surveillait continuellement l'indicateur de son ordinateur qui refusait de s'activer pour lui signifier la présence virtuelle de Marjorie sur le Net. Personne ne l'avait vue à l'école ce jour-là. La déception le gagnait, mais il n'arrivait toujours pas à se raisonner et à accepter la fatalité : Marjorie était une fille instable et elle était incapable de se commettre dans une relation intime avec qui que ce soit. Il aurait pourtant dû comprendre qu'elle ne lui apporterait que des ennuis et des déceptions. Chaque fois qu'elle réapparaissait dans sa vie, c'était pour mieux le laisser tomber et lui briser le cœur. Quand comprendrait-il qu'il ne pouvait pas la sauver contre elle-même et qu'il devait plutôt songer à se protéger ?

Comme toujours, il s'endormit très tard après avoir attendu en vain un signe de sa part. Sa seule consolation avait été de bavarder avec Junior en soirée. Son jeune frère appréhendait déjà son prochain traitement prévu pour le lendemain après-midi.

Le mercredi midi, le séminaire informa les élèves que les cours étaient suspendus pour l'après-midi en raison d'une panne d'électricité occasionnée par un bris dans le bâtiment. En apprenant la nouvelle, Léo décida de passer voir Junior à l'hôpital pour lui tenir compagnie. Pour une fois, il résista à son envie de partir à la recherche de Marjorie et choisit plutôt de penser à lui.

Il profita du trajet en autobus pour réfléchir à un moyen de découvrir s'il était un donneur compatible. Une chose était certaine : il ne pouvait compter sur sa mère pour l'aider dans cette démarche. Pas plus que pour découvrir l'origine des tourments qui l'accablaient depuis sa naissance. Il se remémora la récente conversation avec sa grand-mère : « À part son psychiatre, je crois que personne d'autre ne sait vraiment ce qui la perturbait ».

Lorsqu'il entra dans la salle d'hémodialyse, Léo fut surpris de trouver son père au chevet de Junior.

— Léo... mais qu'est-ce que tu fais ici ?

— Bonjour papa, dit-il en lui faisant une accolade. C'est plutôt à moi de te poser cette question. Je croyais que tu passais la semaine avec...

— Ils ont ajourné jusqu'à demain. Il y a de nouveaux éléments dans l'enquête.

Marc entraîna Léo à l'extérieur de la salle pour éviter de réveiller Junior qui s'était assoupi. Ils s'installèrent dans la cuisine mise à la disposition des visiteurs pour bavarder. Léo s'inquiéta soudainement de la situation de Marc.

— Qu'est-ce qu'il y a de nouveau, au juste ?

— Je ne me fais pas encore trop d'idée avec ça, mais les enquêteurs ont poussé à fond leur investigation, surtout auprès du concierge. À ce qu'il paraît, il en savait un peu plus sur... mon adjointe.

— Crois-tu qu'elle puisse avoir quelque chose à voir avec ce qui t'arrive ?

— Je l'espère bien !

Léo n'avait pas besoin de connaître les détails sordides de cette histoire, pour le moment, pensa Marc.

— Mais toi, tu n'es pas à l'école ?

— C'est fermé cet après-midi à cause d'une panne d'électricité.

— Ben dis donc... ils ne sont pas au bout de leur peine s'ils ont déjà des problèmes au début de janvier.

Pendant qu'ils bavardaient, le docteur Caron entra dans la cuisine.

— Monsieur Allard?

— Oui? Ah, bonjour docteur.

— Bonjour. Je me demandais si vous pouviez passer à mon bureau quelques minutes. J'aimerais vous parler de votre femme.

— Certainement. Léo, est-ce que...

— Je viens avec toi, papa.

Le médecin interrogea Marc du regard.

— Tu es certain que...

— Oui, je suis certain, trancha Léo, imperturbable.

Marc se résigna et ils suivirent le médecin jusqu'à son bureau. Il profita de ce moment pour informer sommairement Léo de la condition de Marielle.

— Pourquoi ne m'en avez-vous pas parlé, papa? le réprimanda Léo. Je ne suis plus un enfant, tu sais. Ce qui vous arrive me préoccupe, que vous me cachiez les détails ou non. Je sais bien que maman ne va pas bien.

Son flegme étonna Marc qui posa sur lui un regard plein de fierté. Léo avait raison : il devenait un homme.

De l'épais dossier en carton brun, le médecin sortit une chemise portant le nom de Marielle.

— Je sais que la condition de ma femme va nécessiter une intervention, annonça d'abord Marc.

— Oui, nous tentons de lui trouver une place rapidement puisque son état est préoccupant. Cependant...

Le médecin hésita, portant momentanément son regard sur Léo avant de revenir vers Marc.

— ... votre femme refuse de reporter sa décision de faire don d'un de ses reins à votre fils.

Le médecin s'interrompit.

— Je comprends, dit Marc.

— Ce que madame Dussault exige précisément, c'est de se faire prélever un rein lors de l'hystérectomie que nous envisageons pour elle.

— C'est insensé!

Marc se tourna vers Léo, conscient que cette nouvelle allait le perturber. Léo se contenta de lui tenir le bras.

— Une telle intervention est certes réalisable, mais, à mon avis, non souhaitable car elle risque de compromettre la convalescence.

— C'est trop dangereux, papa : il faut l'en empêcher!

Léo regretta de s'être affolé. Il vit le médecin se crisper et refermer le dossier.

— Nous n'avons pas l'intention d'aller de l'avant avec cette option, annonça-t-il, du moins, pas sans le consentement d'un autre membre de la famille.

— Parlez-moi plutôt de la condition de Junior, demanda Marc.

— Sa situation semble stable, précisa le médecin en sortant une deuxième chemise du gros dossier. Son rein continue de fonctionner de façon partielle et nous espérons ne pas avoir à augmenter la fréquence des dialyses avant un certain temps. Il est déjà sur la liste d'attente pour un don, comme vous le savez.

Marc hochait la tête.

— Il est très résistant, vous savez. Son cœur est fort et son état n'inspire aucune crainte pour le moment.

— Mais celui de maman, oui, précisa Léo. Si elle s'entête à vouloir donner un rein...

— En effet. Elle souffre d'une anémie importante qui risque de s'aggraver temporairement à la suite de l'hystérectomie. Il serait très risqué d'ajouter l'ablation d'un organe dans de telles conditions.

Le médecin s'interrompit pour consulter son téléavertisseur qui vibrait.

Marc et Léo échangèrent un regard entendu.

— Je vais devoir me rendre en salle d'opération, annonça le médecin.

Les trois hommes se levèrent.

— J'aimerais que vous discutiez de la situation avec votre femme. Le plus tôt sera le mieux.

Le médecin replaça les chemises dans l'épais dossier et raccompagna Marc et Léo dans le couloir. Il ferma la porte et ils se saluèrent, après avoir convenu de se reparler d'ici quelques jours.

— Je dois passer un coup de fil, papa.

— Tu veux mon cellulaire?

— On n'a pas le droit de les utiliser dans un hôpital, papa.

— Tu as raison, ça m'a échappé.

Il l'éteignit aussitôt.

— As-tu besoin de monnaie?

— Non, ça va. Je te rejoindrai tout à l'heure, ça risque d'être long.

— Rien de grave?

— Non, rassure-toi.

— D'accord, je retourne auprès de Junior. Tu ne repars pas avant de venir nous voir?

— Non, t'en fais pas.

Marc repartit et Léo fit mine de se diriger vers le téléphone public. Il attendit que Marc soit hors de vue, puis retourna vers le bureau du médecin. Il s'assura que le corridor soit désert avant de se faufiler à l'intérieur en refermant la porte derrière lui.

10

Léo se tenait debout, près du vieux bureau en bois massif. Il inspira profondément pour apaiser les battements de son cœur qui le secouaient. Il contourna le bureau et s'assit dans le fauteuil pivotant. L'imposant dossier semblait l'attendre, sur le point de lui révéler son histoire. Sur le côté se trouvait une longue série de chiffres et de lettres, ainsi que les noms « Allard/Dussault ». Cette information provoqua un léger tremblement et l'accélération du rythme cardiaque de Léo. Il savait que ce qu'il s'apprêtait à faire était interdit, mais il devait savoir...

Il défit délicatement l'élastique rouge et souleva le rabat. À l'intérieur se trouvaient cinq chemises identifiées au nom de chacun des membres de la famille. La plus volumineuse était celle de Samuel et, la plus mince, celle de Marielle. Il la sortit du dossier et la plaça devant lui. Il se frotta longuement les mains avant de se décider à l'ouvrir.

Sur la languette était inscrite une référence à un dossier antérieur, archivé au service de psychiatrie. Léo doutait maintenant de trouver des informations susceptibles de l'éclairer sur la condition de sa mère avant sa naissance. La chemise ne contenait en effet que des documents ayant trait à sa condition actuelle et à ses récents examens médicaux. Il la remit en place dans le dossier et retira celui portant le nom de Samuel qu'il ouvrit avec appréhension.

Le premier document qu'il découvrit sur le dessus de la pile était le certificat de décès remontant à plus de quinze ans. En l'examinant attentivement, il put lire l'inscription « Raison du décès : défaillance cardiaque résultant d'une insuffisance rénale ».

C'était à peu près la seule information qu'il possédait sur la condition de son frère aîné. Il s'aventura donc à fureter à travers la montagne de documents. De nombreux rapports médicaux se succédaient, entrecoupés de notes manuscrites, parfois illisibles. Il finit par trouver les documents relatifs aux dons d'organes dont Samuel avait fait l'objet.

Au fil de sa lecture, Léo était à la fois étonné et affligé de découvrir que Samuel avait reçu deux greffes et qu'elles avaient toutes deux échoué. Il comprit aussi que deux autres familles avaient accepté de faire un don précieux pour sauver la vie d'un inconnu, après avoir eux-mêmes perdu un être cher. Ce constat le troubla.

Au fil de sa lecture, la culpabilité s'estompa un peu et il se sentit davantage justifié de consulter ce dossier : après tout, Samuel était son frère. On lui avait toujours caché son histoire, à tort, pensait-il. On ne lui avait jamais permis de faire partie de sa vie, même par le biais de souvenirs, encore moins par le biais d'informations aussi vitales que celles-là.

Il continua à remonter le cours de la vie de Samuel jusqu'à l'avant-dernier document sur lequel il reconnut, au bas, la signature de ses parents. Il le sortit de la chemise et le saisit à deux mains. L'en-tête du document le déconcerta : « Autorisation de recourir à la conception d'un enfant-médicament à titre expérimental ».

Léo relut l'en-tête à quelques reprises, tandis que les mots s'imprégnaient dans son esprit : « ... un enfant-médicament... Mais qu'est-ce que c'est que ça ? »

Sans en saisir toute la signification, Léo replaça le document — qui lui paraissait d'une importance vitale — et le recouvrit du dernier document consigné au dossier, le certificat de décès.

Il referma la chemise et la rangea, complètement sidéré. « Existe-t-il vraiment des enfants pouvant servir de médicament ? » Il avait la gorge nouée par cette découverte relevant de la science-fiction. Il resta immobile, les yeux rivés sur la chemise portant son nom ; il n'espérait pas y trouver d'information susceptible d'éclairer la situation. Peut-être y avait-il quelques résultats d'examens, confirmant son bilan de santé positif.

Il plaça la chemise devant lui et l'ouvrit. Dans un ordre précis, il trouva son certificat de naissance, un compte rendu d'examen médical, ainsi qu'une autorisation à quitter l'hôpital. Puis, il aperçut le dernier document. Son cerveau se figea lorsqu'il le reconnut : c'était une photocopie de l'autorisation qui se trouvait dans le dossier de Samuel.

11

Lorsque Junior reçut son congé après le traitement, Marc n'avait pas revu Léo. Ils partirent à sa recherche, remontant machinalement les corridors jusqu'au téléphone public où il l'avait laissé, plus d'une heure auparavant. Ne le voyant nulle part, il passa devant le bureau du docteur Caron dont la porte était ouverte. Il remarqua une infirmière à l'intérieur, occupée au téléphone.

Marc attendit qu'elle termine son appel avant de l'interpeller.

— Excusez-moi...

— Je peux vous aider?

— Je cherche mon fils...

L'infirmière s'approcha de la porte.

— Il a quinze ans, environ cette taille...

— Vous dites que c'est votre fils?

— Oui, c'est ça.

— Et vous êtes?

— Marc Allard. Mon fils que voici reçoit des traitements...

— Monsieur Allard..., le coupa l'infirmière, je crois bien avoir surpris votre fils dans le bureau du docteur Caron, en train de consulter son dossier médical sans autorisation.

— Que voulez-vous dire?

— J'ai surpris un jeune homme, répondant à la description que vous me faites de votre fils, assis au bureau du docteur Caron, consultant seul un dossier médical portant le nom de Léo Allard...

— Oh! Mon Dieu!

***

Dans l'autobus qui retournait vers la ferme, Léo avait peine à réprimer l'angoisse qui l'étouffait. Dans son esprit, les morceaux du casse-tête se mettaient en place avec une clarté atterrante. Il était maintenant trop tard pour ignorer ce qu'il avait découvert. Il savait que c'était la vérité, *sa* vérité. Sa vie venait de basculer, peut-être même de perdre tout sons sens. « L'enfant-médicament : c'était lui ! »

La panique s'intensifia au point de lui donner la nausée ; il respirait avec difficulté. À un moment donné, il se leva et s'agrippa aux banquettes pour s'approcher du chauffeur qui le remarqua aussitôt.

— Est-ce que ça va ?

Léo était pris de vertige et craignait de perdre connaissance. L'homme répéta sa question en ralentissant le véhicule. Léo tentait toujours de maîtriser la panique qui le terrassait et parvint à lui faire un signe affirmatif, avant de s'asseoir à côté d'une dame. Le chauffeur reprit de la vitesse et poursuivit son trajet, surveillant le passager dans le rétroviseur.

Léo s'efforça d'inspirer lentement et parvint péniblement à reprendre son calme. Lorsqu'il fut assuré de ne pas s'évanouir, il se remit à penser aux documents qu'il venait de lire et tremblait à l'idée d'avoir découvert les circonstances de sa naissance.

Il chassa cette idée une fois de plus, sentant l'affolement reprendre de la force. La douleur qu'il ressentait au creux de l'estomac le plia en deux. Il étouffa ses sanglots, sous le regard inquiet de la dame assise près de lui. Le chauffeur, qui venait d'effectuer un arrêt, tarda à repartir, surveillant la scène dans le rétroviseur.

— Est-ce que ça va ? demanda la dame. As-tu besoin d'aide ?

Léo leva la main pour la remercier. Sa sollicitude ainsi que celle de quelques autres passagers le réconforta. Il ferma les yeux et inspira à fond jusqu'à ce que la panique se soit atténuée.

— Tu nous inquiètes, là! s'exclama la dame. Es-tu certain que ça va aller?

— Oui, articula faiblement Léo, je suis désolé...

— Tu as eu une crise ou quoi?

— Je... oui, mais c'est passé.

Rassurée, la dame se replaça sur son siège et le chauffeur remit le véhicule en marche.

Léo garda le regard tourné vers la fenêtre, s'efforçant de porter son attention sur les maisons qui défilaient. Il voulait croire que le pire de la crise était derrière lui, mais les idées recommencèrent à l'assaillir, révélant l'implacable vérité : il avait été conçu dans le but de sauver Samuel! La signature de ses parents au bas du document le torturait au-delà du supportable. «Ça ne pouvait pas être possible... Sa mère avait accepté ça!»

Lorsque le bus s'immobilisa à l'arrêt, Léo était parvenu à mettre en place tous les événements qui avaient marqué sa famille et comprenait maintenant ce qu'il avait toujours vu dans le regard de sa mère : une profonde déception.

Le dernier passager descendit et Léo se leva. Il voulut remercier le chauffeur pour sa sollicitude, mais aucun mot ne sortit de sa bouche et il se contenta de lui offrir le sourire le plus triste qu'il lui ait été donné de voir.

Il était près de cinq heures et il faisait déjà nuit. Léo commença à marcher en direction de la ferme d'un pas lent, résigné. Il avançait sans voir le chemin, sans hâte et sans but. Durant le trajet, il avait eu le temps de comprendre la raison de sa venue au monde, d'en crever de déception et d'en admettre les conséquences. Ses parents l'avaient conçu dans l'espoir qu'il sauve Samuel. Son frère était décédé et sa vie n'avait plus de sens.

Plus il marchait, plus il ressentait la détresse de sa mère. Plus il s'imprégnait de la signification de son regard durant toutes les années où elle avait refusé de l'aimer, de reconnaître son existence. Elle aussi avait compris qu'il n'avait plus de raison d'exister.

***

Marc et Junior était rentrés depuis une demi-heure et Marc appela madame Martin une deuxième fois pour constater qu'elle était toujours sans nouvelles de Léo. Elle lui fit la promesse de l'appeler dès qu'il rentrerait.

Lorsque Marc raccrocha, Marielle se tenait debout à ses côtés, atterrée.

— Comment cela a-t-il pu se produire? répétait-elle pour la dixième fois.

— Il a trouvé son dossier, Marielle, je n'ai rien pu y faire...

— Mon Dieu! Comment cela a-t-il pu se produire?

Marielle et Marc restaient blottis dans les bras l'un de l'autre, oubliant leurs querelles et leurs problèmes, essayant de comprendre ce qui arrivait à Léo. Ils étaient sans nouvelles de lui et redoutaient qu'il connaisse maintenant la vérité.

— Où peut-il être? répétait Marc, inquiet de sa disparition soudaine.

La sonnerie du téléphone leur redonna aussitôt espoir. Marielle se précipita pour répondre.

— Allô?

— Marielle, c'est moi.

— Annie...

— J'espère que vous n'êtes pas en train de souper...

— Non.

— Tu es certaine? Tu as la voix éteinte...

— Annie, je... j'attends un appel de Léo.

— Il va bien?

— Non... je crois qu'il sait.

— ...

— Je crois qu'il sait, Annie.

— Qu'il sait quoi?

— Il a trouvé son dossier médical.

— Comment est-ce possible?

— Ce serait trop long... je dois te laisser. Nous sommes sans nouvelles de lui depuis cet après-midi.

— Mon Dieu! Marielle...

— Je sais.

— Je voulais juste te dire que je serai à Québec demain pour visiter un condo. Je passerai te voir. Je t'appellerai de ma voiture quand je prendrai la route, d'accord?

— D'accord.

— Je t'en prie, appelle-moi dès que vous avez de ses nouvelles!

— C'est promis.

Marielle raccrocha. Elle retourna aussitôt se blottir dans les bras de Marc.

— Marielle, il faut absolument que tu m'écoutes.

Elle leva la tête.

— Je ne sais toujours pas ce qui s'est passé ce fameux soir... mais je te jure que je n'ai jamais eu l'intention d'avoir une aventure avec elle!

Marc perçut le subtil changement d'attitude de Marielle.

— J'ai tenté de la joindre des dizaines de fois, mais elle ne répond pas à son cellulaire et elle n'est jamais revenue à l'appartement. Elle s'est rendue au bureau une seule fois, le lendemain. Michelle m'a confirmé qu'elle n'était restée que le temps de récupérer ses effets personnels.

— Elle est partie?

— Je n'en sais rien, Marielle. Michelle m'a aussi dit quelque chose d'étrange.

— Quoi?

— Elle a certains doutes sur Viviane.

— Des doutes?

— Elle n'a rien de concret, mais elle a remarqué certains agissements, certaines coïncidences lui permettant de croire qu'elle pourrait avoir délibérément entravé mes démarches de négociation avec le médiateur.

— Mais c'est épouvantable, Marc! Il faut que tu saches...

— Il faut surtout que toi tu saches que je t'aime de tout mon cœur et que jamais je ne t'ai été infidèle.

— Oh! Marc...

Marielle tremblait et se cramponnait à lui.

— Et je veux que tu me promettes d'appeler immédiate-ment la police si cette ordure de McKay t'approche à nou-veau, tu m'entends?

Marielle acquiesça.

— J'ai eu tellement peur, tu n'as pas idée! J'en tremble rien que d'y penser!

— Quant je pense qu'il a osé s'approcher de toi... Si jamais je lui mets la main dessus!

— Il ne faut plus qu'on se dispute, Marc.

— Tu as raison. Rien de grave ne peut nous arriver si nous sommes ensemble.

— Oui.

— Ne les laissons pas nous séparer, Marielle.

Elle secouait la tête.

— Je t'aime Marielle.

— Je t'aime aussi!

***

Madame Martin était à la cuisine et demanda pour la troi-sième fois à Jean-Gervais de lui répéter ce que Léo lui avait dit avant de le quitter à l'heure du dîner.

— Ce qu'il m'a dit n'a pas d'importance, Madame Martin. Il a rejoint son père à l'hôpital entre-temps.

— Je sais, mais j'essaie juste de savoir où il pourrait être à cette heure. Son père avait l'air très inquiet. J'espère qu'il ne lui est rien arrivé.

Ils se retournèrent au même moment, entendant la porte s'ouvrir. Léo entra, apparemment épuisé.

— Te voilà enfin!

Léo regarda sa logeuse sans donner d'explication à son absence.

— Que t'arrive-t-il, Léo?

Il se contenta de sourire faiblement. Il se débarrassa de son sac et de son manteau que madame Martin suspendit pour lui.

— Tu es certain que ça va? Ton père a appelé, il avait l'air très inquiet...

— Mon père?

— Oui, tu devrais le rappeler pour lui dire que tu es ici.

Ignorant que son père était au courant, Léo ne se sentait pas la force de lui parler.

— Je vais aller me reposer un peu avant.

Il passa devant Jean-Gervais sans lui adresser le moindre regard et alla s'enfermer dans sa chambre.

Madame Martin prit la liberté d'appeler Marc pour le rassurer.

— Il est rentré tout à l'heure, dit-elle.

— Comment était-il?

— Je ne sais trop quoi vous dire, je ne l'ai jamais vu si abattu.

— ...

— Est-ce que je peux faire quelque chose pour vous, Marc?

— Je vous remercie, mais peut-être qu'il vaut mieux le laisser se reposer un peu. Je rappellerai plus tard.

Marc raccrocha. Marielle ferma les yeux, rassurée.

— Marielle, je suis désolé, mais je dois aller au bureau.

— Maintenant?

— J'aurais dû y retourner cet après-midi. Michelle est encore là et mes conseillers m'attendent. Nous devons absolument préparer la suite de l'interrogatoire.

— Mais...

Le téléphone sonna à nouveau. Ils se regardèrent, le cœur battant. Marielle se leva pour aller répondre.

— C'est Annie, dit-elle à Marc.

Annie lui annonça qu'elle avait décidé de partir tout de suite et qu'elle serait à Québec dans quelques heures. Soulagée, Marielle laissa partir Marc qui s'éclipsa aussitôt, promettant de l'appeler dans la soirée.

Une heure plus tard, Annie rappela Marielle de son cellulaire.

— As-tu réussi à parler à Léo?

— Pas encore.

— Qu'est-ce que tu vas faire?

— Je ne peux rien faire pour le moment. J'espère seulement qu'il va téléphoner.

— Je peux passer le voir, si tu veux.

— Maintenant?

— Oui, je peux y aller directement et passer chez toi après. Je pourrais même le ramener... Nous serions tous rassurés.

— Je ne sais pas quoi en penser, Annie. Il... il ne voudra peut-être pas me voir.

— Tu n'en sais rien pour le moment. Laisse-moi aller voir comment ça se passe. Je t'appelle aussitôt que j'y suis.

Léo s'était recroquevillé, tout habillé, sous la couverture. Il faisait face au mur, refusant de regarder la photo de sa mère sur l'étagère. «Pourquoi a-t-elle fait ça?» Il se sentait vide, inutile. Il était dévasté à l'idée de n'avoir pu sauver Samuel. Ses larmes s'étaient taries: pleurer lui semblait dérisoire dans les circonstances. Il restait prostré, comme un animal épargnant ses forces pour guérir une profonde blessure.

Un mince espoir subsistait dans son esprit: le regard de sa mère sur la photo, plein d'amour et de tendresse. Cette photographie le hantait. Elle l'appelait du fond de l'étagère. Léo craignait tant de la regarder. Il s'était leurré si souvent dans sa vie, pouvait-il s'être trompé à ce point?

La tentation était trop forte. Péniblement, il se retourna et s'allongea sur le dos, hésitant encore. Il ouvrit les yeux et tourna la tête pour la regarder. Ces yeux-là ne mentaient pas: ils étaient remplis d'amour. «Si seulement elle me parlait... si seulement elle voulait me dire...»

Annie arriva peu avant vingt et une heures. Madame Martin l'accueillit et bavarda brièvement avec elle avant de lui indiquer la chambre de Léo. Annie cogna doucement à la porte et attendit.

Léo était toujours étendu sur son lit et ne réagit pas. Il n'avait pas eu le courage de téléphoner à la maison et n'avait envie de voir personne.

Annie frappa à nouveau.

— Léo? C'est Annie...

«Annie? Que venait-elle faire ici...» Léo ne broncha pas. Annie pouvait distinguer la lumière sous la porte. Elle ouvrit doucement.

— Léo... tu es là?

Léo tourna la tête et la regarda sans réagir.

Annie s'approcha du lit. La détresse qu'elle lut sur le visage de son neveu la bouleversa.

— Léo... que se passe-t-il, mon chéri?

Il se redressa péniblement et accepta l'étreinte que lui offrait sa tante.

— Pourquoi es-tu là?

— Je suis venue pour visiter un condo et... j'en ai profité pour venir te voir. Tes parents sont très inquiets.

— Est-ce qu'ils sont ici?

— Non. Ils m'ont dit que tu étais allé à l'hôpital.

Léo baissa les yeux et se cacha le visage.

— Léo...

Annie lui prit les mains.

Ils s'observèrent. Leurs larmes répondirent à toutes les questions en suspens.

— Tu savais? demanda Léo.

Annie le suppliait de ne pas insister.

— Est-ce que tu savais?

Après une longue hésitation, Annie avoua, tremblante d'émotion:

— Je l'ai su des années après...

Léo secouait la tête.

— ... accidentellement.

Le regard vide, Léo la dévisageait sans rien espérer. Annie le prit dans ses bras et le berça. Personne n'aurait pu dire qui berçait l'autre.

— Tes parents t'aiment, Léo, c'est tout ce qui compte.

— Je ne sais plus qui je suis...

— Tu es Léo, leur fils, mon neveu, et le grand frère adoré de Junior.

— Junior..., dit-il en hochant la tête.

— Il t'adore et il a besoin de toi. Rentre à la maison avec moi.

— Non.

— Tu ne peux pas rester ici ce soir. Je vais te ramener.

— Non, ma tante, je ne peux pas rentrer ce soir.

— J'ai peur pour toi, Léo, tu ne devrais pas rester seul.

— Je ne suis pas seul, dit-il les yeux posés sur la photographie.

— Tu devrais appeler ta mère.

— Je l'appellerai demain.

— Vas-tu aller à l'école?

Léo chercha à rassurer sa tante pour qu'elle cesse d'insister.

— Oui, j'ai un examen de maths.

— Tu es sûr que tu peux le faire?

Il hocha la tête, les yeux toujours tournés vers la photographie.

Annie se leva et s'en approcha. Elle la saisit et passa la main sur le pourtour du cadre, songeuse. Puis elle la remit en place.

— Tu es sûr que ça va aller?

Léo s'était assis sur le bord du lit et se frottait le visage.

— Oui. Merci d'être venue.

— Je peux repasser demain, si tu veux, mais tu m'appelles, c'est promis?

— D'accord.

Annie s'éloigna et ouvrit la porte. Avant de sortir, elle regarda Léo. Il avait toujours les yeux rivés sur la photographie.

— Tu l'aurais aimé et lui aussi.

— Qui ça?

— Samuel... C'est une très belle photographie. Je l'ai prise le jour de son cinquième anniversaire...

330

12

Le lendemain matin, Léo sortit de la chambre à la dernière minute. Il parla peu et s'installa aussitôt à l'arrière de la voiture, refusant de répondre aux questions de Jean-Gervais. Lionel Martin démarra le moteur et se mit en route pour le séminaire. Au même moment, Marie-Paule Martin entrait dans la chambre de Léo pour déposer des draps propres. Un désordre inhabituel l'alarma : le bureau et le plancher étaient couverts de débris d'argile colorée et les étagères étaient complètement dégarnies. Elle s'inquiéta. En s'approchant, elle vit tout de suite le cadre en plastique vide. Sur le sol, elle trouva la moitié de la photographie déchirée où Samuel fixait l'objectif. L'autre partie était en miettes sur le plancher.

En arrivant au séminaire, Léo descendit de voiture sans saluer qui que ce soit. Il arpenta machinalement les couloirs de la section des secondaires trois, dans l'espoir d'y apercevoir la seule personne pouvant l'aider à supporter ce cauchemar. Il chercha durant une demi-heure et ne la trouva nulle part. Désemparé, il se rendit à l'auditorium désert et se nicha sur le côté de la scène où personne ne pouvait le voir. Là seulement, il laissa la désillusion et la profonde déception remonter à la surface. « Ce n'était pas moi qu'elle tenait dans ses bras aimants. »
Cette photographie avait été la fondation de sa relation avec sa mère. Jusqu'à aujourd'hui, il avait toujours cru

qu'elle l'avait déjà aimé. « Avant. » Avant que quelque chose de grave sabote leur relation. Mais il n'y avait jamais eu d'« avant ». Elle ne l'avait pas aimé parce qu'il n'avait pas réussi à sauver Samuel.

La limpidité de cette cruelle vérité le terrassait : il était hors de combat. Il n'avait aucune larme à verser, seulement un vide immense où naissait de nouveaux sentiments destructeurs : le mal-être, la trahison et la rage. Il commença à se frapper la tête contre la paroi en bois. Il frappa encore et encore, provoquant une coupure d'où un filet de sang s'écoula. Il cessa seulement lorsque sa vue se brouilla.

Le visage enfoui dans ses mains, Léo sentit les larmes lui brûler les yeux. Il les refoula de toutes ses forces, refusant d'accepter la réalité. Il se leva rageusement, arpentant les quelques mètres le séparant des coulisses, jusqu'à ce qu'il remarque le cavalier en papier mâché trônant dans l'encombrement. « Comment pouvait-il prétendre être un artiste, alors qu'il n'était rien ? »

Il essuya son visage en fixant le cavalier qui le narguait. Sa rage reprit de la vigueur jusqu'à le faire exploser. N'en pouvant plus, il se rua sur l'objet, l'entraînant dans sa chute. Il le martela de coups en pleurant de rage. Puis, il se releva et s'attaqua à la forme à grands coups de pieds. Il frappa et frappa, l'écrabouillant et pulvérisant le papier mâché. Il expulsa sa rage et son désespoir, et s'acharna sur la structure jusqu'à ce qu'elle soit démolie et qu'il n'eut plus la force de tenir sur ses jambes.

Finalement, il s'affala sur le sol, à bout de souffle, à travers les débris de papier mâché et de grillage tordu. Le cavalier n'existait plus. Le cavalier n'avait jamais existé, pas plus que lui.

La cloche du début des cours avait sonné depuis trois quarts d'heure lorsque Léo sortit de l'auditorium. Il s'était un peu calmé et avait débarrassé ses vêtements des débris de papier mâché. Il traversa le bâtiment et s'approcha du bureau de l'orienteur, déterminé à retrouver la trace de Marjorie.

Il inspira profondément avant de frapper à la porte. Une voix l'invita à entrer.

— Je peux t'aider?

— Oui. Je me demandais si vous saviez si Marjorie Simard s'était présentée à ses cours ce matin?

— Assieds-toi, fit l'homme en lui désignant une chaise.

Léo prit place en face de lui.

— Tu la connais?

— Oui.

— Es-tu son petit ami?

— Si on veut, hésita Léo.

— Si on veut?

— ...

— Comment t'appelles-tu?

— Léo Allard.

— Eh bien, Léo, je ne crois pas que Marjorie revienne au séminaire. Nous avons reçu un appel de sa mère, au début de la semaine, nous demandant de la contacter si elle se présentait. Elle semblait inquiète. Apparemment, Marjorie aurait fugué depuis déjà plusieurs jours.

Léo baissa la tête. Cette nouvelle l'inquiéta, mais ne le surprit pas.

— Pourrais-tu me dire quand tu l'as vue la dernière fois?

— Avant les Fêtes, avoua Léo.

— Je vois. Sa mère croit qu'elle est peut-être allée rejoindre un... ami. Apparemment, ce n'est pas toi. As-tu une idée de l'endroit où elle peut se trouver?

Léo secoua la tête, le regard fixé sur le bout de ses chaussures.

— Dans ce cas, je te recommande de retourner en classe.

Léo se leva et le remercia.

— Et si tu la vois, tu pourrais peut-être lui rendre service...

Léo attendit.

— Dis-lui de rentrer chez elle et d'éviter de revoir cet ami.

Si seulement il savait où elle était, se désola Léo.

Lorsqu'il sortit du bureau, la cloche sonna et les élèves envahirent les corridors. Léo se mêla à la foule et se dirigea machinalement vers son casier. Il l'ouvrit et y enfouit son sac avant de le refermer. Il s'appuya à la porte de métal pour réfléchir. Il ne s'autorisa à penser à rien d'autre qu'à Marjorie. Il fut tiré de ses pensées par une voix familière.

— Léo... ça va, vieux?

Jean-Gervais venait vers lui, inquiet de son air abattu.

— Qu'est-ce qui t'arrive?

— Je ne peux pas en parler pour le moment.

— Elle t'obsède encore, c'est ça?

— Comment?

— Quand tu es dans cet état, je sais que c'est à cause d'elle.

Jean-Gervais donna un grand coup de poing dans le casier voisin et grimaça de douleur.

— Merde! Elle ne peut pas te foutre la paix une fois pour toutes, celle-là! Qu'elle aille retrouver son «retardé» au lieu de te manipuler comme elle le fait!

«Son retardé...» Léo se remémora le visage inquiétant d'Elliot. Puis, il se rappela celui de Marjorie, tuméfié...

La cloche sonna.

— Tu ne peux rien pour elle, continua Jean-Gervais. Elle va toujours profiter de ta naïveté et te faire souffrir.

Léo devait absolument la retrouver. Elliot avait dû passer la voir et il l'avait à nouveau attrapée dans ses filets... Mais peut-être...

— Léo?

— ... hein?

— Léo, merde!

— ... oui... tu as raison.

— Sors-là de ta vie, merde! Ça vaudra mieux.

Léo hocha la tête.

— Tu as raison, dit-il en verrouillant son casier.

Jean-Gervais s'éloigna pour se rendre en classe. Il lança à Léo:

— On se voit après les cours?

Léo réfléchit à toute vitesse:

— Euh... non, mon père vient me chercher... Dis, tu veux bien dire à monsieur Martin que je ne rentrerai pas?

— Tu va voir ton frère, c'est ça?

— Ouais, c'est ça.

— D'ac, salut.

Léo se mordit la lèvre. Il fouilla dans la poche de sa veste et trouva le billet que Marjorie lui avait griffonné. « Peut-être qu'elle se cache chez son père... » Léo se rendit au téléphone public de la cafétéria et composa le numéro. Pas de réponse. Il pensa alors qu'elle devait éviter de répondre pour qu'on ne la retrouve pas. « Il doit pourtant y avoir un moyen... »

Les étudiants avaient réintégré les classes et les couloirs étaient déserts. Léo se hâta vers la bibliothèque espérant pouvoir utiliser un des ordinateurs mis à la disposition des étudiants. Plusieurs jeunes s'y trouvaient, le nez plongé dans leur livre, dans un silence intimidant. Léo repéra un poste informatique libre et s'empressa de s'y installer. Il fureta quelques instants pour trouver le site de la compagnie de téléphone qui offrait un service de recherche d'usagers, soit par leur nom, soit par leur numéro de téléphone. Quelques secondes suffirent pour qu'il trouve l'adresse du père de Marjorie.

Il quitta subrepticement la bibliothèque et sortit du séminaire. Il courut pendant plus de dix minutes, sans s'arrêter, jusqu'à la station service où il entra pour appeler un taxi.

Quinze minutes plus tard, la voiture s'arrêta devant la maison. Léo reconnut le gros véhicule garé dans l'entrée. Comme il restait assis sans bouger, le chauffeur se retourna.

— C'est là ?

— Euh... oui.

— Ça fait dix-huit et cinquante.

Léo régla la note et sortit. Le taxi repartit aussitôt, le laissant seul devant la propriété. Le camion, recouvert de plusieurs centimètres de neige, n'avait apparemment pas été utilisé depuis plusieurs jours, ce qui lui confirma que le père de Marjorie devait être parti, comme elle l'avait dit. Cette observation le rassura un peu et il enjamba le banc de neige pour se rendre jusqu'à la porte. Le perron n'avait pas été déneigé non plus. Il cogna une première fois : aucun signe de vie ne lui parvint de l'intérieur. Il sonna, pensant qu'elle dormait peut-être. Il colla son visage à la vitre de la porte mais ne distingua aucun mouvement. Il sonda la poignée avant de se résigner à admettre qu'il s'était trompé.

Il redescendit les marches. Il allait rebrousser chemin lorsqu'il remarqua, de l'autre côté du véhicule, des traces de pas dans la neige. Intrigué, il les suivit du regard et comprit qu'ils menaient à l'arrière de la propriété. Son pouls s'accéléra subtilement. Il contourna le véhicule et suivit la piste en longeant le mur de briques. Il se retrouva derrière la maison, à côté d'une galerie enneigée.

À une centaine de mètres de la maison, une vieille voiture couverte de taches de boue était garée en bordure de la rue. Un des deux jeunes se trouvant à bord utilisa son cellulaire pour signaler la présence de Léo dans les parages.

Léo dut enjamber la rampe pour s'approcher de la porte patio. Il souffla dans ses mains pour les réchauffer, avant de les plaquer de chaque côté de son visage pour tenter de voir à travers les stores entrouverts. Il frappa à la vitre. Toujours rien. Il commençait à se décourager, à mesure que le froid lui mordait les mains et le visage. Il grelottait. Il désespérait de parvenir à retrouver Marjorie et se laissa gagner par le découragement. Il se força à respirer profondément pour chasser ses larmes et sa déception. Il dut se rendre à l'évidence : il était seul, écorché à vif, et ne savait où aller.

Il fit demi-tour et redescendit la galerie. Il longea à nouveau le côté de la maison jusqu'à l'entrée, ignorant où et comment s'en retourner. Il resta figé à côté du véhicule enneigé, pleurant et grelottant de froid, jusqu'à ce qu'un bruit attire son attention. Il se retourna et vit la porte de la maison s'entrouvrir.

Léo croyait rêver : à travers ses larmes, il distinguait Marjorie lui faisant signe de s'approcher. Il dut s'essuyer les yeux pour s'assurer que c'était bien elle. Quelques secondes plus tard, il se retrouva à l'intérieur et Marjorie s'empressa de verrouiller la porte derrière lui.

— Qu'est-ce que tu fais ici? dit-elle, le cœur battant, avant de constater l'état lamentable de son ami.

Léo ne parvenait pas à parler. Il avait la gorge nouée, tant de soulagement que de désespoir. Marjorie ne trouva rien à dire non plus, se contentant de l'entourer de ses bras compatissants. Ils s'enlacèrent sans rien dire, ignorant ce qu'ils faisaient là. Puis, Marjorie se dégagea doucement.

— Viens.

Elle l'attira au fond du couloir où elle le fit entrer dans la chambre dont elle ferma la porte. Les rideaux étaient tirés et le lit était défait.

— C'est plus prudent.

Elle l'invita à s'asseoir sur le bord du lit et il obéit docilement.

— Qu'est-ce qui t'arrive? demanda-t-elle enfin.

Il s'essuyait le visage en hoquetant, essayant de reprendre son souffle. Marjorie prit ses mains entre les siennes et commença à les frotter pour les réchauffer.

— Je ne sais pas par où commencer, dit-il, épuisé par les dernières vingt-quatre heures.

Il se laissa tomber au milieu du lit, se cachant le visage dans l'oreiller. Marjorie ne savait pas quoi dire. Elle se lova contre lui et passa un bras autour de sa taille. Ils restèrent ainsi un long moment avant que Léo parvienne à se calmer. Puis, il se tourna vers elle:

— Excuse-moi...

— Est-ce que c'est ton frère?

Léo fit signe que non en fermant les yeux. Il appuya son front au sien et lui prit la main.

— Non, c'est moi.

Il trouva alors la force de lui raconter les événements qui venaient de bouleverser sa vie et la troublante vérité qu'il avait découverte accidentellement, alors qu'il cherchait seulement à savoir s'il pouvait aider Junior.

— Tu te rends compte! Mes parents m'ont conçu uniquement pour sauver Samuel!

— Je n'arrive pas à croire que ce soit possible!

— C'est pour ça qu'elle ne m'a jamais aimé...

— Léo... elle devait bien t'aimer un peu, non?

— Je me trompais, dit-il en secouant la tête, refusant de lui parler de la photographie.

— Et tu ne sais toujours pas si tu es un donneur compatible pour Junior?

— Non.

Léo roula sur le dos et se cacha le visage. Tout était là, justement. Il n'avait pas fermé l'œil de la nuit, torturé par ce qu'il avait découvert. Son esprit était resté prisonnier dans le bureau du médecin, devant le rapport dévastateur, signé par ses parents. Les mots «à titre expérimental» l'obsédaient. Une expérience ratée, voilà ce qu'il était. Peut-être que s'il sauvait Junior, sa vie aurait enfin un sens... peut-être qu'elle l'aimerait...

Soudain, il se redressa et se leva subitement, en proie à une crise de panique.

— Léo... où vas-tu?

Marjorie se leva à son tour et s'empressa de lui bloquer le chemin en s'adossant à la porte.

— Je dois faire quelque chose!

— Arrête, Léo!

Léo retrouva un peu ses esprits devant l'inquiétude de Marjorie.

— Personne ne sait que je suis ici.

— Tu as fugué?

— C'est une longue histoire... mais ils me cherchent et ils sont venus ici.

— Qui ça?

— Ma mère... et Elliot.

— Pourquoi tu restes avec lui?

— ...

— Je peux t'aider, tu sais.

— Reviens t'asseoir, dit-elle en le poussant à nouveau vers le lit.

Ils s'adossèrent aux oreillers et remontèrent les couvertures. Léo s'était un peu calmé.

— Depuis quand es-tu ici? demanda-t-il en enlevant sa veste.

— Seulement depuis hier. Je suis partie pendant qu'ils étaient sortis...

— Ils?

— Lui et sa bande de tarés.

— Pourquoi étais-tu chez lui?

— Où voulais-tu que j'aille?

— Chez ta mère.

Marjorie ferma les yeux et dissimula son visage derrière sa frange.

— Raconte-moi, dit Léo.

— Je n'arrive plus à supporter de la voir... se laisser maltraiter par ce salaud!

— Merde...

— Ouais. Chaque fois, elle le fout à la porte, et chaque fois, il revient.

— Et toi, pourquoi tu retournes toujours avec Elliot?

— Je ne retourne pas avec lui! C'est lui qui revient toujours.

— Tu lui dois encore de l'argent, c'est ça?

Marjorie ne répondit pas. Léo leva les yeux, indigné. La chaleur de la pièce commençait à lui tourner la tête et il repoussa les couvertures.

— Je voudrais boire quelque chose... j'ai très soif.

— D'accord, suis-moi mais ne t'éloigne pas.

Ils se rendirent à la cuisine et Marjorie ferma le store de la porte patio.

— Tu crois qu'ils vont revenir?

— Pas ma mère. Mais lui, oui.

Elle ouvrit le frigo et en sortit deux bières. Léo hésita, mais constata que le frigo ne contenait pratiquement rien d'autre.

— Allez, tu en as bien besoin...

Marjorie décapsula une bouteille et la lui remit.

— Tu verras, on s'habitue.

Léo eut un pincement au cœur en pensant au combat de son père contre l'alcoolisme. Peu lui importait à présent:

tout valait mieux que de supporter le poids qui lui comprimait la poitrine. Il saisit la bouteille et en but une grosse gorgée qui le fit grimacer.

Ils s'assirent à table, face à face, et discutèrent encore de leurs préoccupations jusqu'à ce que les bouteilles soient vides. Léo ressentait l'effet apaisant de l'alcool se propager dans son corps et relâcher ses muscles. Il se détendait et avait bien envie que cette sensation dure encore un peu. Il se leva pour ouvrir le frigo sans même demander la permission.

— Eh bien, tu t'habitues vite! fit remarquer Marjorie en acceptant une deuxième bouteille.

— Tu as l'air assez habituée, toi-même!

— Ouais, c'est tout ce que je sais faire comme il faut : des bêtises!

— Ce n'est pas vrai. Pourquoi dis-tu ça?

— Parce que c'est vrai.

— Je n'ai jamais connu une fille aussi bourrée de talents et aussi bien que toi... ayant si peu d'estime d'elle-même. C'est vrai! On dirait que tu t'organises toujours pour saboter ce qu'il y a de bien dans ta vie.

— C'était pas très malin non plus de détruire tes figurines et le cavalier.

Léo se recula sur sa chaise, surpris par cette réflexion.

— Je refuse de jouer les victimes, comme ma mère, reprit Marjorie.

— ...

— Elle se laisse rabrouer et malmener par tous les hommes qui passent dans sa vie. On dirait qu'elle ne sait pas faire autrement et qu'elle revient toujours avec le même genre de macaque.

— C'est ironique que tu aies laissé un gars comme Elliot te...

— Je ne l'ai rien laissé faire du tout!

Marjorie était furieuse et humiliée.

— Tu sais, dit Léo en rapprochant sa chaise, jamais je ne te traiterais comme... en te manquant de respect, moi.

— C'est ça le problème, tu es trop bien pour moi.

Léo sentait que Marjorie redevenait la fille douce qui l'avait séduit. L'intense chaleur réapparut au creux de son ventre, l'incitant à la prendre dans ses bras. Ni l'un ni l'autre ne se souciait plus de dissimuler sa présence. Ils ne remarquèrent pas les deux silhouettes qui se faufilaient vers l'entrée, ni la troisième faisant le guet près de la voiture.

Marjorie et Léo sursautèrent lorsqu'ils entendirent frapper violemment à la porte. Elle bondit de sa chaise et se colla au mur lorsqu'elle reconnut le profil d'Elliot à travers la vitre givrée.

— Joe! Je sais que t'es là! Ouvre! répétait Elliot avec rage, en continuant de frapper avec force.

— Merde! Il va la défoncer! s'exclama Léo, affolé.

Il rejoignit Marjorie, incapable d'échapper aux intrus.

Le type qui accompagnait Elliot se mit à enfoncer la porte avec son épaule, ce qui fit trembler le mur de la maison.

— Arrêtez! cria Marjorie en s'avançant pour aller ouvrir.

— Ne leur ouvre pas!

— Ils vont tout briser si je les laisse faire... Ça va, ça va! J'ouvre!

Elle déverrouilla la porte et ouvrit. Elle fit quelques pas en arrière pour laisser entrer Elliot et l'autre type.

— Tiens, tiens! fit-il en détaillant Léo qui tentait de masquer sa peur.

Léo avait les idées embrouillées par l'alcool mais ne voulait surtout pas laisser paraître qu'il était intimidé.

— Qu'est-ce que tu veux? demanda Marjorie.

— Tu le sais bien, Joe...

Elliot fit un pas dans sa direction, mais se ravisa lorsque Léo s'interposa. Il le toisa avec mépris. Devant la situation, Elliot se dirigea au salon et s'affala sur le divan. L'autre type attendait près de la porte. De nombreux tatouages dépassaient du col de son t-shirt, partiellement masqués par ses cheveux gras.

— Tu ne peux pas rester ici, ordonna Marjorie.

— Tu crois?

— C'est chez moi ici et je veux que tu t'en ailles!

— Pas avant que tu m'aies rendu mon argent.

Léo se crispa. Il avait l'impression que son cœur allait lui défoncer la poitrine. Quant à Marjorie, elle semblait relativement confiante. L'alcool devait y être pour quelque chose, pensa Léo.

— Je vais te régler ce que je te dois bientôt, mais tu ne peux pas rester ici...

— ... bientôt?

— Mon père va revenir tout à l'heure.

— Ah oui? Et comment expliques-tu sa voiture enneigée dans l'entrée? Il va rentrer à pied, peut-être?

L'autre type ricana. Puis, Elliot se tourna vers Léo.

— Et toi, t'as quel âge?

— Dix-huit ans, mentit-il maladroitement.

— Bien sûr... et moi, je suis Grégory Charles!

Elliot échangea un regard malicieux avec son comparse et se tira une chaise.

— Ton petit copain pourrait peut-être payer pour toi, qu'est-ce que t'en dis?

— Combien est-ce qu'elle te doit? demanda Léo.

— Six cents...

— Quoi? s'insurgea Marjorie.

Elle fit un pas en direction d'Elliot, mais Léo la retint par le bras.

— Si elle paie ce qu'elle te doit, est-ce que tu la laisseras tranquille?

— La laisser tranquille? De quoi est-ce que tu parles? Elle ne peut pas s'empêcher de venir pleurnicher à ma porte chaque fois que ses vieux la jettent dehors!

Marjorie regardait Léo, honteuse.

— Laisse tomber, Léo.

Elliot se leva et fit signe à son comparse. Celui-ci s'avança et sortit un sachet de sa poche.

— Léo, hein? Tu sais ce que ta petite protégée apprécie le plus lorsqu'elle vient chez moi... Je veux dire, à part un peu de... réconfort...

— Ta gueule! cria Marjorie.

Léo avait envie de lui arracher la langue et de lui faire ravaler son mépris.

Elliot brandit le sachet au visage de Léo.

— Si tu as de l'argent sur toi, je pourrais peut-être vous accommoder...

— Ne fais pas ça, Léo!

Léo faisait maintenant face à Elliot. Il le défiait du regard, ragaillardi par l'effet de l'alcool.

— Ne prends pas ça! répéta Marjorie, qui commençait à s'agiter.

— Tu en prends bien toi, dit Léo.

— Je ne touche plus à cette cochonnerie!

— Tu n'en as plus les moyens, de toute façon! railla Elliot.

Marjorie se rua sur Elliot et lui envoya une claque en plein visage. Elliot vacilla, mais ne tomba pas. Il devint fou de rage.

— Espèce de chienne!

Elliot voulut s'en prendre à Marjorie mais Léo s'interposa et les deux garçons s'empoignèrent mutuellement, se ruant de coups de poing et de coups de pieds. L'autre type empoigna Marjorie qui avait sauté sur le dos d'Elliot. Il dût tirer de toutes ses forces pour lui faire lâcher prise et la projeta au plancher où elle se blessa au bras et à la hanche. Puis, le type alla prêter main forte à Elliot. Léo reçut une raclée qui lui fit plier les genoux. Il se retrouva sur le plancher où les deux brutes continuèrent à lui asséner des coups de pieds au visage et dans les côtes.

De violents coups frappés à la porte mirent un frein au supplice de Léo.

— Amenez-vous, merde! Les voisins ont dû appeler les flics et ils patrouillent le secteur!

À bout de souffle, Elliot et l'autre type se ruèrent hors de la maison et coururent à la voiture qui démarra aussitôt. La voiture de patrouille qui tournait le coin de la rue les prit en chasse. À l'intérieur, Marjorie s'approcha de Léo qui respirait avec difficulté. Son visage était ensanglanté et il se tordait de douleur.

— Merde, Léo!

Il était incapable de répondre.

Marjorie paniquait, ne sachant pas comment se sortir de ce pétrin. Elle devait aider Léo mais elle savait que la police allait rappliquer d'une minute à l'autre.

— Il faut qu'on sorte d'ici, Léo!

Constatant que son visage ne cessait pas de saigner, elle courut chercher une serviette et revint s'asseoir près de lui, essuyant ses plaies en lui parlant doucement. Elle se mit à pleurer.

— Léo? Je m'excuse, Léo!

Elle resta là à pleurer près de lui, à peine conscient et incapable de se relever. Il s'écoula très peu de temps avant qu'une voiture de police se gare devant la maison. Aussitôt, deux agents entrèrent par la porte restée ouverte.

— Police! Ne bougez pas!

Marjorie comprit qu'elle n'avait plus d'issue, mais peu lui importait à présent.

— Aidez-le, je vous en prie!

Vers dix-sept heures quarante-cinq, Marie-Paule Martin s'apprêtait à sortir quand elle entendit la sonnerie du téléphone. Lorsqu'elle décrocha, elle écouta l'agent de police lui expliquer que Léo était à l'hôpital et qu'il avait donné son nom à titre de personne responsable. Elle raccrocha en catastrophe et courut avertir son mari.

***

Dans les bureaux du Groupe Allard, Marc sentait la situation se redresser d'heure en heure. Au terme de plusieurs journées exténuantes, et grâce aux informations fournies par certains employés ainsi que par le concierge de l'immeuble de la rue Sault-au-Matelot, les enquêteurs disposaient d'assez d'indices pour émettre un avis de recherche à l'endroit de Viviane Sinclair. Une piste les avaient déjà menés jusqu'au gérant de la succursale de Beauport sur qui pesaient maintenant des soupçons de complot et d'agissements illégaux relativement à la demande d'accréditation déposée par un groupe d'employés de l'entreprise.

Les charges qui pesaient contre Marc n'étaient toujours pas retirées, mais les enquêteurs le libérèrent de l'interdiction de quitter la ville. De nombreux témoignages recueillis auprès de ses employés, de ses collaborateurs ainsi que de ses proches les incitaient à croire à son innocence, pour le moment. Comme ses vérificateurs fiscaux avaient été en mesure de fournir des états financiers exempts d'irrégularité et que rien dans son train de vie ne laissait présager qu'il ait pu utiliser de grosses sommes d'argent pour son bénéfice personnel, tous les efforts de l'enquête étaient maintenant dirigés vers sa collaboratrice, mystérieusement disparue sans laisser de trace.

Marc ressentait un profond soulagement de voir enfin une lueur d'espoir au bout du cauchemar dans lequel il était plongé depuis des mois. L'esprit plus léger, il repassait, en compagnie de Michelle et d'un enquêteur, tous les relevés téléphoniques de la dernière année afin de retracer des appels pouvant les mener vers Viviane. Ils étaient installés dans la salle de réunion lorsque le téléphone interrompit leur travail. Au bout du fil, Marielle était paniquée.

— Léo est à l'hôpital!
— Quoi?
— Madame Martin vient de m'appeler, il est blessé...
— Qu'est-ce qui s'est passé?
— Il a... il s'est fait battre!
— Quoi?
— Le policier m'a dit qu'il n'avait rien de grave, mais qu'il avait de nombreuses contusions.

Marc fixait Michelle qui s'alarma de le voir dans cet état.

— Tu veux me rejoindre là-bas? demanda Marc.

— Non, je ne suis pas en état de conduire…

— J'arrive tout de suite.

***

Quinze minutes plus tard, Marielle monta dans la voiture. Ni elle ni Marc ne parlèrent. Il démarra en trombe en direction de l'hôpital. Marielle observait Marc, tremblante d'inquiétude. Il ne trouva rien à dire pour la rassurer.

La voiture roulait si vite que Marielle enfonçait les ongles dans l'appuie-bras. Depuis la veille, elle ressassait les mêmes paroles dans le but d'expliquer et surtout d'apaiser les tourments de Léo lorsqu'elle le verrait. Elle aurait peut-être la chance de lui dire à quel point elle l'aimait et à quel point elle était désolée de tout ce qui était arrivé.

Marc roulait toujours aussi vite et Marielle le regarda à la dérobée. Il avait les traits tirés. Sa journée avait dû être pénible et elle n'avait même pas pris la peine de s'en informer.

Elle fut tirée de ses pensées par la sonnerie du cellulaire de Marc. Il peina à sortir l'appareil de sa poche et parvint à l'ouvrir.

— Viviane?

Le sang se glaça dans les veines de Marielle.

Marc sentit son regard rivé sur lui et tourna la tête vers elle. Au même moment, il tourna le volant involontairement et la voiture commença à dévier de sa trajectoire. Tenant toujours le cellulaire, il tenta de redresser le volant, mais la voiture continua à déraper dangereusement.

— Marc, attention! cria Marielle, en apercevant le pilier de ciment qui fonçait sur eux.

Au bout du fil, Viviane entendit les cris de Marc et de Marielle se mêler au bruit assourdissant du véhicule qui s'écrasait avec fracas. Une série de sons terrifiants s'ensuivirent sans que la communication ne soit jamais interrompue.

Sous le viaduc de l'autoroute, un calme morbide émanait du tas de ferraille qui avait laissé une traînée de débris sur près de trente mètres. Seul le cliquetis de la roue arrière tournant sur elle-même troublait le sinistre silence. Dans l'amas de tôle fumant, Marc gisait, prisonnier de sa cage d'acier. À quelques pas de là, sur la chaussée glacée, quelques automobilistes contournèrent de justesse la silhouette inanimée avant de s'arrêter pour porter secours aux victimes de ce terrible accident. Près du corps disloqué de Marielle, le cellulaire de Marc était toujours ouvert et une voix répétait frénétiquement :

— Répondez-moi, Marc !

13

La sonnerie du téléphone réveilla Adam peu après sept heures du matin. Il reconnut la voix fébrile de Viviane.

— Qu'est-ce que tu veux?

— J'espère que tu es content maintenant...

— De quoi tu parles?

— Ouvre ton journal... et ne t'avise plus jamais de m'appeler ou de me retrouver!

Adam raccrocha. Cette garce avait le don de l'irriter, pensa-t-il. Hébété, il se leva et récupéra le journal devant sa porte. Il alla s'asseoir à son bureau et commença à le feuilleter. Il trouva, à la troisième page, l'explication de cet appel.

«Un violent accident de la route a fait deux victimes hier soir dans la région de Québec. Le conducteur, Marc Allard, propriétaire de la chaîne de pharmacies Groupe Allard, ainsi que sa conjointe Marielle Dussault, reposent actuellement dans un état critique. L'utilisation du téléphone cellulaire pourrait être à l'origine de cette tragédie.»

Du revers de la main, il projeta sur le mur avec violence tout ce qui se trouvait à sa portée, à l'exception de la photographie où Marielle souriait toujours.

***

Dans la chambre d'hôpital, Léo était assis dans un fauteuil berçant, se remettant lentement des ecchymoses et des contusions laissées par l'agression dont il avait été victime quelques jours plus tôt. Le côté gauche de son visage avait viré au mauve, mais il parvenait maintenant à ouvrir son œil. Ses côtes le faisaient beaucoup souffrir, surtout parce que Junior était assis sur lui. Les deux garçons se berçaient près du lit de Marielle. Junior cherchait sans cesse à y grimper pour s'étendre à côté de sa mère qui dormait depuis plusieurs jours. Il n'aimait pas voir tous les fils qui la raccordaient aux appareils électroniques entourant le lit et qui l'empêchaient de se lever et de le prendre dans ses bras. De l'autre côté du lit, Marc était assoupi dans un fauteuil roulant.

L'impact avait été violent, enfonçant tout le côté droit du véhicule qui n'avait jamais cessé de déraper sur la chaussée glacée. Marc s'en était tiré avec une fracture au genou droit, un traumatisme cervical et un choc nerveux. Sa femme n'avait pas eu cette chance.

Marielle était maintenue dans un coma artificiel depuis le soir de l'accident. Tous ses membres, y compris son dos, s'étaient brisés sous l'impact et sa rate et son foie avaient été perforés. Elle avait perdu beaucoup de sang et son état était toujours critique.

Pierrette entra dans la chambre et proposa de relayer Léo pour lui permettre d'aller rejoindre les autres dans la salle d'attente, mais il refusa. Ce matin-là, les médecins avaient diminué les doses de tranquillisants, pour forcer la patiente à sortir peu à peu de ce sommeil contraint. Ils avaient pratiqué de nombreuses interventions au cours des derniers jours et ils devaient maintenant se résigner à observer l'évolution de son état avant de tenter autre chose. Léo voulait être à ses côtés lorsqu'elle s'éveillerait. Il confia Junior à sa grand-mère et resta au chevet de Marielle en compagnie de son père.

Son univers tout entier avait basculé en moins d'une semaine. Après avoir découvert les circonstances tragiques de sa venue au monde, il en était venu à la conclusion que sa vie était un échec. Ses convictions sur l'amour de sa mère s'étaient du même coup évanouies. Le choc avait été trop grand à absorber. Il avait eut envie de disparaître. Il avait fui sa famille et s'était réfugié auprès de Marjorie qui ne lui avait apporté que des ennuis supplémentaires. Puis était survenu le tragique accident de voiture.

Lorsqu'il avait retrouvé ses parents aux soins intensifs, Léo avait cru mourir en les voyant allongés sur des civières, couverts de sang. Il avait à peine eu le temps de croiser le regard terrifié de son père et de serrer sa main avant de fondre en larmes et d'être évincé de la salle. Marc était en état de choc et répétait sans cesse le nom de Marielle.

Les heures qui avaient suivi furent les plus angoissantes de sa vie. Léo considérait son père comme le phare rassurant qui l'avait toujours guidé dans la tourmente grâce à son amour indéfectible. Quant à sa mère, plus que jamais auparavant il avait senti le besoin de l'entendre lui dire qu'elle l'aimait. Peu lui importait maintenant les circonstances de sa naissance, ni même l'avenir auquel il était destiné, pourvu que ce ne soit pas sans elle.

L'état de Marc s'était rapidement stabilisé et Léo fut enfin autorisé à le voir. Malgré leurs nombreuses blessures, le père et le fils s'étaient enlacés aussitôt, mêlant leurs pleurs et leurs prières à leurs troublants récits.

— Je regrette tellement, papa..., avoua Léo, malade de culpabilité.

— Oh! Léo... si tu savais comme je t'aime!

— Tout ça est ma faute, papa!

— Rien n'est de ta faute, Léo. Tout est *ma* faute!

— J'ai tellement peur, papa!

Léo était blotti dans les bras de Marc, sur le lit étroit et raide, secoué de sanglots incontrôlables. Marc était aussi étouffé par la peur et cherchait les mots pour le consoler. La gorge serrée, il parvint à lui dire :

— Je veux que tu saches... qu'elle t'a toujours aimé.

Léo pleura de plus belle, déversant toute sa peine et ses doutes.

Marc s'accrochait à lui, soulagé de le savoir hors de danger. Il souffrait de voir son visage tuméfié et il lui caressait doucement le dos pour apaiser ses tourments, en priant pour que Marielle s'en sorte.

Léo restait prostré près du lit où gisait Marielle. Il avait glissé les doigts dans sa main inanimée et surveillait son visage endormi, à l'affût du moindre signe d'éveil. Ce visage qu'il avait surveillé toute sa vie, tout valait mieux que de ne plus le voir. Toute l'inquiétude, toute la déception, même toute l'indifférence valaient mieux que son absence. Depuis qu'il l'avait vue allongée là, suspendue entre la vie et la mort, il était terrifié à l'idée de la perdre et de devoir vivre avec le poids de ne pas avoir été à la hauteur, de ne pas avoir été le fils qu'elle désirait.

Un subtil mouvement de la main de Marielle l'alerta. Il la serra doucement et elle réagit en serrant à son tour. Léo la porta à sa joue, espérant qu'elle ouvre les yeux. Elle commença à s'agiter faiblement, remuant la tête de gauche à droite, comme si elle tentait d'échapper à un cauchemar.

— Maman? C'est moi...

Marc s'éveilla à cet instant et s'approcha du lit. Marielle fronça les sourcils mais ne parvint pas à ouvrir les yeux.

— Maman... est-ce que tu m'entends?

Marc saisit son autre main et lui caressa la joue.

— Marielle? Ma chérie...

Il fondit en larmes, embrassant la main de sa femme.

Comme elle ne répondait pas, Léo sortit avertir l'infirmière au poste de garde. Quelques minutes plus tard, Marielle ouvrait enfin les yeux, entourée de sa famille et d'une pléiade de médecins et d'infirmiers. L'esprit confus par les tranquillisants, elle mit un certain temps à comprendre où elle se trouvait.

Elle vit d'abord Marc, le visage ruisselant de larmes.

— Marc...

— Je suis là, ma chérie...

Marielle ferma les yeux, le cœur battant, peinant à reprendre son souffle. Elle grimaça de douleur. Puis, elle rouvrit les yeux et le regarda à nouveau.

— Léo?

— Je suis là, maman...

Elle tourna la tête et vit son fils.

— Léo...

— Je suis là, maman, répéta-t-il en serrant sa main.

Elle referma les yeux, rassurée.

Le médecin fit signe aux autres membres de la famille de le suivre dans la salle d'attente.

— Est-ce qu'elle va s'en sortir, docteur? s'inquiéta Annie.

— Nous allons lui administrer de nouveaux tranquillisants pour la soulager un peu, en attendant...

— En attendant quoi? Vous m'inquiétez, docteur...

— Léo..., dit Marielle en serrant sa main.

— Je suis là.

— Est-ce que tu sais?

Les larmes de Léo répondirent à la question. Il ne la quittait pas des yeux, espérant une parole réconfortante.

— Je voulais t'éviter... de l'apprendre. J'ai toujours pensé que ça ne pouvait pas s'expliquer.

— Ça explique certaines choses.

— Certaines choses, oui, sur ton passé... et le mien. Mais ça peut surtout te bouleverser.

Léo était troublé par ces propos, mais il avait besoin de les entendre.

— Est-ce que tu m'en as voulu, maman?

— Pourquoi t'en aurais-je voulu?

— Parce que je n'ai pas pu sauver Samuel.

Marielle ferma les yeux et inspira profondément. Elle se tourna vers Marc qui sanglotait. Elle lui sourit péniblement et reporta son regard sur Léo.

— J'ai longtemps cru être incapable de t'aimer, avoua-t-elle. Mais... ce n'est pas pour ça, Léo.

— Alors pourquoi, maman?

Marielle lisait toute la souffrance sur le visage de son fils.

— J'ai longtemps craint d'avoir commis une erreur irréparable... après avoir pensé pouvoir déjouer le destin.

Léo baissa les yeux.

353

— Mais le destin est bien plus malin que nous, Léo.

— Je sais. C'est Junior que je vais sauver, maman. Je vais...

— Cher Léo... J'ai mis tellement de temps à comprendre!

— À comprendre quoi?

— Ton destin n'était pas d'être un donneur d'organe...

— Laisse-moi accomplir mon destin, maman.

Marielle plongea son regard dans le sien.

— Écoute bien ce que je vais te dire : ce n'était pas ton destin, mon chéri, crois-moi...

Elle serra la main de Léo qui pleurait devant la gravité de ses propos.

— Mais, maman...

— Je l'ai longtemps cru, à tort...

— Maman...

— ... et j'ai longtemps cru que je ne pouvais rien y faire, Léo... mon merveilleux fils...

Léo pleura de plus belle et enfouit son visage dans les bras de sa mère qui le consola.

— Mon cher Léo..., répétait-elle.

Elle regarda Marc et vit qu'il était bouleversé. Elle lui murmura « je t'aime » et ferma les yeux quelques instants. Puis, elle reprit :

— Je me trompais, Léo, comme je me suis trompée tant de fois dans ma vie.

— Qu'est-ce que je vais faire, maman? l'implorait Léo, dévasté.

— Ton destin, mon chéri, est bien plus grand que ça, crois-moi...

— Maman...

— ... et je t'aime plus que je ne pourrai jamais te le dire!

— Oh! Maman! Je t'aime tellement!

— Le sais-tu, Léo, à quel point je t'aime?

Léo acquiesçait à travers ses sanglots.

— Le sais-tu, Léo, que je t'aime plus que moi-même?

Léo acquiesçait toujours.

— Dis-moi que tu le sais, Léo.

— Je le sais, maman.

— Dis-le moi encore, mon chéri.

Léo s'essuya les yeux et approcha son visage.

— Je le sais, maman. Je le vois dans tes yeux.

Bouleversé et soulagé, Léo resta blotti dans les bras de sa mère, sous le regard bienveillant de son père. Pour la première fois, il avait la conviction qu'elle l'aimait. Il désirait plus que tout rentrer à la maison.

Toute la famille rentra cette nuit-là, après avoir vu Marielle pousser son dernier soupir.

Épilogue

Léo releva le col de son coupe-vent et enfouit les mains dans ses poches. Annie lui avait pourtant rappelé de porter des gants, mais il avait oublié de les prendre avant de partir. Il aurait aimé qu'elle les accompagne, mais c'était impossible. Les marches de marbre avaient été déglacées par un mélange de sel et de sable épandu quelques heures plus tôt par le sacristain. La neige et le vent avait forcé les membres de la famille et les amis à entrer dès leur arrivée. Il ne restait que Marc et Léo, hésitant à monter les marches et à pousser les lourdes portes de l'église. Marc passa un bras autour des épaules de Léo et ils se regardèrent. La neige continuait de blanchir leurs cheveux. Rien ne pouvait apaiser la souffrance qui était palpable à l'intérieur de l'église comme dans leur cœur.

Marc fit le premier pas, incitant Léo à y aller. Les portes se refermèrent bruyamment derrière eux et la foule amassée à l'arrière de l'église se retourna. Un à un, les gens s'écartèrent pour permettre aux hommes de s'approcher du cercueil qui attendait. Un cercueil de chêne, recouvert de lys blancs, s'apprêtant à remonter l'allée centrale, en présence de tous les êtres touchés par la vie et par le décès de Marielle Dussault.

Près de trois semaines s'étaient écoulées depuis le tragique accident, et Léo avait toujours l'impression de voir un film défiler devant ses yeux. Le cortège se mit en branle et le cercueil sembla flotter entre les rangées de bancs bondés. Pourtant, la douleur qui se lisait sur les visages des membres de la

357

famille et des amis était bien réelle, intolérable. Avant d'atteindre le pied de l'autel, Léo s'attarda sur ces visages, cherchant désespérément une raison à la soudaine disparition de sa mère.

La première personne qu'il reconnut fut Marjorie. Elle se tenait debout, à l'arrière de l'église, en compagnie de sa mère, le visage couvert de larmes.

Il continua d'avancer et reconnut son fidèle ami Jean-Gervais. Il était assis aux côtés de Lisa et Chris ainsi que de plusieurs élèves du séminaire venus témoigner leur sympathie.

La présence de ses coéquipiers ainsi que de l'entraîneur de l'équipe de basketball le toucha profondément. Il les avait pourtant négligés, mais eux étaient toujours solidaires. Même Antoine De La Chevrotière, le professeur d'art, était présent en compagnie de quelques élèves et membres de la troupe de théâtre.

Léo continua de remonter l'allée et reconnut plusieurs collègues de son père venus le soutenir : des pharmaciens, des employés, des collaborateurs, ainsi que Michelle Lemay, sa secrétaire.

Plusieurs collègues de Marielle étaient aussi présents, ainsi que de nombreux amis que Léo ne connaissait pas très bien.

Le vieux docteur Gaulin, ainsi que le docteur Caron, affligés par la tragédie, avaient tenu à assister aux obsèques, avec quelques membres du personnel médical de l'hôpital.

Léo s'arrêta lorsqu'il aperçut Marie-Paule et Lionel Martin s'avançant vers lui. Ils s'étaient revus brièvement à l'hôpital. Madame Martin le prit dans ses bras et pleura en silence. Elle était abattue et se sentait coupable de ce qui était arrivé. Elle était rongée de remords de n'avoir pas su mieux encadrer Léo pendant qu'il logeait chez elle. Léo parvint à maîtriser ses émotions et reprit sa place dans le cortège jusqu'au banc où se trouvait Pierrette Dussault.

Léo la regarda, entourée de Mathieu et Stéphane, ainsi que de ses sœurs venues la soutenir. Sa mamie Pierrette était devenue une vieille femme, brisée par le chagrin. Léo s'avança vers elle et la prit dans ses bras. Les sanglots la secouaient si fort que ses sœurs durent l'aider à s'asseoir pour permettre à Léo de prendre place à ses côtés. Elles s'écartèrent pour le laisser passer, ainsi que Marc.

Le cercueil termina son voyage au pied de l'autel et le célébrant invita les fidèles à se recueillir pour le début du service funèbre. La cérémonie se déroula sobrement et le prêtre préféra laisser place à la réflexion plutôt qu'aux grands sermons. Quelques membres de la famille se relayèrent à l'autel pour rendre hommage à la défunte.

Léo ne les voyait pas ni ne les entendait. Son esprit était ailleurs, retenu dans la chambre de sa mère qu'il avait visitée ce matin encore, à la recherche d'un peu de courage pour affronter cette épreuve.

Après le déjeuner, il avait demandé à sa famille de l'excuser pour s'isoler un moment. Il était monté à l'étage et s'était enfermé dans la chambre de ses parents.

Les rideaux n'avaient pas été ouverts depuis le soir où Marc était passé chercher Marielle pour se rendre à l'hôpital. Léo était d'abord entré dans le placard, occupé à parts égales par les effets personnels de ses parents. Il avait reconnu leur personnalité dans leur désordre et leur minutie : style et efficacité pour Marielle, manquant désespérément de temps et d'organisation pour Marc. La robe de chambre de Marielle traînait sur le banc. Il s'en était emparé et avait caressé la ratine du vêtement porté tant de fois par sa mère. Il n'avait pas osé l'enfiler par crainte de la trahir ou de lui dérober quelque chose. La gorge nouée, il s'en était frotté le visage sans parvenir à chasser la douleur qui lui serrait la poitrine.

Il avait replacé la robe à l'endroit exact où il l'avait trouvée et était sorti du placard. Il s'était assis délicatement sur le côté du lit, prenant soin de ne pas plisser la couverture. Il avait allumé la lampe de chevet. Son cœur s'était emballé plus que d'habitude. Il avait fermé les yeux et inspiré profondément pour calmer le tremblement de sa main. Il avait ouvert le tiroir pour y découvrir une enveloppe blanche, patientant sagement tout au fond. Son cœur avait cogné à ses tempes lorsqu'il avait reconnu l'écriture de sa mère. Sur l'enveloppe, qu'il avait saisie de sa main tremblante, était écrit « Pour toi, Léo ». Cette lettre l'attendait et le conviait à un rendez-vous avec sa mère. Un ultime rendez-vous. Il avait pleuré, avant même de l'ouvrir, devinant l'émotion qui avait guidé la main de sa mère le jour où elle l'avait écrite.

Sur le banc d'église, Léo fut tiré de ses pensées par Mathieu qui s'avançait vers l'autel. Il fit un effort pour prêter attention au message livré par son cousin, mais ne put retenir son esprit qui s'évada à nouveau vers la chambre de sa mère.

Toujours assis au bord du lit, Léo avait attendu que ses sanglots se soient apaisés pour ouvrir l'enveloppe. Il avait sorti la page pliée avec soin ainsi que trois photographies : une de Samuel, une autre de lui avec Marielle qui l'enlaçait, le regard plein de tendresse, au moment de leurs retrouvailles, ainsi qu'une troisième où il se trouvait en compagnie de Junior, tous deux vêtus de leur costume de chevaliers *jedi*. Il s'était remis à sangloter et avait serré les photographies sur son cœur. La douleur de l'absence de sa mère lui avait semblé insurmontable, quand il avait prit conscience que, tout comme lui, Junior avait perdu sa mère. La page était couverte de mots soigneusement alignés par Marielle.

À mon cher fils Léo,

Les mots me manquent pour te dire à quel point je regrette de ne pas avoir su te mettre à l'abri de mes erreurs. Ta détermination à vouloir aider Junior m'a fait l'effet d'un coup de poignard. Elle me blesse la chair et m'ouvre les yeux sur l'ultime leçon de la vie. Quand on se croit assez fort pour déjouer le destin, on parvient seulement à brouiller les cartes et à saccager des vies innocentes.

Je réalise que j'ai perdu quinze années de ma vie à regretter des gestes passés qui ont engendré de douloureuses conséquences. Je connais maintenant le moyen d'en corriger certains. Je ferai tout ce qui est en mon pouvoir pour préserver ton intégrité, ton bonheur et celui de ton frère car la seule chose qui aura vraiment compté, à l'heure des bilans, sera mes trois merveilleux fils.

Samuel, notre aîné, nous a quittés trop tôt. Il fut une surprise pour ton père et moi, mais il fut surtout la première preuve de tout l'amour que nous éprouvions l'un pour l'autre.

Samuel Jr fut également une surprise, mais aussi une autre preuve de la force de nos liens familiaux.

Et toi, Léo, toi que je n'ai pas su accueillir ni aimer comme une mère, toi dont j'ai ignoré l'existence et dérobé l'enfance, tu es le seul que nous ayons sciemment conçu, que nous espérions, mois après mois, jusqu'à ce que le drame se produise.

Pour toi, Léo, je passerai le reste de ma vie à compenser les années volées, l'enfance amputée de bonheur et de preuves d'amour. Pour toi, Léo, je préserverai ce que tu as de plus précieux au monde et qu'aucun être humain ne pourra jamais reproduire ou remplacer : ton frère.

Ce matin, j'ai vu dans tes yeux implorants toutes les questions qui m'ont poussée à te fuir, jamais par indifférence, mais toujours de peur de te décevoir. Si je suis trop intimidée par ton regard lucide, je peux cependant t'écrire ce que j'ai essayé de comprendre depuis le jour de ta naissance : ton destin n'était pas de sauver la vie de ton frère, il était bien plus grand que ça! Tu étais destiné à «être» un frère, celui de Junior. Prends bien soin de lui.

Je t'aime,
Maman

La vue brouillée et secoué de violents sanglots, Léo avait replié la lettre. Il l'avait rangée avec soin dans l'enveloppe et avait refermé le rabat. Il s'était allongé sur le lit, posant la tête sur l'oreiller et s'enroulant dans la couverture en serrant contre son cœur la déclaration d'amour de sa mère.

Mathieu venait de terminer sa lecture lorsque Léo revint à la réalité. Il avait la main posée sur la poche de son veston, où se trouvait la lettre de sa mère. Comme il l'aimait! Comme il lui était reconnaissant de lui avoir fait don d'un tel cadeau! Les mots écrits à son attention redonnaient un sens à sa vie et chaque nouvelle lecture le réconfortait. Hier encore, il n'espérait pas trouver un tel apaisement, ni une telle sérénité. Il avait maintenant l'impression de savoir qui il était et pourquoi il existait. Ce cadeau allait peut-être l'aider à traverser la tempête et calmer la douleur causée par le départ de sa mère.

Le service tirait à sa fin: le cortège s'apprêtait à redescendre l'allée. Léo se leva, boutonna son manteau et sortit du banc, plus fort de sa nouvelle identité. Les porteurs entamèrent la marche, suivis par le célébrant. Aux côtés de son père, Léo les rejoignit, laissant un peu de sa peine derrière lui. Il remarqua l'air affligé de son oncle et de son cousin, mais portait maintenant sur eux un regard nouveau. Il les réconforta d'un sourire.

Il regarda ensuite sa grand-mère Pierrette, durement éprouvée et rongée par l'inquiétude quant à l'avenir réservé à ses petits-fils. Léo craignit qu'elle ne se remette jamais de la perte de sa fille.

Lorsque Léo approcha de Marie-Paule Martin, il ne put s'empêcher de la réconforter et de la remercier d'avoir joué un rôle si important dans sa vie.

Puis, il étreignit Jean-Gervais, son ami fidèle, et le remercia pour son soutien depuis le jour de son arrivée à la ferme.

Il ne revit pas Marjorie, qui avait quitté l'église avant la fin de la cérémonie.

Assis dans la dernière rangée, le vieux docteur Gaulin attendait. Lorsque Léo arriva à sa hauteur, il se leva et s'approcha. Il lui tendit la main, une expression indéchiffrable sur le visage.

— Je regrette, mon garçon... je regrette...

Léo le remercia de sa compassion et le médecin sortit de l'église.

Après la fatidique journée du décès de Samuel, quinze ans auparavant, le docteur Gaulin n'avait jamais plus proposé la conception d'un enfant-médicament comme ultime solution à un parent affligé. Il avait fini par confier la direction du service de néphrologie à de jeunes médecins et avait pris sa retraite. Cependant, il avait repris du service la semaine précédente pour superviser une dernière greffe rénale, effectuée sur un très jeune patient qui recevait un don inestimable de sa mère : Samuel Jr Allard.

Remerciements

Cette page est la plus importante du livre parce qu'elle témoigne de sentiments réels. Je tiens à exprimer ma gratitude et ma reconnaissance à tous ceux et celles qui m'encouragent et me soutiennent dans mon activité d'écriture, en particulier ma famille et mes amis. Je n'y arriverais pas sans votre affection.

Merci à Sylvain Harvey pour le soin minutieux qu'il porte à l'édition de mes livres et merci à Véronique Bernier pour sa contribution à la promotion du livre. Merci à Carole Noël pour son aide à la révision.

Enfin, je remercie du fond du cœur tous ceux et celles qui ont lu ou qui liront un de mes ouvrages. C'est pour vous que j'écris. Continuez de me faire part de vos commentaires qui sont la vraie récompense de l'écrivain. Vous pouvez maintenant me joindre directement à l'adresse suivante:

helenelucas@editionssylvainharvey.com